Дарья Донцова

Любимые забавы папы Карло

Москва

2004

ИРОНИЧЕСКИЙ ДЕТЕКТИВ

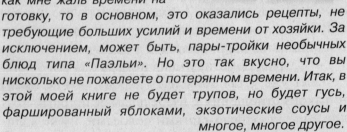

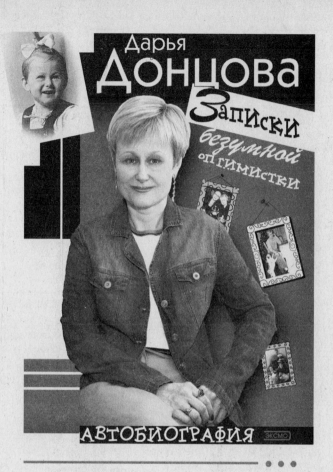

Дарья Донцова

ДОНЦОВА

Записки безумной оптимистки

АВТОБИОГРАФИЯ

ЭКСМО

• • •

"Записки безумной оптимистки"

«Прочитав огромное количество печатных изданий, я, Дарья Донцова, узнала о себе много интересного. Например, что я была замужем десять раз, что у меня искусственная нога... Но более всего меня возмутило сообщение, будто меня и в природе-то нет, просто несколько предприимчивых людей пишут иронические детективы под именем «Дарья Донцова».
Так вот, дорогие мои читатели, чаша моего терпения лопнула, и я решила написать о себе сама».

Дарья Донцова открывает свои секреты!

Глава 1

Даже если слегка подуть в морду своей любимой собаке, она ужасно разозлится и начнет демонстрировать крайнее неудовольствие, но стоит тому же псу залезть в машину, как он моментально высунет нос в окно, подставив его под струю встречного воздуха. Вы можете объяснить, почему четвероногий друг так ведет себя? Я нет. Хотя на свете есть много вещей, которые лично мне кажутся необъяснимыми. Ну, например, с какой стати мой муж Олег Куприн терпеть не может Киру Нифонтову? Кирка совсем даже не глупа, вполне симпатична внешне, всегда готовит к приходу Олега его самые любимые блюда и ни разу не попросила моего супруга о каком-либо одолжении. А ведь рано или поздно все наши знакомые, памятуя о том, что Куприн служит в милиции, начинают звонить и канючить:

— Слышь, помоги, у меня номера с тачки сняли.

Олег уже устал объяснять народу, что не имеет никакого отношения к владельцам резиновых жезлов и машин с бело-синими полосами, ну не является он сотрудником ГАИ. Да и к военкомату он тоже не имеет отношения! Еще Олегу не надо звонить с криком: «Мы горим!» — для таких ситуаций существует хорошо всем знакомый номер «01». Навряд ли Куприн сумеет отыскать пропавшую кошку, и наказать соседа-пьяницу он не вправе, это работа участкового инспектора. Но никакие доводы разума на наших знакомых не действуют, поэтому, оказавшись в любой нештатной ситуации, они моментально хватаются за телефон и кричат:

— Куприн! На помощь! Скорей!

Олег человек добрый, дружба для него понятие круглосуточное, поэтому он, вздыхая и чертыхаясь, едет в ГАИ или военкомат, вызывает пожарную команду и связывается с районным отделением милиции.

Так вот, Кирка Нифонтова никогда не обращалась к Олегу. Она ни разу не обременила его даже самой крохотной просьбишкой. И вот поди же ты! При виде Оли Скобцевой, пришедшей в очередной раз с мольбой выручить ее сына-оболтуса из «обезьянника», в который милый мальчик по чистой случайности попадает в пятый раз за месяц, Куприн тут же распахивает холодильник и гудит:

— Садись, Олька, не рыдай. Сейчас мы с тобой водочки хряпнем, селедочкой закусим, вот жизнь и наладится.

Но стоит Олегу увидеть лучезарно улыбающуюся Киру, которая принесла ему в подарок собственноручно связанный шарф, как он, вежливо буркнув «спасибо», сразу убегает прочь. Именно сегодня, в субботу, в семь часов вечера, у него обнаруживаются срочные дела невероятной важности, о которых он забыл.

Я же остаюсь в глубоком недоумении. На мой взгляд, следовало стремглав уноситься от вечно рыдающей Оли Скобцевой, а Кирке Нифонтовой предложить водки с селедкой.

Вот и сегодня, едва увидев Киру, Олег мигом заявил:

— Черт! Надо на работу съездить.

— У тебя выходной, — быстро напомнила я.

Куприн моргнул раз, другой, третий. Видно, ему в голову никак не приходил нужный предлог для срочной ретировки из дома.

— Садись, — сурово сказала я, — чаю попьем, вон Кира опять твое любимое суфле принесла.

— Э-э-э, — протянул мой майор, — да... но... ну... в общем, мне худеть пора.

— Ты замечательно выглядишь, — не упустила случая сделать комплимент Кира.

— Живот торчит, — влезла я.

— Это комок нервов, а не пузо, — улыбнулась всегда защищающая Куприна Нифонтова.

Думаете, Олег с благодарностью посмотрел на нее? Отнюдь! Мой муж плюхнулся на стул и уставился в окно. Поведение Куприна было просто неприличным. Уж не знаю, что подумала Кирка, но она, даже не моргнув глазом, принялась щебетать о своих новостях. Лично мне Кира напоминает некую смесь певицы Верки Сердючки и моей любимой радиостанции, она постоянно повторяет:

— Все будет хорошо, я точно знаю, все будет хорошо.

Вот и сейчас от нее исходили лишь положительные эмоции. На даче в подвале прорвало трубу, но это очень кстати, потому что теперь хозяева знают, что менять. Домработница Киры невесть где летом подцепила грипп и не является уже две недели на службу, но это очень здорово, потому что раковые клетки погибают при высокой температуре; значит, Нюся в ближайшие пять лет может не бояться никаких опухолей.

Чем больше щебетала Кира, тем мрачнее делался Олег. Я уже решила на всякий случай пнуть муженька под столом ногой, но тут на кухню вошла Томочка и спросила:

— Никто мои ключи не видел?

— А зачем они тебе? — вдруг оживился Олег.

— Я на рынок собралась.

— Ты же мигренью мучаешься, — Куприн проявил несвойственную ему внимательность.

Томуся вяло улыбнулась:

— Мне уже легче.

Наверное, я должна была воскликнуть: «Что за ерунда! Нельзя с головной болью за харчами шастать, сейчас сама сгоняю».

Но в присутствии Киры этого не скажешь, подруга пришла в гости, и ей надо оказать внимание.

— Знаешь, — протянул Олег, — пиши список, я сам схожу на оптушку.

— Ты? — вытаращилась Тамарочка.

— Да. А что тут удивительного?

Я кашлянула. Совершенно ничего, кроме того, что Куприн до зубовного скрежета ненавидит любые магазины, кроме тех, где торгуют запчастями для автомобилей и рыболовными снастями. Надо же, до какой степени он терпеть не может несчастную Нифонтову, раз готов удрать из дома за едой.

Тамарочка, очевидно, была удивлена не меньше.

— Ну, — промямлила она, — спасибо.

— Вот бумага, — засуетился Олег, — и ручка, составь список, напиши подробно, я никакого самовольства не допущу, буду действовать по твоей указке.

Томуся села за стол и принялась выводить ровные строчки: «1. Килограмм сахара. 2. Пакет гречки. 3. Вилок простой капусты. 4. Цветной. 5. Десяток яиц. 6. Килограмм муки. 7. Батон белого хлеба. 8. Средство для мытья посуды. 9. Пакет молока. 10. Газета «Ух».

— Последнее, конечно, несъедобно, — усмехнулась подруга, — но я люблю читать это издание перед сном. Жуткие глупости пишут, феерические сплетни, лежу и веселюсь.

— Никто тебя не осуждает, — отозвался повеселевший Олег, — на то она и газета, чтоб ее покупать. Ну я побежал, покедова. Скоро не ждите, список большой, часа три потрачу.

Томочка хихикнула, потом кашлянула и сказала:

— Чаек пьете?

— Ага, — хором ответили мы с Киркой.

— Уж не обижайтесь, меня мигрень просто сгрызла, пойду лягу.

— Вот бедная, — от души посочувствовала Кирка.

— Топай скорей в кровать, — велела я.

Спустя пару мгновении мы остались с Кирой вдвоем.

— Может, теперь кофейку? — предложила я.

Внезапно Кира схватила меня за руку.

— Сядь и послушай! Ты должна мне помочь! Я попала в идиотскую ситуацию.

— Ты? — изумилась я.

Кира кивнула.

— Что случилось?

— Глупость страшная, — пробормотала Кира, — просто несусветная, я сама виновата, но от осознания сего факта легче мне никак не делается. Ладно, слушай.

Чем дольше Кирка излагала свою историю, тем больше у меня отвисала челюсть. Вот уж от кого-кого, а от нее я не ожидала ничего подобного.

Кирку я знаю очень давно. Моя мачеха Раиса когда-то убирала у ее родителей квартиру. Раиса была честным человеком, ей и в голову не могло прийти взять чужую вещь, но однажды у Елены Семеновны, мамы Киры, пропало сапфировое ожерелье. Раису обвинили в воровстве. Моя бедная мачеха клялась, что и в глаза не видела дорогостоящего украшения, но хозяйка устроила вселенский скандал и с воплем: «Только потому, что ты одна воспитываешь ребенка, я не пишу заявления в милицию», — вытолкала Раису вон.

Раисе пришлось пересекать большой двор, как назло, полный жильцов, под вопли бывшей хозяйки:

— Воровка, негодяйка, мерзавка!..

Домой мачеха вернулась пьяной. Когда я открыла дверь, Раиса упала в прихожей, сшибла локтем зеркало и моментально заснула, не заметив, как падчерица обметает ее веником. Утром, жадно глотая холодную воду, Раиса мрачно заявила:

— Отдохнула я! И что с того? Все вокруг квасят! Ну скажи Елена Семеновна: Райка водку жрет, так и ответить нечего, потому как это правда. Но чтоб я хоть нитку чужую взяла?

Злые слезы потекли по ее щекам, я бросилась утешать мачеху.

Через три дня в нашу крохотную квартиру явилась сама Елена Семеновна, высокая, статная генеральша. Заполнив своим пышным телом прихожую, она громко велела:

— Зови сюда Райку!

Я быстро загородила собой вход в комнату, где на диване дрыхла пьяная мачеха, и сказала:

— Идите отсюда. Раиса честная, никогда на чужое даже не посмотрит. Лучше не начинайте скандал в нашей квартире, хоть вы и замужем за генералом, я милицию позову, и вас за хулиганство арестуют.

Елена Семеновна легко сдвинула меня в сторону, протиснулась в комнату, села около дивана и стала тормошить Раю:

— Эй, проснись.

— И чего тебе? — простонала мачеха, садясь.

— Прости, — закричала Елена Семеновна, — ну прости меня!

Оказывается, генеральша наняла новую домработницу, а та из усердия сделала то, что ленилась делать Раиса, — отодвинула от стены тумбочку. Ожерелье нашлось за мебелью.

Мачеха к Елене Семеновне не вернулась.

— Ну ее, — сказала мне она, — лучше уж подъезды мыть да улицы мести, оно спокойней.

Генеральша, чувствуя свою вину, щедро одарила бывшую домработницу, а еще она взяла меня на лето на свою дачу. Мы жили в одной комнате с ее дочкой Кирой и, наверное, могли бы стать лучшими подругами, но у меня к тому времени уже была Томочка, поэтому Нифонтова оказалась другом номер два. Но Киру это не обидело, у нее уже тогда был совершенно замечательный, неконфликтный характер. Кирка из той породы людей, которых принято называть везунчиками. Удача буквально преследовала ее по пятам. Кира выросла в очень благополучной семье, возле любящих родителей. Никаких братьев-сестер-племянников не имела, все внимание, все деньги, вся забота достались ей от мамы и папы целиком. Никаких проблем у Киры не было. Правда, отец ее умер, когда Нифонтова еще сама не зарабатывала. Но никаких материальных тягот вдова и дочь генерала не испытывали. Я не знаю, где Елена Семеновна брала деньги, но Кира по-прежнему щеголяла в шубке и симпатичных сережках.

После окончания института мать подыскала дочке

жениха. Другая бы девица начала возмущаться, вопить:

— Не лезь в мою жизнь, я сама замуж выйду.

Но Кира благополучно не подхватила в свое время инфекцию под названием «Первая любовь», она никогда ни в кого не влюблялась, не бегала по вечерам тайком от родителей в кино, не целовалась в подъезде и не обнималась на лестнице, на последнем этаже, где тросы лифта со скрипом уезжают в крышу. Наверное, по этой причине Кира незамедлительно потеряла голову, познакомившись с Борисом, которого Елена Семеновна привела к дочери за руку.

Короткий, бурный роман завершился шумной свадьбой. Спустя довольно большой срок после бракосочетания Кира родила близнецов, королевскую парочку, мальчика и девочку. Ей и тут повезло, тот, кто воспитывал двух пацанят, очень хорошо меня сейчас понимает. Наследниками Нифонтова обзавелась не сразу, успела пожить для себя и для мужа.

Жизнь Киры текла без всяких потрясений. Единственное горе за долгие годы — смерть Елены Семеновны. Но судьба оказалась весьма благосклонной к вдове. Генеральша дожила до очень преклонных лет и сошла в могилу внезапно, не болея ни дня. Смерть ее можно назвать завидной. Ясным днем Елена Семеновна вышла на веранду дачи, вдохнула свежий воздух и, радостно воскликнув: «Хорошо-то как!» — упала замертво.

Аневризма сосуда головного мозга — так, кажется, называется эта болячка. Елена Семеновна не мучилась ни минуты, она даже не поняла, что уходит на тот свет, а в гробу лежала с улыбкой.

Борис, муж Кирки, оказался замечательным супругом и отличным отцом. Он великолепно зарабатывает, впрочем, Кира тоже ходит на службу, с деньгами у них полнейший порядок. Есть замечательная дача, две машины, собака, а дети никогда не доставляли им хлопот. Просто образцово-показательное семейство, про которое даже нельзя написать в газете, потому что журналиста обвинят во лжи. Редактор прямо заявит на летучке:

— Что за сладкие слюни ты приволок? Таких семей теперь не бывает, пасторальная картина.

Чтобы окончательно добить вас, сообщу, что Боря обожает делать Кирке подарки, причем старается проявить выдумку и сообразительность. Лишь бы что, типа флакона духов, он не приносит. На годовщину свадьбы в прошлом году Боря презентовал Кире ожерелье, перед которым меркло даже то, сапфировое, в краже которого когда-то обвинили Раису. «Ошейник», усыпанный брильянтами, а в центре крупный изумруд редкой чистоты.

— Камень из Боливии, — пояснил Боря, вытаскивая из коробочки украшение, — а вот тут выложена буква К.

— Ты делал его на заказ! — восхитилась Кира.

— Конечно, — удивился Боря, — неужели я подарю тебе ширпотреб?

Ожерелье Кира убрала в сейф, оно было слишком ценным, чтобы просто так валяться в комоде.

И вот сейчас, сидя на кухне, Кирка рассказывает мне ну совершенно невероятную историю.

Зимой она, солидная замужняя дама, мать двоих детей, кандидат наук... влюбилась.

— В кого? — задала я совершенно идиотский вопрос.

— В мужчину, — усмехнулась Кира.

— А если поподробнее? — стала злиться я.

— Его зовут Эдик, — тихо сказала Кира, — Эдуард Николаевич Мали́на.

— Странная фамилия, — засмеялась я.

— По-моему, замечательная, — резко отбрила меня Кира, и я захлопнула рот.

Ну и ну, здорово же ее скрутило! А Кира, не обращая внимания на выражение моего лица, продолжала рассказ, глаза ее горели, щеки алели румянцем, сейчас подруге запросто можно было дать двадцать лет и ни днем больше.

Ситуация оказалась простой как веник. В декабре прошлого года Кира ехала домой. Она очень хорошо водит машину, но, что характерно для многих женщин, совершенно не разбирается в моторе. Внезапно иномарка «умерла». Кирка попинала колеса ногами, но, естественно, никакого положительного эффекта не добилась. Чертыхнувшись, она вытащила мобильный, чтобы вызвать техпомощь, но тут около нее притормозила машина, не слишком новая и совсем не дорогая.

— Что случилось? — спросил шофер.

— Вот! — сердито воскликнула Кира. — Не едет.

Водитель вылез, посвистывая, заглянул под капот «заболевшей лошадки» и вздохнул:

— Прямо тут, на дороге, я вам не помогу. Хотите, приятеля позову, у него здесь в двух шагах сервис?

Кирка согласилась. Дальше все происходило словно в сказке. Незнакомец, назвавшийся Эдуардом, развил бурную деятельность. Спустя наикратчайшее время прибыл эвакуатор, принадлежавший мастерской. Он бесплатно дотащил машину до автосервиса, где устранили неполадку в один момент, взяв за труд сущие копейки. Кира захотела отблагодарить Эдуарда и предложила:

— Давайте сходим в ресторан, я накормлю вас ужином, если, конечно, вы не очень к семье торопитесь!

— С какой стати ты сделала незнакомому парню подобное предложение? — перебила я подругу.

Та закашлялась.

— Ну... понимаешь, он же время на меня потратил...

— И ты решила отнять у него еще больше этого самого времени, зазывая благодетеля в трактир? Ну дала бы ему денег!

— Он не выглядел человеком, которому можно всучить мзду, — протянула Кира.

— Скажи честно, Эдуард тебе просто сразу понравился! — воскликнула я.

Кира секунду сидела, не шевелясь, потом кивнула:

— Да, чего уж теперь скрывать. Знаешь, он такой...

«Ой-ой, он весь такой, ой-ой», — так, кажется, поет певица Глюкоза. Только эта песня исходит из уст молоденькой девушки, почти девочки, и адресована она ее одногодкам. Такой, не такой, как все, замечательный, самый лучший, такой-растакой... Ну кто из нас, милые мои, никогда не произносил подобных слов? Маленькая деталь, нам с Киркой не двадцать и даже не двадцать пять лет! Пора уже и голову на плечах иметь. Но Кируське начисто отшибло мозги. Эдуард заявил, что он вполне свободен и готов рулить в харчевню. А у Киры муж на той неделе уехал в командировку, дети были с няней в санатории. В общем, понимаете, чем закончилось дело?

Глава 2

Утром, проводив Эдуарда, Кирка кинулась в ванную и влезла под холодный душ. Ее трясло, ломало и било в ознобе, словно во время тяжелой болезни. Кира пошла под венец девушкой в прямом смысле этого слова, никаких мужчин, кроме Борьки, в жизни Нифонтовой не было. К интимной стороне брака она относилась с прохладцей, по принципу: если супругу невтерпеж, то пожалуйста. Рождение ребенка обычно меняет женщину в сексуальном плане, но Кира осталась прежней. Мы никогда не обсуждали с ней интимные подробности нашей семейной жизни. Обе небольшие любительницы беседовать на эту тему, потому что считаем: в свою постель не следует пускать посторонних, ни ближайших родственников, ни знакомых. Но сейчас Кира была откровенна сверх меры.

Борис уделял жене всего пару минут, а потом, отвернувшись к стене, мгновенно засыпал. Наивная Кира полагала, что именно таким образом обстоит дело и у других, поэтому особо не переживала. С годами Боря стал охладевать к супруге, забирался к ней под одеяло от силы раз в два, три месяца, чему Кира была только рада. Она считала сексуальные упражнения чем-то вроде гимнастики, смешной и слегка утомительной. Эдуард же показал Нифонтовой «небо в алмазах». Бедная Кирка только сейчас поняла, с какой целью женщина тащит мужчину в постель, и от этого знания ей стало плохо. Значит, большую часть своей молодости она, образно говоря, просидела в темном подвале, а теперь вдруг внезапно распахнулась дверь, и Киру вынесло на огромную поляну, залитую ярким солнцем. Было от чего обалдеть.

Ну а потом Киру окончательно сорвало с катушек. Пользуясь тем, что дети катались на лыжах в санатории, а муж решал какие-то вопросы в командировке, Кира вовсю развлекалась с Эдуардом в супружеской спальне, не испытывая при этом никаких, даже малейших угрызений совести.

Малина был не только изобретательным любовником. Он интересовался всеми делами Киры, расспрашивал ее о детстве, юности, семейной жизни. Короче говоря, через две недели Кира поняла: она больше не может существовать без Эдуарда. Именно он ее вторая половина. И от этого ей было некомфортно, ведь половина эта официально ей не принадлежала.

Совсем плохо ей стало, когда вернулся Борис. Ночью он полез к жене, быстренько выполнил супружеский долг и со спокойной душой заснул носом к стенке. Кира же до утра пролежала, кусая подушку, пытаясь разобраться в себе. В юности Борис ей нравился, потом любовь угасла, превратившись в дружбу. Нифонтова считала себя счастливой женой, она была достаточно умна для того, чтобы понять: брак не может всегда существовать на пике чувств. Но сейчас у нее появилось отвращение к Борису и горячее желание, схватив сумочку, удрать прямо в чем мать родила к Эдуарду.

Поскольку дома у Киры теперь сидел муж, следующее свидание любовники наметили в кафе.

— На данном этапе нам остается лишь чай пить, — грустно констатировал Эдик, — во всяком случае, сегодня. Потерпи, любимая, мне на днях должны заплатить деньги за проект, я сниму квартиру.

— Мы не можем пойти к тебе? — робко предложила Кира.

Эдик вздохнул:

— Увы! Нет.

— Но почему? Ты живешь не один?

Тот кивнул:

— Да.

— С мамой?

Малина завздыхал, потом вытащил из сумки паспорт и положил на столик.

— Вот, смотри! Надо было сразу тебе сказать, да я смалодушничал!

Кира начала перелистывать странички, нашла штамп московской прописки, машинально запомнила адрес и ахнула. Глаза наткнулись на отметку о бракосочетании с женщиной по имени Ванда Львовна.

— Ты женат? — прошептала Кира.

— Да, — вздохнул Эдик.

— Ужасно! — вскричала Кира и осеклась.

Ну какое право она имела упрекать Эдика, сама ведь была замужней дамой.

Малина грустно улыбнулся.

— Понимаешь, я полюбил тебя сразу, как только увидел тогда на дороге. С женой у меня давно нет никаких отношений, она очень больной человек, инвалид. Детей у нас не случилось, но уйти от супруги я не могу, подло бросать почти беспомощного человека.

— Что же нам делать? — прошептала Кира. — Как жить?

Эдик обнял ее и зашептал:

— Дорогая, ну погоди чуть-чуть, Ванда умирает, врачи дают ей год или даже меньше. Пойми, я не могу сейчас уйти, она погибнет. Я не люблю ее, я вообще никого не любил до тебя. Но строить наше счастье на крови Ванды не стану.

Кира кивнула.

— Да, конечно, но мне что делать?

— Потерпеть.

— И жить с Борей?

Эдуард схватил со стола салфетку, скомкал ее и отбросил в сторону.

— Извини, извини. Но Ванда не переживет скандала, я отношусь к ней, как к своей сестре, не надо ревновать. Потом, твои дети, они окажутся в эпицентре бури. Надо поступить не так! Не столь скоропалительно!

— А как? — наивно спросила Кира.

— Мы стиснем зубы, сожмем кулаки и будем вести двойной образ жизни. Ни твой Борис, ни моя Ванда не должны ничего заподозрить. Скорей всего, осенью бедняжка умрет. И тогда я быстро продам нашу старую квартиру, куплю новую, сделаю там ремонт, и к зиме мы сможем въехать туда. Там и начнется наша счастливая жизнь. Ты, ничего не объясняя мужу, просто исчезнешь, прихватив с собой ребят. Не волнуйся, я быстро сумею наладить контакт с детьми. С Борисом тебе не придется более встречаться, все формальности решит нанятый мною адвокат!..

— И ты ему поверила? — подскочила я.

Кира кивнула.

— Да.

— О боже!

Нифонтова нахмурилась.

— Все нормально, мы жили прекрасно. Ни Борька, ни дети ничего не заподозрили. Ванда тоже пребывала в неведении, Эдик очень осторожен.

— Тогда в чем проблема? — слегка успокоилась я.

Конечно, Кирка наделала много глупостей, но если Боря не в курсе, то ничего особенно страшного не случилось. Многие жены изменяют мужьям, а те и не замечают, что стали рогоносцами. Наверное, скоро страсти начнут остывать. Кирка с Эдиком разбегутся. Надеюсь, в дальнейшем подруга станет умней и поймет: мужа на любовника не меняют, синица в руках лучше журавля в небе.

— В ожерелье, — вдруг выпалила Нифонтова, — в том, которое Борька мне на годовщину свадьбы подарил.

— А что с ним?

Кирка замялась:

— Ну... понимаешь...

— Говори.

— Я дала его Эдику.

— Зачем?

— Ему очень срочно понадобились деньги, Ванде пообещали сделать операцию в Германии, — заныла Кира. — Конечно, толку от нее не будет, баба одной ногой в могиле, но доктор, вот идиот, в присутствии жены сообщил Эдику: «Это ее последний шанс».

Я только хлопала глазами, слушая Киру.

Ванда стала умолять супруга отправить ее в заграничную клинику. Малина начал занимать деньги, но необходимой суммы не наскреб и попросил Киру:

— Не могла бы ты одолжить мне ожерелье, что подарил тебе муж? Я заложу его в ломбарде, отправлю Ванду в госпиталь, а сам раздобуду денег, выкуплю украшение и верну его тебе.

— И ты вручила ему баснословно дорогую вещь?

— Ага.

— Поверила, что твой Эдик найдет средства на его выкуп?

— Ему должны были заплатить гигантскую сумму за выполненный заказ, — ответила Кира, — он постоянно только об этом и говорил.

— Ты не побоялась, что Боря заметит отсутствие украшения?

— Муж не проверяет наличие драгоценностей, — вздохнула Кира, — он мне верит. Вещь слишком дорогая, чтобы ее просто так надевать. Ожерелье лежало в сейфе, дома, но сейчас...

— Что?!

— Через месяц фирма, где Боря служит замом управляющего, будет праздновать десятилетие, — мрачно ответила Кира, — мужа предупредили, что его начальник уходит на пенсию. Во время торжества зачитают приказ о назначении Бориса главным по фирме. Это очень хорошо оплачиваемая, престижная работа. Вопрос хозяином решен, отчего он задумал устроить такое шоу, я не знаю. Но Бориска ажитирован сверх меры, желает предстать перед барином во всей красе, под ручку с шикарной супругой. Он шьет себе белый смокинг, мне — нежно-зеленое платье с ручной вышивкой.

— Тебе пойдет, — кивнула я.

— Да, и еще к вечернему наряду Боря велел непременно надеть то ожерелье с изумрудом, — прошептала Кира. — Но его нет! И что я Боре скажу?

— Правду.

— Ой, не могу, — испугалась Кира, — я хотела поступить так, как предложил Эдик, попросту убежать тайком. Я ненавижу скандалы, выяснения отношений. Но, знаешь, возникли проблемы...

— Какие?

— Ну, — стала запинаться Кира, — тут несколько моментов. Конечно, Эдик замечательный, просто необыкновенный, но ведь у меня дети. Какой из Эдика отец получится, я не знаю. Скорей всего, он захочет, чтобы я родила ему ребенка, Ванда-то не сумела. Ну и начнутся скандалы — я ведь не хочу ребенка! Потом, Машка с Ванькой отца обожают, им без него плохо будет. Опять же, у нас налаженная жизнь, шикарная квартира, машины... Борис после повышения начнет очень большие деньги получать, мы решили загородный дом строить. Понимаешь, с таким папой, как Борис, у Маши и Вани вполне обеспеченное будущее, а с Эдиком? Нет, он работает, но живет напряженно, денег больших не имеет, каково нам придется? Только не считай меня корыстной!

— И в мыслях такого не было, — вздохнула я, — я точно знаю, с милым рай в шалаше первые полгода, потом захочется мягкой постели, комфорта, вкусной еды, хорошей одежды и материальной стабильности.

— Дай объясню свою позицию, — затараторила Кира, — я люблю Эдика, очень! Очень! Но ради детей...

Несколько минут я слушала ее сбивчивую речь, потом обняла Киру.

— Послушай! Нет никакой надобности оправдываться. С тобой случилась самая обычная вещь: мужик вскружил тебе голову, проявил внимание и заботу, вот ты и попалась на старый крючок. А сейчас дурман проходит и ты начинаешь понимать: прежний муж вовсе не так плох. Уютные, старые, слегка потерявшие вид домашние тапочки бывают намного комфортней шикарных вечерних туфель.

— Я сволочь? — прошептала Кира. — Мерзавка, да? Эдик меня любит, строит планы на новую жизнь, а я...

— Вовсе нет. Ты самая обычная женщина, и переживания твои не оригинальны. Сделай правильные выводы из случившегося и живи дальше с Борей, только упаси тебя бог ему хоть взглядом намекнуть на свою измену, мужчины такого не прощают. Успокойся, с каждой женщиной рано или поздно случается подобное, главное, не ставить адюльтер на «поток». А одноразовый загул даже полезен. Знаешь, есть поговорка: «Здоровый левак укрепляет брак». Сбегала на сторону, сообразила, что свой собственный муж вполне даже ничего, и живи себе дальше. Насколько я понимаю, с Эдиком вас связывала лишь постель, — на одном дыхании выпалила я.

Кира вздохнула.

— В последнее время нам практически было негде встречаться, ходили по каким-то трущобам, ну, знаешь, такие жуткие квартиры, которые хозяева на пару часов парочкам сдают. Нет, я попала в отвратительное положение! Сначала мне было Борю жаль, теперь Эдика! Ну как он без меня жить станет!

— Думаю, что великолепно.

— Ой, нет! Эдик надеется на женитьбу...

— Скажи, Ванда умерла?

— Нет, — вздохнула Кира.

— Значит, успокойся.

— Почему?

— Понимаешь, многие мужики рассказывают любовницам одну и ту же сказочку: дескать, с женой он не живет, но бросить не может, поскольку та больна неизлечимо, смертельно. У этой Ванды гастрит, или хронический насморк, или, что вероятнее всего, вообще ничего серьезного!

— Нет, Эдик не такой!

— Ладно, проехали, постарайся забыть его. Главное теперь, чтобы сей фрукт не начал тебя преследовать. Хотя это навряд ли. Коли ты дашь ему от ворот поворот — найдет себе другую дуру. Прямо сегодня расставь точки над «i» и похорони происшедшее. Только не ругай себя, в конце концов, ничего ужасного не случилось.

— А ожерелье? — напомнила Кира. — Мне его надо будет непременно в сентябре надеть.

— Твой красавец его еще не выкупил?

— Нет.

— Значит, потребуй немедленно это сделать!

Кира всхлипнула:

— Он пропал.

— Эдик?

— Да.

— Совсем исчез?

— Ну, понимаешь... мобильный третий день подряд талдычит: «Абонент находится вне зоны действия сети».

— Позвони на домашний.

— Я номера не знаю.

— На рабочий!

— Он мне тоже неизвестен, я вообще-то и не знаю, где Эдик работает, как-то не спросила об этом!

Я призадумалась.

— Ладно, наплюй на эту сволочь, сама выкупи.

Кира вздрогнула.

— У меня таких денег и близко нет, а у Бори я попросить не могу.

— У него есть?

— Да.

— Хорошо. Скажи, что деньги понадобились мне, я выкуплю ожерелье, а там посмотрим.

Кира нахмурилась.

— Во-первых, я не хочу впутывать тебя в неприятную историю, а во-вторых, квитанция у Эдика.

— Так забери!!!

— Он же пропал!

Я уставилась на Киру.

— Вот потому-то я и прибежала к тебе, — грустно продолжала Нифонтова, — помоги, умоляю, я не знаю, в какой ломбард он сдал драгоценность.

— Что же я-то могу?

— У меня есть адрес Эдика, ну по прописке, я видела штамп в его паспорте. Съезди к нему домой, я сама не могу, увижу эту Ванду и слечу с катушек, а ты умная, спокойная. Сделаешь вид, ну... будто какой-то ерундой торгуешь или опрос проводишь, улучишь момент и скажешь Эдику: «Кира просит передать, что между вами все кончено, выкупи немедленно ожерелье и верни ей, или, на худой конец, отдай квитанцию».

Я кивнула:

— Хорошо.

— Поезжай прямо сейчас, — оживилась Кирка, — вот тебе адрес.

— Ладно, только Олега дождусь.

— Надеюсь, он не до полуночи собрался по рынку шастать, — занервничала Кира.

Не успела она закрыть рот, как из коридора донесся голос Куприна:

— Просто не понимаю, каким образом вы ухитряетесь доносить до дома свои покупки! Даже я еле-еле допер сумки!

— Но список был совсем небольшой, — ответила Томочка, — так, по мелочи!

— Ни фига себе! — по-детски воскликнул Куприн.

В ту же секунду мой майор возник на пороге кухни, в руках у него были большие, туго набитые мешки. С протяжным стоном Олег поставил их на стол и попросил:

— Воды! Холодной!

Я улыбнулась и протянула ему стакан:

— Пей.

Жадными глотками Куприн опустошил емкость.

— А теперь представь, — не утерпела я, — что тебе еще надо разобрать торбы, приготовить обед, постирать и погладить бельишко, убрать квартиру... Когда же ты без сил рухнешь у телика, в дом войдет муж и заорет: «Ишь расселась! Я работал, а ты целый день дома лентяйничала! Ну-ка, отрывай зад от дивана и беги рысью на кухню, есть хочу!»

— Я никогда так не говорю, — обиженно пробубнил Олег.

— Что-то ты очень много принес, — покачала головой вошедшая за ним Томочка.

Куприн вытащил из кармана мятый листок.

— Нечего меня ругать! Все по списку! Давай проверим. Смотри! Один килограмм сахара. Вот он, пожалуйста. Два пакета гречки. Держите. Три вилка простой капусты и четыре цветной, пять десятков яиц...

Томочка вытаращила глаза, я закашлялась, а Кира начала тихонечко хихикать. Не заметивший нашей реакции Куприн продолжал спокойно вынимать покупки.

— Шесть килограммов муки, семь батонов белого хлеба, восемь бутылочек со средством для мытья посуды, девять пакетов молока и десять газет «Ух». Все точно, никаких ошибок!

— Ну ты даешь! — только и сумела вымолвить Томочка.

— Послушай, — ласково сказала я, — ладно, пять десятков яиц, невероятное количество капусты и длинный ряд упаковок жидкого мыла приобрести можно, в конце концов, логично предположить, что домашние решили сделать запасы, но зачем же нам семь батонов хлеба? А?

— Откуда мне знать, — устало ответил Олег, — котлеты готовить.

— А десять совершенно одинаковых газет?

— Послушай, — обозлился Куприн, — вечно ты всем недовольна! Не хожу я в магазин — лентяй, пойду — дурак! Я, между прочим, целиком и полностью ориентировался на список. Вот тут черным по белому красными чернилами стоит: семь батонов хлеба и десять газет. Томочка лично писала!

— Ты на бумажку взгляни, — сдавленным голосом пробормотала Томуська, — внимательно посмотри, там написано не «семь» буквами, а стоит цифра 7, за ней точка. Это просто нумерация. Я машинально так сделала: один, точка, килограмм сахара; два, точка, пакет гречки. Не в том смысле, что две упаковки крупы. Просто эта покупка шла под номером два!

Тут Кира не выдержала и захохотала в голос.

Олег покраснел.

— Вот что получается, когда за дело берутся бабы, — заорал он, — даже список по-человечески составить не можете!

— Но я очень аккуратно написала, — попыталась спорить Томочка, — после каждой цифры точка!

— Нечего из меня дурака делать! — рявкнул Олег и убежал из кухни.

Томочка растерянно посмотрела на меня.

— Ведь ежу же понятно, что десять одинаковых газет никому не надо!

— Знаешь, дорогая, — ответила я, — ты имеешь дело не с ежом, а с представителем мужского пола, поэтому не ропщи. Еж бы точно увидел точки и все понял правильно.

Глава 3

К дому Эдика я подъехала около пяти часов вечера. Мужчина с оригинальной фамилией Малина обитал в самом центре, в одном из узких кривых переулков, которые стекаются к Маросейке. Я оглядела большой серый дом, вскарабкалась на третий этаж и поняла, что любовь Киры ютится в коммуналке. На косяке было несколько звонков, около одного наклеена бумажка «Малина».

Палец нажал на кнопочку, за створкой глухо затренькало: раз, другой, третий. Я переминалась с ноги на ногу, словно застоявшаяся лошадь. Наконец дверь распахнулась, из квартиры пахнуло плесенью.

— Чего тебе? — устало спросила тетка, одетая в мятый ситцевый халат.

— Здравствуйте, — бодро затараторила я, — Эдуард Николаевич Малина тут проживает?

— Ну.

— Он дома?

— Ну.

— Можно с ним поговорить?

Баба почесала грязную голову.

— Ты кто?

— Представитель радиостанции «Волна», — бодро сообщила я, — Эдуард Николаевич наш постоянный слушатель.

— Ну?

— Мы ежедневно проводим викторину, — несло меня на волне лжи, — а за правильные ответы даем подарки. Ясно?

— Ну.

Однако, похоже, эта баба переплюнула даже Людоедку Эллочку, та все же знала побольше слов, нежели одно короткое «ну».

— Эдуард Малина дозвонился к нам в эфир и абсолютно верно сказал, что первым человеком, полетевшим в космос, был Юрий Гагарин.

— Ну?!

— Я привезла ему приз.

— Ну?!

Очень надеясь, что тетка не имеет никакого отношения к радиовещанию и не знает, что сотрудникам радиостанции и в голову не придет раздавать слушателям презенты да еще самостоятельно развозить их победителям, я выудила из пакета коробку с феном, которую мне на день рождения подарила Лиза Риопова, и воскликнула:

— Вот.

— Давай, — ожила тетка.

— С удовольствием, если вы Эдуард Малина.

— Не, — разочарованно протянула баба, — я Ванда, жена его.

Фен чуть не выпал у меня из рук.

— Ванда! Как вы себя чувствуете?

— Ну... А че?

— Не болеете?

— Тьфу-тьфу, на здоровье не жалуюсь, — охотно сообщила хозяйка, — так дашь фен?

Я почувствовала, как волна злобы поднялась к горлу и мешает дышать. Значит, я не ошиблась. Эдик попросту бабник, ловелас, обманул наивную Кирку. Его Ванда выглядит здоровее многих.

— Нет, — рявкнула я, — зови мужа.

— Эдька, — завопила тетка, — поди сюда! Живо, ханурик безмозглый!

Из душного коридора появилась тщедушная фигурка. От удивления у меня глаза полезли на лоб. Борис, законный супруг Киры, красивый, статный мужчина. Рост у него, наверное, метр восемьдесят пять, спортивная фигура, приятные черты лица. Боря всегда гладко выбрит, пахнет хорошим парфюмом и одет с иголочки. Уж не знаю, какие у него червоточины в душе, но внешний вид всегда безупречен. Эдик же выглядел омерзительно.

Маленький, плюгавенький мужичонка с довольно обширной лысиной. Мелкое личико с нездоровой серой кожей крепко пьющего человека покрывала трехдневная щетина, тощенькое тельце обтягивал так называемый тренировочный костюм: трикотажная вытянутая кофта и брюки, пузырящиеся на коленях. Интересно, где господин Малина раздобыл сей прикид, любимое одеяние советских мужчин семидесятых годов? Вот уж не думала, что подобные «треники» еще сохранились у кого-то в шкафу!

Подойдя вплотную к Ванде, Эдик заискивающе улыбнулся и произнес:

— Ну?

Стало заметно, что у мужика не хватает передних зубов. Я была потрясена. Что же за уникальные сексуальные способности у этой козявки, если Кирка влюбилась в нее? Эдика нельзя даже рядом поставить с Борисом.

— Вы Эдуард Николаевич Малина? — решила я на всякий случай уточнить.

— Ну, — кивнул обмылок.

Однако они с женой сладкая парочка. Представляю их обычную беседу:

— Ну?

— Ну!

— Ну!!!

— Ну???

Вот и поговорили, просто славно, такие небось никогда не ругаются. Нет, не может быть, чтобы

Кирка даже посмотрела в сторону этого беззубого идиота.

— Несите паспорт, — приказала я.

— Ну, — тряхнул головой Ромео и юркнул в глубь квартиры.

Пару минут мы с Вандой стояли молча, потом тщедушное создание пришлепало назад и протянуло мне бордовую книжечку. В полной растерянности я перелистала странички и ляпнула:

— А другого Эдуарда Николаевича Малины тут нет?

— Не, — протянула плюгавая личность, — одни мы.

— На всю Москву, — гордо подтвердила Ванда, — меня раз родственник искал. Из Казани приехал, а бумажку с адресом и телефоном потерял. Так по справке мигом нашел. Других Малина нет. Вот какая фамилия знаменитая!

— Это моя фамилия знаменитая, — Эдуард решил поставить супругу на место, — а твоя, девичья, проще некуда, Петрова. Кабы не я, не стать бы тебе вовек Малиной!

Ванда скривилась.

— Ясное дело, другие мужики деньгами гордятся, машинами. Вон петька Рюмин шубу жене купил. Ну а тебе только о фамилии и говорить! Слышь, отдавай фен, наш он получается.

Последняя фраза явно относилась ко мне.

— А за что нам подарок? — удивился Эдуард.

Ванда зыркнула на мужа.

— Ты вроде отличился, на вопрос ответил.

— Какой?

— Про этого, космонавта.

— Что? — вытаращился Эдик. — Никто меня и не спрашивал.

— Вы его жена? — Я быстро попыталась перевести разговор на другую тему.

— Законная, — кивнула баба.

— Свой паспорт принесите и свидетельство о браке.

— Зачем?

— Условие такое, фен отдают семейной паре с официально зарегистрированными отношениями.

Ванда начала жевать нижнюю губу. Я насторожилась, сейчас она совершенно логично спросит: «С какой стати тащить кучу документов? В паспорте у мужа штамп стоит».

Но Ванда вдруг кивнула и молча ушла. Я бросилась к огрызку.

— Отдавай квитанцию!

— Какую? — вздрогнул сморчок.

— Ломбардную, на ожерелье.

— Чего?

— Послушай, сейчас твоя крокодилица вернется.

— Кто?

— Ванда.

— Ну?

— Хватит выдрючиваться, меня Кира Нифонтова прислала.

— Кто?

— Любовь твоя! Немедленно принеси квиток!

— Психованная, да? — жалобно спросил Эдуард. — То про космонавтов вопишь, то фен под нос суешь, теперь новую придурь несешь. Че хочешь-то?

Я схватила его за плечи и встряхнула.

— Волоки квиток, живо. У Кирки никаких претензий к тебе нет, она сама брюлики выкупит. Шевелись, убогий!

— Ванда! — заорал мужичонка с такой силой, что на люстре в прихожей зазвякали висюльки.

Жена мгновенно явилась на зов.

— Ну?

— Она меня обижает, — по-детски протянул Эдик, — во, пристает, квитанцию требует, хочет, чтобы я в какой-то ломбард пошел...

Ванда уперла кулаки в то место, где у нормальных женщин изредка случается талия.

— Ну? Че надо...

Внезапно мне стало душно, закружилась голова, а в душе вдруг поселилась уверенность: все очень, очень плохо.

— Можно пройти к вам на кухню, — прошептала я, — сейчас все объясню.

Ванда окинула взглядом мою фигуру.

— Ну, топай, — разрешила она, — ща разбираться станем.

Около часа я растолковывала парочке суть дела. Наконец Ванда всплеснула руками:

— Ну и ну!

— Ну! — подхватил Эдуард. — Ваще, блин!

— Не он это, — категорично заявила жена.

Я вздохнула:

— Да я уже поняла.

— Точно не он, — продолжала Ванда, — вот кабы ты сказала, что Эдька нажрался и бухой в городе на тротуаре насрал, тут я и сомневаться не стану. Как на грудь примет, так и тянет его на подвиги. Но по бабам, не! Не шляется! Он импотент!

— Точняк, — без всякой обиды подхватил Малина. — Давно в тираж вышел! Вот раньше...

— И раньше ты плохой был, — безжалостно припечатала жена.

Эдик сник:

— Ну... ну... ну...

— Какие у вас претензии? — прищурилась Ванда.

— Никаких, — серьезно ответила я, — попробуйте вспомнить, кто мог взять у Эдуарда паспорт?

— Э-э-э, — завел мужичонка, — и не знаю! Лежал себе в комоде.

— Может, на работу приносили, а там кто и сцапал? — пыталась я ухватиться за последнюю надежду, но Ванда мгновенно ее разбила:

— Нет. Документ в комоде всегда лежит.

— А соседи?

— Бабка у нас тут одна живет, Зина, — покачала головой Ванда, — ну за фигом ей Эдькин паспорт нужен?

— Ну, — протянул Эдик, — верно.

Я вытащила из сумки блокнот, вырвала листок, написала на нем цифры и протянула Ванде.

— Это мой номер мобильного.

— Ну?

— Вдруг вспомните, кто брал паспорт, позвоните.

— Ну?

— Я отблагодарю вас.

— Ну?

— Денег дам, поворочайте мозгами, напрягите память.

— Ну, — кивнула Ванда.

Я поняла, что диалог закончен, и встала.

— А фен? — напомнила женщина. — Отдашь его или соврала?

— Возьми, — протянула я ей коробку, — пользуйся на здоровье.

Ванда схватила упаковку и воскликнула:

— Мы подумаем, авось чего в башку и въедет. Ты с нами по-хорошему, фен вот не пожалела, и мы с тобой по-человечески.

— Ну! — радостно закончил огрызок. — Ну!

Когда Кира узнала, чем закончился мой визит, она зарыдала с такой силой, что я испугалась за сохранность своего мобильного:

— Боже! Он обманул меня! Спер ожерелье!

— Ну в краже, боюсь, парня нельзя обвинить, ты сама ему драгоценность отдала.

— Господи, — стонала Кира, — делать-то что, а?

— Скажи Борьке, что потеряла.

— Где?

— Пошла на тусовку...

— Я на них не бываю.

— В гости.

— Не пори чушь! Что я, дура? Обронила у кого-то в квартире ожерелье и не стала искать? И потом, с какой стати мне цеплять на себя такую ценность?

— Пофорсить захотела.

— Перед кем?!!

Я замолкла, из трубки донеслись судорожные рыдания.

— Борька меня бросит, он мигом поймет, в чем дело, — стонала Кира.

— Успокойся, — попыталась я привести Киру в чувство, — все устаканится.

— Как?

Действительно, как? Ожерелье само собой не появится.

И тут меня осенило.

— Твоя машина!

— А с ней что? — с легким недоумением поинтересовалась Кирка.

— Помнишь, как ты познакомилась с Эдуардом?

— Конечно, я стояла около заглохшей тачки...

— Дальше.

— Он притормозил...

— Дальше...

— Вызвал эвакуатор, сказал, что неподалеку сервис, где его приятель работает.

— Вот! Адрес помнишь? Ну куда автомобиль приволокли!

— Да, — мямлила Кира.

— Быстро говори.

Нифонтова забубнила:

— Надо пересечь улицу Народного ополчения, потом вниз, на светофоре налево, прямо, направо, снова налево и попадешь на такую магистраль, длинную, всю в заборах. Никаких домов, одни ограды. Та ремонтная мастерская последняя, у нее изгородь из бетонных блоков, покрашенных в желто-черную полоску, а на воротах голова тигра нарисована, очень приметное место.

— И что, Малину там знали?

— Стопроцентно, — всхлипнула Кира, — вышел мастер и засюсюкал: «Ах, Эдуард Николаевич, здрасти. Что за беда случилась? Ой, хорошо, что не с вами, а то я прямо испугался!» Эдик точно там постоянный клиент.

— Ладно, — вздохнула я, — скатаюсь к этому тигру, авось чего и разузнаю.

— Вилка! — снова громко, в голос, зарыдала Кира. — Спаси меня, дуру, найди мужика, отними у него квитанцию. Мне бы только узнать, в какой ломбард он ожерелье заложил.

— Разве их много? — вздохнула я. — Раз, два, и обчелся. В случае чего все объехать можно.

— Нет, — с отчаяньем воскликнула Кира, — закладных контор полно! Это раньше они наперечет были, а сейчас развелось как собак нерезаных! Я кредит в банке возьму, в двух, в трех, выкручусь как-нибудь!

— Погоди, — попыталась я успокоить подругу, — не гони лошадей. Может, твоя любовь еще объявится.

— Нет, — прошептала Кира, — мне ясно стало, он вор. И вообще...

— Что?

— Да так...

— Договаривай!

Кирка снова заревела.

— Чем дольше обо всем думаю, тем яснее понимаю, с кем связалась. У него никогда денег не было.

— Ты о чем?

— Ну везде я расплачивалась, — объяснила Кира, — у Эдика карточка банковская была. Он ее протягивал официанту, а тот через некоторое время возвращался и говорил: «Простите, платеж не проходит, касса выдает отказ».

Я угрюмо слушала Киру, похоже, глупая, доверчивая Нифонтова и впрямь стала жертвой опытного мошенника. Услыхав про неработающую кредитку, Эдик прятал ее в бумажник и говорил:

— Милая, посиди тут несколько минут, я в банкомат сгоняю.

— У меня есть наличка, — отвечала Кира и быстро расплачивалась.

Ситуация повторялась с занудным постоянством. Любая другая женщина на третий раз сумела бы сообразить, что кавалер дает пустышку, на счету которой ничего нет, но влюбленная Кира только возмущенно восклицала: «Нет, просто ужасно! У нас очень плохие линии связи. Вот в Америке, там даже на дне Великого каньона можно за открытки при помощи кредитки расплатиться! Да уж, России далеко до мирового прогресса».

— Ну и дура же я была, — стонала Кира, — вообще ничего не понимала! А еще у меня мобильный пропал, супернавороченный! Оставила его на столике, пошла руки мыть, возвращаюсь — аппарата нет, и Эдика тоже. Приходит потом, оказалось, тоже в туалет пошел. Он так возмущался: «Ну и трактир! Мобильные прут».

— Что у тебя еще исчезало? — мрачно поинтересовалась я.

— В бассейне часы, кошелек в магазине, — стала методично перечислять Кира, — на заправке сумочку свистнули. Только сейчас до меня дошло! Это Эдик воровал! Господи, какой я была слепой. Значит, он вовсе не Эдуард Малина!

— Выходит, так.

— А ожерелье!!!

— Думаю, он его не закладывал, просто продал.

— Вилка-а-а! Помоги-и-и!

— А ну замолчи, — рассердилась я, — нечего рыдать. Сейчас поеду в сервис, в конце концов, до праздника еще целый месяц.

Глава 4

У Кирки оказалась хорошая память, она верно описала дорогу и сообщила точные приметы механика: светловолосого парня с изуродованной верхней губой я увидела сразу.

Довольно просторный офис был обставлен хорошей мебелью, на диванах сидело несколько человек, около них на столиках стояли чашки с кофе. Похоже, дела у этой ремонтной мастерской идут совсем неплохо, а о клиентах тут заботятся, как о самых любимых родственниках. Вон какой удобный зал ожидания: на столах конфеты, газеты, журналы.

Я села в свободное кресло.

— Вам на какой час назначено? — тут же спросил худощавый парень в светлом комбинезоне. — Дайте, пожалуйста, талончик.

— Спасибо. Я жду вон того юношу, блондина. Видите, он с женщиной в красном платье разговаривает, — улыбнулась я.

— Сережу Яковлева?

— Да, — быстро согласилась я, — именно его.

— Он пока занят. Могу чем-либо вам помочь?

— Нет-нет, спасибо, — ответила я, — мне нужен только Яковлев.

Юноша окинул меня оценивающим взглядом, потом подошел к Сергею и тихо что-то сказал. Яковлев обернулся, одарил меня ничего не значащей, официальной улыбкой и моментально был наказан за это клиенткой.

— Это просто безобразие! Аккумулятор барахло! Схалтурил, а теперь еще глазки другим строит, — завозмущалась тетка в красном.

Яковлев подхватил строптивую автомобилевладелицу под локоток и потащил в глубь офиса. Стройный юноша вернулся ко мне.

— Боюсь, Сережа освободится не скоро.

— Ничего страшного.

— Может, все же я вам помогу?

— Нет, спасибо.

— Желаете иметь дело только с Яковлевым?

— Да, — сухо ответила я, — и больше ни с кем другим.

Последнее замечание звучало откровенно грубо, но мне очень хотелось избавиться от назойливого служащего. Надеюсь, сейчас он обидится и уйдет. Но парнишка, наоборот, принялся усиленно проявлять заботу.

— Чаю желаете?

— Спасибо, нет.

— Кофе?

— Благодарю, я не пью растворимый.

— У нас натуральный, — не сдался «прилипала», — из машинки. Со сливками будете?

— Я вообще ничего не хочу!

— Минеральной, со льдом?

— Благодарю, просто посижу спокойно.

— Могу принести теплой, если за горло опасаетесь, — не успокаивался сотрудник автосервиса.

Я подавила стон, ну что поделать с таким? Он ведь искренне хочет услужить. Наверное, молодой человек в школе не учил басни И.А.Крылова. У этого писателя есть замечательное произведение, называется «Демьянова уха».

Тут, на мое счастье, кто-то крикнул:

— Гоша, иди сюда скорей!

— Мне придется оставить вас на пару минут в одиночестве, — пригорюнился паренек.

— Сделайте милость, — натянуто улыбнулась я, — давно хочу вон тот журнальчик почитать.

Гоша убежал, я схватила со столика издание с глянцевыми страницами и сделала вид, что невероятно заинтересовалась статьей под названием «Наш друг катализатор». Знать бы еще, в какой части автомобиля расположен этот «друг» и зачем он нужен!

— Гоша сказал, что вы меня ждете, — раздался над моей головой хрипловатый баритон.

Я оторвала глаза от страницы и машинально спросила:

— Где помещается катализатор?

— Грубо говоря, в выхлопной трубе, — мигом ответил парень со шрамом над губой, — в иномарках, наши в основном их не ставят. А что, у вас с ним проблема?

— Ой, простите, — опомнилась я, — совсем не в этом дело.

— А в чем? — вежливо поинтересовался Сергей.

— Меня прислал Эдуард.

— Кто?

— Ваш постоянный клиент Эдуард Николаевич Малина!

Яковлев почесал ухо.

— Вы ошибаетесь, у меня нет такого заказчика.

— Ну как же, Эдуард Малина, человек с очень редкой фамилией.

— Ваша правда, именно поэтому я и отвечаю столь категорично: не знаком с таким.

— Но он мне вас описал! Очень точно.

Сергей пожал плечами.

Я откашлялась и начала фонтанировать:

— Скажите, вы телевизор смотрите?

Яковлев снова почесал ухо.

— Ясное дело, что ж еще вечером делать. Только если у вас телик сломался, то это не к нам. Мы машинами занимаемся, такими штуками на четырех колесах, может, встречали когда на улицах? В них люди ездят.

Оставив без внимания издевательский пассаж Сергея, я вдохновенно продолжала:

— Программу «Розыгрыш» видели?

— Попадалась.

— Так вот, я администратор «Розыгрыша», э... Настя Трифонова!

Назвавшись чужим именем, я сама удивилась, ну с какой стати мне взбрело в голову ляпнуть: Настя Трифонова?

— Очень приятно, — вежливо кивнул Сергей.

— Мы хотим разыграть Эдуарда Малину.

— Замечательно.

— Мы очень надеялись, что сотрудники сервиса, где он чинит автомобиль, нам помогут.

— Вау, — взвизгнули за спиной, — телик! «Розыгрыш»! Я вас обожаю.

— Гоша, — рявкнул Сергей, — займись делом.

— Я ей чай принес, — залопотал паренек, — с лимоном и сахаром, вот!

— Поставь и уходи!

— Ну, Серега! Это моя любимая передача!

— Отвали.

Гоша отступил на пару шагов.

— Ничем не могу вам помочь, — улыбнулся Яковлев, — с таким клиентом я не знаком.

— Послушайте, Сережа, — улыбнулась я, — мы вам заплатим, только подскажите нам адрес Эдуарда.

— Откуда бы мне его знать?!

— Хотите на TV попасть, на съемку?

— Боже упаси, нет!

— Я, я, я пойду, — застрекотал Гоша, — когда? Прямо сейчас могу!

— Отвянь, — прошипел Яковлев.

Я тяжело вздохнула и продолжала дожимать Сергея.

— Ну зачем ты врешь! Эдуард привез к вам девушку, вернее, молодую женщину по имени Кира Нифонтова. У нее была сломана машина. По словам Киры, Малину ты встретил как родного, называл по имени, чуть на шею к нему не кидался.

— Идите сюда, — поманил меня пальцем Сергей.

Я встала и двинулась за парнем, тот приблизился к компьютеру, пощелкал мышкой и велел:

— Смотрите, вот список наших постоянных клиентов. В салоне действует система накопительных скидок, поэтому фамилии всех тех, кто хоть раз посетил нас, обязательно вносят в компьютер. И где же тут Малина?

Я пошарила глазами по строчкам. Действительно. Маловеров, Малафеев, потом сразу Малькин. Никакого Малины и в помине нет.

— Но мне так точно описали сервис, ворота с нарисованным тигром.

Сергей развел руками.

— И о вас рассказали, — не успокаивалась я, — шрам над губой!

Яковлев кивнул.

— В детстве с дерева упал, прямо на булыжник. Только с Эдуардом Малиной я не знаком.

— Давайте посмотрим на фамилию Нифонтова, — додумалась я.

Сергей кивнул и снова защелкал мышкой.

— Есть, — спокойно сообщил он, — Кира Григорьевна. Ерундовое дело было, на три минуты работы.

— Вот видите! — подскочила я. — А говорите, не знаете Малину. Кира-то тут есть!

Сергей принялся яростно чесать ухо.

— Она в списке, — согласился он, — вроде я поломку устранял, но, простите, подробностей не помню, тут такой поток клиентов. Тех, кто регулярно приезжает, конечно, я выделяю из общей массы, но клиентку, прикатившую случайно, естественно, не зафиксировал. Вот для чего нам компьютер. Если Нифонтова снова сюда обратится, ей сразу скидку дадут, это очень удобно...

— Значит, Малина вам известен!

Сергей закатил глаза.

— Нет.

— Но Нифонтова есть в списке?

— Да.

— Ведь ее к вам привел Малина.

— Понятия не имею!

— Кира так сказала!

— У нее и уточняйте, — начал сердиться Сергей, — ваще, не понимаю! Поломалась тетка на дороге, доплюхала до нас, починилась, и ку-ку! Ну че вам надо?

— Адрес Малины или телефон.

— Не знаю его!

— Кира была у вас?

— Да!

— Ее сюда Малина привез!

Яковлев всплеснул руками.

— Ваще, блин. Я че, интересуюсь, кто с ней прикатил? Имя любовника я не спрашиваю. В компьютер заносятся только данные самого клиента!

— Откуда вы знаете, что Малина любовник Нифонтовой? — быстро спросила я.

— О-о, — застонал Сергей, — ничего я не знаю!

— Сами только что сказали: «Имя любовника не спрашиваю».

— Просто так, от балды ляпнул.

— Серега, — крикнули с ресепшен, — к телефону.

Яковлев с радостью бросился к стойке. Я перевела дух. Ничего, сейчас дожму парня.

— А вы правда с телевидения? — восторженно спросил Гоша.

Я кивнула. Самое интересное, что я не вру. Некоторое время назад мне сделали неожиданное предложение: поработать в программе «Проснись и пой» редактором по гостям. Работа эта временная, всего на пару месяцев, я подменяю сотрудницу, которая ушла в декрет. Собственно говоря, будущая молодая мама — моя соседка Лена Заварзина. Она пришла к нам и с порога заныла:

— Слышь, Вилка, выручи, всего ничего поработать, я рожу, два месяца отсижу дома, а потом свекровь приедет.

— С ума сошла, — испугалась я, — мне не справиться.

— Дело нехитрое, — заверила меня Ленка, — редактор по гостям — это очень просто, не о чем париться, сама тебя натаскаю.

— Но у меня может не получиться, и потом, мне книгу вовремя сдать надо, — засомневалась я.

Заварзина заморгала.

— Ерунда. Мы начинаем в шесть утра, эфир прямой, гости косяком идут, один другого сменяет. Твое дело ерундовое: вечером всех обзваниваешь, напоминаешь, заказываешь пропуска. Утром встречаешь гостей у мента на центральном подъезде, ведешь в студию, чай, кофе, ля-ля, грим, звук, после эфира выпроваживаешь гостя и хватаешь следующего. На второй день въедешь, ничего сложного. Ты только подумай: к нам звезды ходят, всякие люди интересные, всех вживую увидишь, прикол!

— Честно говоря, я никогда не испытывала желания дружить с известными личностями, — призналась я, — мне и с моими подругами хорошо.

— Зарплата знаешь какая! Ого-го! — заорала Заварзина.

Я призадумалась. Названная цифра впечатляла. Может, кому-то она бы показалась маленькой, но мне вполне подходит. Можно будет тратить ее на хозяйство, а гонорар за книги откладывать на покупку новой машины или дачи. Вот только как совместить телевидение и писательство?

— Заканчиваем мы ровно в десять, — журчала Лена, — и можешь отправляться куда желаешь, весь день свободен. Кстати, многие наши на нескольких передачах пашут. Ну выручи. Если кого с улицы поставят, то меня и подсидеть могут. Захочу вернуться, а начальство рявкнет: «Нечего было размножаться. На твоем месте другой человек хорошо работает». А от тебя подлянки ждать не приходится.

— Ладно, — кивнула я.

Ленка повеселела, мы с ней съездили в «Останкино», меня протащили по кабинетам и в результате выдали пропуск. Заварзина провела со мной подробный инструктаж, и завтра, ровно в пять сорок мне предстоит приступить к работе. Поэтому насчет телевидения я не соврала.

— Очень хочу в студии побывать, — не успокаивался Гоша, — вы меня пригласить можете?

— Нет, — отмахнулась я от него.

— А Сереже обещали, — напомнил Гоша, — если он вам адрес Малины даст.

Я мрачно посмотрела на «прилипалу».

— Если бы ты мне координаты Эдуарда раздобыл, так мигом бы на телевидение попал.

Гоша притих, потом потянул меня за рукав.

— Вы на машине? Давайте отъедем на соседнюю улицу.

— Зачем? — вздохнула я.

— Могу кое-что вам рассказать про Малину.

Не говоря ни слова, я пошла на улицу, Гоша порысил за мной. Увидав мою колымагу, юноша хмыкнул:

— Давно говорю, лучше наших машин не бывает, ведь давно труп, а катается!

— Ты решил обсудить достоинства моей тачки?

— Ой, не сердитесь, — засуетился Гоша, — просто так ляпнул, не со зла.

Мы влезли внутрь, я включила мотор и поехала вниз, к повороту.

— У вас клапанá стучат, знаете? — заботливо осведомился Гоша.

— Нет, а что, это плохо?

Мастер хмыкнул и тут же спросил:

— Правда на телик проведете?

— Стопроцентно, но в обмен на адрес Малины.

— Я его не знаю.

Я резко нажала на тормоз. Гоша стукнулся лбом о торпеду.

— Ну вы даете! — воскликнул он. — А если бы следом кто-нибудь ехал? В зад вам вломился бы!

— Мне вломиться в задницу нельзя, — процедила я, — потому что моя мадам Сижу находится на сиденье, а ты сейчас быстренько отрывай свой окорок и вали отсюда! Обманщик!

— Так я видел Малину!

— Где?

— У нас! Даже помогал им.

— Кому?

— Сергею и Эдуарду. Мы вместе спектакль разыграли.

— Какой?

— Ну, с вашей Кирой. Она, дурочка, поверила! Такая глупая.

Я припарковала машину в тени раскидистого старого дуба и приказала:

— Теперь, дружочек, излагай события последовательно, неторопливо.

— На телевидение проведете?

— Обязательно.

— Прямо в студию?

— Непременно.

— А еще иногда участникам можно вопрос задать?

— Ладно, получишь микрофон.

— И меня на всю страну покажут? И представят: Гоша Мискин?

— Обещаю, но только если ты сейчас расскажешь все, что знаешь об Эдике Малине, — напомнила я.

Глава 5

Гоша попал в сервис случайно, учился он в школе плохо, больше троек никогда оценок не получал, да еще прогуливал уроки и не делал домашних заданий. Ну о каком высшем образовании могла идти тут речь?

Особых пристрастий у мальчика не было, учиться на автослесаря он пошел за компанию с приятелем Сережей Яковлевым. Вот тот очень уважал механизмы и быстро стал классным специалистом, которого с дорогой душой взяли на службу в престижное место. Яковлев оказался верным другом, устраиваясь на работу, он похлопотал о Гоше, прихватил его с собой. Теперь Мискин чинит чужие автомобили и не испытывает от этого никакого удовольствия. Больше всего на свете ему хочется денег и славы. Гоша очень хорошо понимает, что ремонтная мастерская, пусть даже большая, с хорошей клиентурой, не для него. Только каким же образом можно стать богатым и знаменитым? Наверное, нужно засветиться на телеэкране...

— Послушай, — прервала я речи парня, — ты не на приеме у психоаналитика, не надо сообщать мне всю свою биографию в мельчайших подробностях, расскажи только про Малину.

— Так о чем и речь! — воскликнул Гоша. — Подходит тут ко мне Серега и спрашивает: «Слышь, хочешь заработать?»

— Кто ж откажется? — воскликнул Гоша, но потом на всякий случай поинтересовался: — Делать-то чего надо?

Сережа усмехнулся:

— Практически ничего. Вот тебе адрес, езжай туда, найдешь автомобиль, номерной знак «830», откроешь капот и...

— Зачем? — испугался Гоша.

Сережа засмеялся:

— Есть у меня один знакомый, Эдик. Уж не двадцать лет ему, солидный такой дядечка, а влюбился, как первоклассник. Прикинь, он к телке подойти стесняется.

— И чего? — по-прежнему не врубался Гоша.

— Цирк, да и только, — вздохнул Яковлев, — он придумал целый спектакль. Сядет его краса ненаглядная в авто, протащится немного да и заглохнет. Вылезет бабонька из тачки, ну и че? В моторе не смыслит, починить не сумеет, куда несчастной деваться? А тут Малина появляется.

— Кто?

— Фамилия его такая, Малина.

— Смешная очень.

— Уж не смешнее Мискина, — оборвал приятеля Сергей, — ты дальше слушай. Станет мадама рыдать, а тут выруливает Эдуард и около нее тормозит. Ну и пошло-поехало. Он ее в наш сервис притаскивает, само собой поломку вмиг находят и за копейки чинят.

— Да уж, — вздохнул Гоша, — у нас за копейки даже головы не повернут.

— Дурачок, — Сергей ласково пожурил недалекого приятеля, — Эдуард за все уже заплатил, и за ремонт, и за эвакуатор, и нам с тобой хорошая сумма перепадает. Дело за малым — порыться в капоте.

— Так машина небось на сигнализации, — протянул Гоша.

— Нет, — ответил Сергей, — я точно знаю. Спокойно откроешь, нá ключи.

Гоша уставился на связку. Яковлев улыбнулся и вытащил из другого кармана деньги.

— Это задаток, — сказал он, — за ерундовое дело. Ты вроде давно DVD-проигрыватель хотел?

Гоша взял купюры.

— А если все же сигнализация сработает?

— Нет, такого не случится.

— И меня в милицию заберут? — не успокаивался трусливый Гоша.

Яковлев шутливо ткнул приятеля кулаком в бок.

— Сидеть тебе сто лет в тюрьме.

— Вау, не пойду!

— Ладно, не дрожи, — нахмурился Сергей, — совсем, что ли, в зайца превратился? Ничего не произойдет. Но если вдруг стрясется неприятность, мы с Малиной моментально явимся в отделение и расскажем правду. Тебе чего, деньги не нужны? Сразу скажи, я другого найду, мне спасибо скажут, в ножки за хороший заработок поклонятся!

— Ладно, — согласился Гоша, — но уж ты в случае чего...

— Памперсы надень, — заржал Сергей, — купи себе, какие попрочнее, и вперед.

Впрочем, Гоша, как выяснилось, боялся совершенно зря. Дело прошло без сучка без задоринки, заняло считаные минуты. Машина открылась спокойно, никаких гудков издавать не стала, вела себя так, словно в салон влез хозяин. Гоша мигом выполнил задуманное и быстро уехал в мастерскую. Спустя некоторое время в сервисе появился высокий статный мужчина.

— Эдуард Николаевич! — бросился к нему Сергей. — Что случилось?

— Слышь, помоги, — приятным баритоном сказал Малина.

Гоша только усмехался, глядя на то, с каким озабоченным лицом Сергей бегает вокруг автомобиля дамочки. Ну и актер! Просто в кино сниматься.

— Дальше что? — поторопила я парня, когда рассказ иссяк.

— А все.

— Адрес давай.

— Далеко он живет, — заявил Гоша, — почти на другом конце города.

Я тщательно записала название улицы, номер дома, квартиры и спросила:

— Ты ничего не перепутал?

— Нет, конечно, — засмеялся Гоша, — сам в соседнем подъезде живу.

— С Малиной? — изумилась я.

— Не, — поднял брови Гоша, — с Серегой. Мы с ним всю жизнь рядом, в одну школу ходили.

— Я думала, ты назвал координаты Эдуарда, — протянула я.

— Так откуда бы мне их знать? — наивно воскликнул глупый юноша. — Вы Серегу потрясите, он точно в курсе.

Я уставилась в окно. Нет, Яковлев ничего не скажет госпоже Таракановой. Похоже, Кира стала участницей какой-то огромной, специально разработанной аферы. Вопрос: кто автор пьесы и с какой целью ее столь виртуозно разыграли? В безоглядно влюбленного, робкого мужчину, этакую помесь Ромео с трепетной болонкой, мне верится с трудом.

— Так когда я в телик попаду? — теребил меня Гоша.

Внезапно я сообразила, как поступить.

— Слушай, оказаться в студии среди зрителей очень просто. Намного интереснее устроиться на работу в «Останкино».

— Кем? — грустно спросил Гоша. — Водителем или механиком в гараж?

— Нет, сначала администратором, потом редактором, а там и ведущим станешь, будешь как Андрей Малахов.

— У меня образования нет!

Я схватила сумочку.

— Знаешь, может, тебе это покажется странным, но в реакциях газет часто нельзя найти ни одного человека с «корочкой» журфака в кармане. А у меня, в «Останкино», когда брали на работу в передачу «Проснись и пой», даже не спросили про диплом. Кстати, я не оканчивала институт, еще недавно была поломойкой, но потом выбилась в люди. И ты так сможешь!

— Думаешь? — с надеждой протянул Гоша. — Поможешь мне?

Я прищурилась.

— Про бартерные сделки слышал?

— Конечно. У меня много резины, а у тебя машинное масло, вот мы и меняемся.

— Примерно так. Значит, ты хочешь попасть в «Останкино», а мне нужен адрес Малины. Усек? Постараюсь пристроить тебя, брошу в воду, дальше поплывешь сам. Но при одном условии: достань адрес или телефон Малины!

— Ну где же мне его координаты разузнать? — пригорюнился Гоша.

Я тяжело вздохнула. С таким характером парню в средствах массовой информации делать нечего, его мгновенно скушают местные хищники, проглотят вместе с кроссовками и даже не чихнут.

— Подскажу тебе путь. Поговори с Сергеем, только веди себя умно. Обо мне ни слова, о работе на телевидении тоже. Подведи его ненавязчиво к нужной теме и попытайся вытащить из Яковлева хоть какие-то сведения о Малине.

— Ага, — кивнул Гоша.

— Это твой шанс, используй его.

— Понимаю, конечно, я очень постараюсь, изо всех сил.

— Вот и хорошо, — улыбнулась я, — давай свой телефон.

— Лучше мобильный, — забубнил Гоша, — а то по домашнему не дозвониться. Сестра вечно в Интернете сидит, прям беда. Мама хочет выделенку делать. Во время учебного года сеструха хоть утром и днем в гимназии. А сейчас лето, и Верку от компа не оттянуть.

Я ласково улыбнулась глупышу.

— Завтра после полудня я позвоню. Понял? Сегодня же начинай действовать.

— Ага, — закивал Гоша, — мы домой вместе ездим, у Сереги тачка есть. Он меня возит. Он уже заработал на колеса, а я еще нет. Знаете, можно ведь в кредит взять, но боюсь в кабалу попасть. Вот Костька купил гараж, так...

— Ладно, дружочек, — оборвала я поток совершенно ненужной информации, — мне пора, а ты беги на работу, а то тебя хватятся, начнут искать.

— Ладно, — согласился парень, — так до завтра?

— Точно.

— И я смогу ведущим шоу стать? Таким же известным, как Малахов?

— Если постараешься!

— Обещаю.

— Главное, добудь адрес.

— Ага.

— Ну пока.

— Жду звонка, — выкрикнул Гоша, — очень!

Я помахала ему рукой и поехала прочь. Если Гоша сумеет нарыть нужные сведения, мне и впрямь придется пристраивать его в «Останкино», потому что обмануть парня с мозгом семилетнего ребенка невозможно. Впрочем, я думаю, проблема разрешится, небось на должность «принеси — подай — пошел вон» особой очереди нет. У меня есть подруга, Лера Сазонова, она работает на радио, так вот у них постоянно вакантно место так называемого младшего редактора. Только не думайте, что этот сотрудник призван сидеть в кабинете и выправлять всякие тексты. Нет, младший редактор — несчастное, задерганное существо, которое постоянно заваривает чай, бегает за бутербродами, притаскивает минеральную воду в студию, в общем, стоит по рангу чуть выше уборщицы и получает такие же гроши. Но умные люди, желающие сделать карьеру в средствах массовой информации, цепляются за любую возможность, чтобы проникнуть в студии. Если я назову вам сейчас фамилии звезд и телерадионачальников, которые выбились на свои посты со ставки младшего редактора, боюсь, вы мне не поверите. Но для того, чтобы получить в свое распоряжение микрофон и миллионную аудиторию, нужно быть упорным, трудолюбивым, настойчивым, хитрым, умным, не слишком брезгливым, лживым и честным одновременно, здоровым, не нытиком, не хлюпиком и не истериком. Мало на свете людей, обладающих всеми этими качествами вместе, но, с другой стороны, совсем не все и выбиваются в так называемые звезды. Гоша мало похож на человека, способного совершить карьерный взлет, но почему бы не дать ему шанс?

Вообще-то, жизнь предоставляет абсолютно любому человеку возможность повернуть руль своей судьбы, просто не все видят цель. Думаю, что в «Останкине», как и на радио, имеются вакансии младших редакторов, может, только называются они там по-другому: администратор или директор по чаю. Вот завтра выйду на работу, осмотрюсь по сторонам, и, если Гоша сумеет раздобыть координаты Малины, я обязательно пристрою парня в столь желанный для него мир.

Ровно в полшестого утра я показала хмуро зевающему милиционеру новенький пропуск и была допущена в огромный, гулкий холл. Следовало пересечь довольно большое пространство, справа стояли газетные киоски, слева располагалась кофейня. Я судорожно вспоминала дорогу, которой вела меня, знакомя с новым местом работы, Заварзина. Так, сейчас налево, вверх по лестнице, на второй этаж.

Перед глазами снова раскинулся холл, довольно темный, и вновь появились ларьки, в одном еда, в другом всякая всячина. С двух сторон из помещения вытекали длинные, кишкообразные коридоры, я постояла секунду в сомнении, потом повернула налево и медленно пошла вперед, разглядывая обшарпанные двери.

Будучи писательницей Ариной Виоловой, я теперь иногда участвую в некоторых программах в качестве гостя. Если честно, то на центральные каналы меня зовут крайне редко, но все же пару раз приходилось бывать в легендарном здании на улице Королева, и я должна вам сказать, что внутри оно сильно напоминает самую обычную общеобразовательную государственную школу. Вроде чисто, но бедно, линолеум кое-где протерт, потолок просит гипсокартона, а стены новой краски, двери следует привести в порядок. Насмотревшись всяких кинофильмов, я предполагала, что «закулисье» телевидения — это шикарный интерьер: кожаные диваны и кресла, полированные столы, роскошные люстры, мужчины в костюмах, длинноногие красотки в мини... Действительность оказалась иной.

Я толкнула створку и вошла в небольшую комнату, заставленную разномастными стульями и протертыми пуфиками. Посередине раскинулся низкий стол, на котором гордо высилась банка растворимого кофе, лежали пакет пряников, несколько упаковок печенья и стояла пол-литровая стекляшка, набитая сахаром. Девушка в рваных джинсах и парень в сильно измятых серых брюках молча хлебали из пластиковых стаканчиков дымящуюся жидкость.

— Тебе чего? — весьма нелюбезно спросила девчонка.

— Доброе утро, — промямлила я.

— По мне, так лучше вечер, — устало сказал парень.

— Меня зовут Виола, я новый редактор по гостям, буду работать временно, пока Лена Заварзина из декрета не выйдет.

— Катя, — вяло представилась девушка.

— Леша, — буркнул юноша. — Хочешь кофе?

Я не люблю растворимые напитки, но заявлять об этом сейчас мне показалось неуместным, поэтому я кивнула.

— Садись, — сказала Катя, — вон кипяток, бери пряник.

Не успела я ухватить твердокаменный кругляш, как в комнату влетела маленькая толстенькая тетенька, облаченная в розовый брючный костюм.

— Сидите? — голосом, не предвещающим ниче-го хорошего, поинтересовалась она.

— Ага, — хором отозвались Катя и Леша.

Вошедшая подскочила к столу, выхватила у меня емкость с кофе, мигом опустошила ее и снова зада-ла вопрос:

— Сидите?!

— Да, — спокойно подтвердили ребята.

— Ах вы ..., ..., ..., ..., — забранилась бабенка, — а ну ..., ..., ..., ..., ...! ...!

Лицо толстухи покраснело, глаза вылезли из ор-бит, волосы поднялись дыбом. Мне стало страшно. Тучным, короткошеим индивидуумам противопоказано злиться. У подобных людей, как правило, высокое давление, а в момент визга оно еще больше поднимается. Крикунью мог хватить инсульт.

— Поняли? — закончил «розовый костюм».

— Ага, — вяло сообщила парочка.

— Ну и молодцы, — неожиданно успокоилась тет-ка, — пойду остальным задание на сегодня дам.

С этими словами она, прихватив несколько пря-ников, ушла.

— Это кто? — в изумлении поинтересовалась я.

— Анька, — меланхолично сказала Катя, — на-чальница наша.

— Она всегда утром орет, — элегически продол-жал Леша, — не парься. У нас у каждого свой при-кол. Аньке требуется повизжать, это еще не самая мерзкая примочка.

Дверь снова приоткрылась, показалась лохматая голова.

— Хорош трендеть, — пропищала она и исчезла.

Катя потянулась, зевнула, взяла лежащий около нее блокнот и со вздохом сказала:

— Значитца, так! Че имеем? Начало, ля-ля, Костя сегодня.

— Костя! — подпрыгнул Леша. — О, нет!

— Да, — припечатала Катя, — потому как Олеська в отпуск уперла!

— Ужас!

— Переживем, — отмахнулась Катя, — и хуже бывало! Ладно, слышь, Виола, первый гость у нас Антон Хренов, должен через десять минут у мента стоять. Ты его сюда приведешь, чай, кофе, потанцуем, ему морду намажут, звук повесят — и в студию. Пока Хренов квакать будет, ты тут поспишь, затем Хренова вон и нового идиота притащишь. Усекла? Просто до икоты.

— Кто такой Хренов? — полюбопытствовала я.

Катя пошуршала листочками.

— Написано: известный артист, кумир миллионов.

— Не знаю такого.

— Я тоже, — хохотнул Леша, — где он хоть играл?

— В сериале «Крыса», — сообщила Катя.

— Не смотрел, — зевнул Алексей.

— И мне не довелось, — вздохнула я.

— Похоже, его вообще никто не видел, — хихикнула Катя. — Эх, надо веник приготовить.

— Зачем? — удивилась я.

— Звездную пыль с пола сметать, — заржала девушка.

— Почему Хренова в эфир позвали? — не успокаивалась я. — Если его никто не знает!

Леша объяснил:

— Мы каждый день выходим, время-то забивать надо, а где столько знаменитостей нарыть? Всего-то одну и приглашаем на программу, остальные... ладно, потом разберешься.

— И еще, — принялась просвещать меня Катя, — эфир-то начинается с половины седьмого, вживую. Некоторые утренние программы по вечерам пишутся, а мы впрямую работаем, ваще чума! Ну прикинь, придет к нам в такую рань какая-нибудь Глюкоза? Да она только в три утра после концерта домой притопала! Вот и получается, что, кроме Хренова, хрен кого и зазовешь. Во, каламбур получился!

— Глюкоза придет, — встрял Леша, — она без понтов.

— Таких мало, — вздохнула Катя.

В комнату молча вошла девочка с железным чемоданом в руках.

— Привет, Ника, — обрадовался Леша.

Ника молча грохнула чемодан на полку возле висящего на стене зеркала и стала вываливать из него горы косметики.

— Чего такая мрачная? — насторожилась Катя.

— О... ..., — вяло отреагировала Ника, — сил нет.

— Выпей кофейку, — проявил заботу Леша.

— Засунь его себе в..., — меланхолично отозвалась Ника, — не трогайте меня! Где Олеся?

— Мы сегодня с Костей, — прозвучало в ответ.

— О-о-о, — простонала Ника, — за что? Я не вынесу его!

— Куда ты денешься с подводной лодки, — вздохнула Катя, потом взяла с пуфика черную коробочку с торчащей антенной и сунула мне.

— На. Тут две кнопки, прием и вызов. Рули за гостем. Хорош трендеть.

Я схватила рацию и понеслась на первый этаж.

Глава 6

В холле по-прежнему было малолюдно, и я слегка успокоилась, обнаружить Хренова не проблема, около милиционера маячит всего один мужчина, не слишком высокого роста.

— Здравствуйте, — защебетала я, подлетая к посту, — вы Антон?

— Нет, Ваня, — злобно рявкнул мужчина.

— Ой, простите, мне надо встретить актера Хренова! Думала, вы — это он.

— Ты больная? — прищурился Ваня.

— Нет, — опешила я, — а что, плохо выгляжу?

— Слепая, да? — наседал мужик.

— У меня стопроцентное зрение, — обиделась я, — очки мне не нужны.

— Телескоп купи! Я Хренов! Звезду не узнала!

— Простите, пожалуйста, — затараторила я, — только мне нужен Антон, а вы представились Иваном.

— Глупость спросила и такой же ответ получила, — прошипел Хренов, — всей стране известно, кто я, а ты вопросы задаешь! Вот сейчас развернусь и уйду!

Я испугалась до смерти. Надо же, только-только вышла на работу и не справилась с таким примитивным заданием, как привод человека в студию.

— Миленький, — заломила я руки, — ну простите! Я плохо соображаю с утра! Ну кто же не знает великого Антона Хренова! Да перед вами все остальные пигмеи, соринки, всякие там э... Томасы Крузы и Брэды Питты. Извините, пойдемте, умоляю!

— Ладно, — смилостивился Хренов, — куда двигать-то?

— Стой, — ожил мент, — какая программа?

— «Проснись и пой», — живо ответила я.

— Ща список проверю, — загундосил стражник, — фамилия ваша как?

Антон начал медленно наливаться краснотой.

— Хренов, — моментально отреагировала я, — великий Хренов, огромная звезда, можно сказать, звездища!

— Паспорт, — меланхолично велел постовой.

— Что?!! — вытаращился гость.

— Если забыл, можно права, — смилостивился сержант.

Хренов посинел.

— Так меня еще нигде не оскорбляли! Да я везде прохожу без документов! Только взглянут раз — и все!

— На телевиденье по морде лица нельзя, — спокойно ответил дежурный, — у нас удостоверение личности требуется.

Хренов начал открывать и закрывать рот, я схватилась за рацию.

— Катя! Проблема!

— Не визжи, — ответила та, разобравшись в сути дела, — ну-ка дай трубку этому придурку.

Я сунула «уоки-токи» Хренову.

— Вас!

Антон удивленно вскинул брови, взял коробочку, поднес к носу и сказал:

— Слушаю, Хренов.

— Ах ты хрен моржовый, — заорало из мембраны с такой силой, что меня отшатнуло в сторону, — еще и прикидывается! Долдон! Немедленно пропусти нашего гостя, а то сейчас спущусь...

Антон сунул рацию менту:

— Это тебя.

— Васильев, — рявнул сержант.

— Ах, теперь ты, Васильев, — орала Катя, — !..

Воспользовавшись тем, что милиционер заслушался администратора, я вцепилась в Антона и поволокла его через холл на лестницу. Гость отчего-то шел молча, дар речи он обрел лишь в комнате. И тут началось!

В предэфирном помещении Антон устроил настоящий спектакль. Сначала он кричал об ужасном нанесенном ему оскорблении, потом принялся хвататься за сердце, требовал коньяк и валокордин в одном стакане, получил пластиковый стаканчик с напитком непонятного происхождения, опрокинул его в глотку и спокойно сел в кресло к гримеру.

Я обвалилась на диван и тут только сообразила, что моя рация осталась у мента. Антон принялся командовать Никой.

— Мне на крыле носа нанеси темный тон, синяки под глазами высветли, губы сделай ярче! Я сказал, ярче! Ну ты, если работать не умеешь, чего тут топчешься?

Ника абсолютно бесстрастно размахивала кисточкой, обсыпая звезду пудрой.

— У тебя холодные пальцы, — злился Антон.

Гримерша тихонько замурлыкала какую-то мелодию.

— Фу, дерьмом надушилась, — не успокаивался Хренов.

Ника, никак не реагируя на его хамство, взяла расческу.

Я удивилась самообладанию девочки, может, она глухонемая? Хотя нет, ведь только что Ника беседовала с нами.

Дверь скрипнула, впуская в комнату новое действующее лицо, парня лет тридцати в ярко-розовой рубашке.

— Чао! — закричал он.

— Привет, Костя, — прозвучал тихий хор голосов.

— Я готов.

— Вот первый гость, — заулыбалась Катя, — узнаешь?

Костя подошел ко мне, сладкая улыбка украсила его сильно намазанное личико.

— Как же, как же, — защебетал он, — разве можно не узнать такую женщину! Красавицу, умницу, талантливую, кумира страны! Наша программа счастлива видеть вас...

Катя схватила ведущего за плечи, развернула и подтолкнула к креслу.

— Антон Хренов.

— Как же, как же, — моментально переориентировался Костя, — сам Хренов! Какая честь для нас! Радость! Антон! Вы певец...

— Киноартист, — живо влезла Катя.

— Не перебивай меня, — картинно рассердился Костя, — ох уж эти бабы! Мо́чи нет с ними работать. Вы певец сериалов, понимаете, да? Истинный талант всегда певец, поэт, вдохновенно поющий роль!

Я с уважением посмотрела на Костю, вот это мастерство изворотливости.

— ...гений телесериалов, ваша «Бригада»...

— Не снимался я в этом отстойном фильме! — взвизгнул Антон.

— А я разве говорил тут о сериале «Бригада»? — совершенно честно удивился Костя. — Ваша бригада, имеется в виду, съемочная группа, создала уникальный, потрясающий, непревзойденный фильм...

— Обожаю их «Крысу», — картинно закатила глаза Катя.

— Да, «Крысу», — обрадованно подхватил Костя, — эти подземелья, подвалы, трубы...

— Там ничего такого нет, — насупился Антон, — у нас психологическая лента.

— Естественно, — замахал руками Константин, — подземелья, подвалы и трубы человеческой души, это задевает!

— Гость готов? — всунулась в комнату голова. — Нам звук повесить надо. Можно вас на секундочку?

Хренов кивнул и вышел, Костя рухнул на пуфик. С его напомаженной мордочки стекла улыбка кретина.

— Вы ..., — устало сказал он, — ну когда мне нормально будут объяснять, кто в гостях? Что за хрен этот Хренов? Где сценарий, а? Ты чего тут делаешь?

Поняв, что последняя фраза относится ко мне, я пискнула:

— Я редактор по гостям Виола Тараканова!

Костя покраснел, резко встал и, сердито гаркнув:

— Вовсе и не смешно, — вышел в коридор.

Леша, Катя и Ника согнулись от хохота.

— Что такого я сказала? — недоуменно спросила я.

Ника вытерла глаза салфеткой.

— Твоя фамилия и впрямь Тараканова?

— Да, хотите, паспорт покажу! Понимаю, конечно, что она немного смешная...

— Не обижайся, — простонала Катя.

— Вау, — воскликнул Леша, — нарочно и не придумать.

Ника плюхнулась на пуфик.

— Костя — один из наших ведущих, дикий дурак, почему его в эфире держат, особый разговор.

Так вот фамилия ему Ловушка. Костин папа украинец, у них бывают такие смешные фамилии, типа Ловушка. Ясное дело, что его тут истребителем тараканов кличут, реклама-то про ловушки для насекомых всех задолбала! Костик прям бесится, когда ее на экране видит, а тут ты еще!

— Эфир пошел, — Леша ткнул пальцем в экран.

Я уставилась в телевизор. Просто чудеса какие-то. Только что Костя сидел тут, и вот он уже там, внутри ящика. Только ведущий отчего-то стал толще и смуглее.

— Здрассти, здрассти, — зачирикал Костя, — ну-ка, все проснулись и запели. А чтобы вам веселей было пить кофе, мы позвали в гости настоящую звезду, супермена, супермачо, суперактера, суперпарня Антона Хренова. Доброе утро!

Камера отъехала чуть назад, в кадре появился гость.

— Здравствуйте, — кивнул он.

— Сериал «Крыса», — тарахтел Костя, — огромный успех, поклонницы, цветы, деньги, в конце концов! Все это вас изменило, или вы остались прежним, простым парнем?

— Э... — открыл было рот Хренов, но Костя мгновенно перебил его:

— Да, конечно, спасибо, а теперь небольшая рекламная пауза.

— Сейчас Хренова уведешь, — велела Катя, — и дуй назад. У нас потом страничка садовода без гостя. Усекла?

Я кивнула. На экране снова возникла студия.

— Перед рекламой я спросил вас о творческих планах, — заверещал Костя.

Я удивилась, вроде речь шла о другом: о славе и деньгах!

— Э... — завел Хренов, — э...

— Спасибо! Конечно, любой актер, а уж такой, как вы, обязательно, переполнен новыми идеями. Мой следующий вопрос может показаться банальным, но, ха-ха, наши зрители хотят знать о кумирах все! Вы женаты?

— Э... э...

— Понятно! Семья для вас главное, дети, жена. Никогда не променяете их на поклонниц.

— Э... э...

— А сейчас небольшая реклама!

Ника вытащила сигареты.

— Костя сегодня в ударе, ни разу Хренова Горчицыным или Редькиным не назвал.

— Молчи лучше, — отмахнулась Катя.

— Еще раз доброе утро, — заорал Костя, — вы проснулись? Мы тоже. У нас в эфире только что был великий, незабываемый, потрясающий, суперский Андрей Хренов.

— Ну вот, — вздрогнула Катя, — сглазила ты, вот он уже и не Антон.

Костя вздрогнул, очевидно, кто-то из съемочной группы указал ведущему на ошибку, потому что тот занавесился такой ослепительной улыбкой, что я на секунду зажмурилась. Все тридцать два зуба Константина, безупречно белые и ровные, заполнили экран.

— Итак, спасибо Антону! Огромное, от всех вас! Будем надеяться, что АНТОН Хряпов еще не раз придет к нам и поделится своими мыслями. А сейчас небольшая реклама!

— Вау, — взвизнула Ника, — Хряпов! Ну Костя, блин! Суфлер прочитать не может. Ах-ах, Антон! Вы были супер.

Я вжалась в кресло, с опаской наблюдая, как

актер вдвигается в комнату. Нике, Кате и Леше хорошо, а мне сейчас вести вниз разъяренного парня. Угадайте, кто будет бит сначала за Андрея, потом за Хряпова, а уже потом за то, что звезду ни свет ни заря приволокли в студию, сунули на три минуты под камеру и не дали сказать ничего, кроме разнотонального «э»? Наверное, следует попросить Олега достать мне каску и бронежилет.

— Ну как? — неожиданно благодушно поинтересовался Хренов.

— Вау! Гениально, — сообщила Катя.

— Вы наш лучший гость, — подхватил Леша.

— Такая глубина мысли, — покачала головой Ника, — невольно задумаешься о смысле жизни. У нас в эфире умные люди редкость.

— Мне показалось, что я недостаточно четко сформулировал свою позицию, — вздохнул Антон.

— Супер!

— Потряс!

— Нет слов!

— Невероятно, замечательно, — вырвалось у меня.

— Ах, обманываете, я выглядел идиотом, — кокетничал Хренов.

— Никогда!

— Супер!

— Нет слов!

— Я мало времени был в эфире, — бубнил Антон.

— Супер!

— Нет слов!

— Не успел про новый сериал сказать! — тянул Хренов.

Катя пнула меня ногой.

— Виола, проводи гостя, он занятой человек, не может на нас свое драгоценное время тратить. Огромное, невероятное спасибо вам, Антон!

— Собственно говоря, я никуда особенно и не спешу, — воскликнул Хренов, — могу кофе попить, рассказать о своих планах.

Ника отвернулась к зеркалу, Леша засунул нос в кружку, Катя заморгала, и тут в комнату с воплем: «Надеюсь, этот идиот ушел?» — ворвался Костя.

Увидав Антона, ведущий выставил зубы наружу.

— О... о, вы были великолепны!

— О каком идиоте вы сейчас говорили? — насторожился Хренов.

В гримерке повисла тревожная тишина, Костя попытался улыбнуться еще шире, уголки его рта уткнулись в мочки ушей.

— О... о...

— Нет, — осенило меня, — идиот еще не появился, он будет в самом конце.

— Это кто? — продолжал выспрашивать Антон.

— Актер, который сыграл одну из ролей в телесериале по книге Достоевского «Идиот», — с самым честным видом соврала я.

Костя с огромной благодарностью глянул в мою сторону.

— Знаете, Антон, — проникновенно сказал он, — наверное, неприлично так говорить, но нам всем, абсолютно всем без исключения, кажется, что вы бы в главной роли в «Идиоте» смотрелись лучше всех.

Хренов скривился.

— Да уж! Некоторые режиссеры зовут всяких! Только я бы не пошел в этот сериал. Не царское дело в мыле играть, не мой формат. На «Крысу» я согласился лишь по одной причине, там глубоко философская, психологическая драма. А в «Идиоте» играть нечего. Всем заранее сюжет известен. Она бросится под поезд! Никакой тайны! Зритель от скуки умрет.

— Под поезд? — изумилась Ника. — Кто?

— Ну... эта... господи, как ее зовут, — защелкал пальцами Хренов.

— Наташа Ростова, — подсказал Костя.

Катя прыснула.

— Ой, не могу! Еще скажи Татьяна Ларина!

Ведущий поморщился.

— Вечно ты надо мной подшучиваешь, только я высшее образование имею. Татьяна Ларина у Пушкина, в поэме «Мцыри»[1].

Ника закашлялась, а Хренов воскликнул:

— Ее звали Анной!

— Карениной? — уточнила Катя.

— Во, точно! — обрадовался Антон. — Ну и скажите, кого мне там играть было? Ее мужа? Он старик! Брата? Так его в начале убивают.

— У Анны не было брата, — со знанием дела заявил Костя. — Только любовник, Вронский, супруг Каренин и маленький сын.

Хренов заморгал.

— Да? Ты что-то путаешь. Имелся брательник, его на войне убили, ну той, с Наполеоном.

Я вздохнула. Может, Хренов имеет в виду Петю Ростова из романа Льва Николаевича Толстого «Война и мир»?

— Нет, — вдруг ожил Костя, — эта роль не ваша, маленький эпизод! Если уж мы говорим об «Идиоте», то вам следовало браться за основного персонажа, Гринева!

— Кого? — захихикала Ника.

---

[1] «Мцыри» написал М.Ю.Лермонтов. Татьяна Ларина одна из героинь «Евгения Онегина», автор А.С.Пушкин.

Костя с укоризной посмотрел на гримершу.

— Ну ты даешь! Классику знать надо наизусть. Был там такой парень, служил офицером, познакомился с Емельяном Пугачевым, влюбился в дочку своего начальника, она потом его из тюрьмы вытаскивала, к императрице ездила.

— Это «Капитанская дочка», повесть Пушкина, — сообщила Катя.

Хренов и Костя переглянулись, засмеялись, потом Антон сказал:

— Поймать нас хочешь, шутница! Повесть Пушкина! Всем же известно, что он стихи писал!

Глава 7

Освободилась я ровно в десять и с чувством выполненного долга пошла вниз. Перед тем как покинуть «Останкино», я решила вознаградить себя чашечкой кофе и куском торта. Получив капуччино и ломоть «Наполеона», я уселась за столик и стала отковыривать ложкой торт. Тесто оказалось твердокаменным, а крем приторно-сладким. Ладно, будем считать, что первая рабочая смена прошла почти удачно, хотя я устала, как ломовая лошадь. Странно, вроде я ничего тяжелого не делала, а ноги словно свинцом налиты.

Рот стала раздирать зевота. Не доев лакомство, я доплелась до машины, кое-как дорулила до дома и плюхнулась в кровать. Глаза захлопнулись, тело расслабилось, голова утонула в подушке. «Вот отдохну полчасика и займусь делами», — промелькнуло в мозгу.

Разбудил меня противный писк будильника. Я приподняла голову и увидела, как Олег, кряхтя, встает с кровати.

— Который час?

— Спи, — шепнул муж, — только шесть.

Я села.

— Шесть чего?

— Утра, — зевнул Куприн.

Я попыталась сгрести мысли в кучу. Шесть утра?

— А какого дня?

— Сегодняшнего, — хмыкнул супруг.

— Число назови!

Куприн подошел к двери, взялся за ручку, обернулся и тихо ответил:

— Седьмое августа, две тысячи...

— Спасибо, год я помню.

— Уже хорошо, — кивнул муж, — положение не столь безнадежно, как казалось вначале. Продолжаю: тебя зовут Виола, фамилия Тараканова, под именем Арины Виоловой ты пытаешься писать детективные романы. Говорить, сколько тебе лет?

— Не надо, — буркнула я, нашаривая тапки.

— Ладно, — согласился Олег, — тогда о грустном. Ты замужняя дама, так сказать, хозяйка дома.

— Перестань, я просто спросонья забыла сегодняшнее число.

— Отлично, — не успокаивался Куприн, — наверное, ты помнишь и то, что в холодильнике у нас мышь удавилась!

Я замерла с тапкой в руке.

— Мышь? В холодильнике? Господи, что она там делала? Надеюсь, ты убрал останки несчастного грызуна! Какой ужас! Надо немедленно вызвать специальную службу, морильщиков!

Олег хмыкнул:

— Маленькая наивная мышка хотела обнаружить на полках хоть крошечку еды. Но, увы, увидела внутри только батарею лаков для ногтей и какую-то несъедобную штуку под названием «рагу из капусты». Посмотрела серая разбойница на пейзаж, вздохнула, нашла веревку и повесилась с горя, не забыв оставить записку: «В моей смерти прошу винить Виолу Тараканову. Она теперь работает на телевидении, приходит домой в десять утра и спит потом целый день и следующую ночь, забыв о голодной семье». Ладно, я пошел на работу, там в буфете поем.

Высказавшись, муженек удалился. Я схватила халат. Все верно, в холодильнике ничего нет, одна капуста, потушенная в чугунной кастрюле без масла, соли и сахара. А почему такое блюдо? Семен, муж Томочки, несколько недель назад потерял сознание. Мы испугались, отвезли его в больницу, где доктор, сделав обследование, категорично заявил:

— Или вы худеете на двадцать килограммов, или вам станет еще хуже. Кстати, второму мужчине, вашему спутнику, тоже следует снизить вес.

Выйдя на улицу, наши мужья мигом подошли к ларьку, купили по бутылке пива, быстро опустошили их и закусили пенную жидкость чипсами с луком.

— Что вы делаете! — налетели мы на них. — Вам велено худеть!

— Разве ж это еда! — хором ответили Олег и Семен.

И вот теперь у нас дома идет война. Томочка готовит лишь диетические блюда, больше никакой еды в квартире нет. Мы выбросили вон сахар, соль, печенье, конфеты, макароны, масло. Никаких сочных котлет, жирного творога, нежных сливок и варенья. Мясным супам и кашам на шестипроцентном молоке объявлен беспощадный бой. Если желаете подкрепиться, пожалуйста: овощной бульон или пюре из зеленого горошка, капустное рагу, яблоки... Но, увы, наши неразумные мужчины набивают желудки в буфете. К сожалению, мы с Томочкой не можем проконтролировать их днем, но вот по ночам они теперь больше не имеют возможности лопать трехэтажные бутерброды из мягкой булочки, масла, сырокопченой колбасы и сыра. Сезон охоты на холодильник закрыт, браконьер обнаружит на полках совершенно некалорийные овощи.

Натянув халат, я побрела на кухню. Работать на телевидении, слава богу, надо не каждый день. Будем надеяться, что в дальнейшем я сумею после окончания эфира не спать сутки напролет.

Утро побежало своим чередом. Олег и Сеня уехали на работу. Томочка отправилась с Никиткой в парк, Кристина умчалась с подружками купаться, а я стала шляться по квартире, раздумывая, с чего начать домашние дела: загрузить стиральную машину, а потом взяться за пылесос? Или наоборот? А еще нужно сесть за стол и начать писать новую рукопись. Впрочем, встречу с музой можно временно отложить. Пять дней тому назад я отволокла своему редактору, Олесе Константиновне, новый шедевр, и теперь нужно дождаться ее замечаний. Вот исправлю все и со спокойной совестью схвачусь за ручку, а пока у меня заслуженный отпуск. И день следует начинать красиво.

Значит, так, на фиг уборку и стирку. Дело это глупое. Едва смахну пыль, как она снова сядет на мебель, а выстиранные вещи потребуют глажки. Сложу их в шкаф и услышу от Олега, что его рубашки валяются измятыми. А так — в шкафу пусто, следовательно, и утюг вытаскивать незачем. Сначала приму ванну с пеной. Затем выпью кофе, потом...

Приятные мысли нарушил звонок телефона. Я посмотрела на часы. Девять утра, немного рановато для постороннего человека. Надеюсь, ничего не случилось с домашними.

— Вилка, — зачастил в трубке голос Киры, — ну как? Добыла квитанцию?

И тут я сразу вспомнила об ожерелье и Эдуарде Малине.

— Кируся, — защебетала я, — не волнуйся, все хорошо.

Подруга молча выслушала информацию.

— Мне конец, — прошептала она.

— Не говори ерунды!

— Он вор.

— Ну... может, и так!

— Спер украшение.

— Кирочка, — попыталась я успокоить Нифонтову, — еще не вечер...

— Нет, — резко перебила меня она, — все очень и очень плохо. Просто ужасно. «Ошейник» с изумрудом исчез, я его не найду. Придется сказать Борьке правду, он рассвирепеет, выгонит меня вон, отберет детей...

— Ну и чушь тебе в голову пришла, — воскликнула я, — предположим, муж решит подать на развод. И что ужасного? Ты же не убогая пьяница! Уважаемый человек, кандидат наук, получаешь зарплату. Разбежитесь в разные стороны интеллигентно. Боря воспитанный человек, он оставит тебе квартиру, станет платить алименты на детей.

Кира истерически захохотала:

— Нет, ты его не знаешь. Борька всегда говорит: «Если мы разойдемся, имей в виду, детей не получишь никогда». Он меня вытолкает взашей да еще всем вокруг расскажет, что я шлюха. Знакомые на его стороне окажутся.

— Круся, — попыталась я успокоить подругу, — подожди, до праздника почти месяц, можно...

— Нельзя, — оборвала меня Нифонтова, — ладно, Вилка, спасибо, ты тут, конечно, ни при чем. Я совершила ужасную глупость, мне за нее и отвечать. Все. Понятно?

— Эй, постой, — заорала я, — не вздумай ничего рассказывать Борису!

— Он в Питере, вернется через три дня.

— Вот и хорошо.

— Просто замечательно, — протянула Кира. — Ладно! Прощай, Вилка! Не поминай меня лихом!

Из трубки понеслись противные гудки. Я растерянно положила телефон на столик, пошла было в ванную, но потом вернулась, набрала номер Киры и услышала:

— Сейчас я не могу ответить на ваш звонок, оставьте сообщение после гудка.

Решив не сдаваться, я попыталась соединиться с Кирой по мобильному.

— Аппарат абонента выключен или находится вне действия сети, — сообщил механически-вежливый голос.

В мое сердце холодной змеей стала вползать тревога. Хотя с какой стати я дергаюсь? Вполне вероятно, что Кира на работе. Я сбегала за записной книжкой и стала снова тыкать пальцами в кнопки.

— Слушаю, — прозвенел тоненький, совсем детский голосок.

— Будьте любезны Нифонтову.

— Ее сегодня не будет.

— Почему? — вырвалось у меня.

— Заболела, — равнодушно сказала собеседница, — только что звонила и сообщила: не приду, сердце прихватило. Оно и понятно! Жарища какая!

— Спасибо, — пробормотала я, — большое спасибо.

Змея тревоги превратилась в дракона. Пару минут я стояла столбом, потом стала одновременно натягивать футболку, джинсы, кроссовки, схватила ключи и побежала к машине. С какой стати Кира сказала мне: «Прощай, Вилка! Не поминай меня лихом!»

С чего ей в голову взбрели эти слова?

Дверь в квартиру Киры украшала записка: «Открыто. Входите».

Я ринулась по коридору, громко крича:

— Эй! Ты где?

Мрачная тишина послужила ответом. В гостиной пусто, в кабинете, кухне, детских комнатах тоже. Последней шла спальня Киры. Я влетела в опочивальню, отделанную розовым шелком, и сразу увидела Нифонтову. Подруга, одетая в красивую пижаму, лежала на кровати. Волосы ее были аккуратно уложены, лицо тщательно подкрашено, на тумбочке лежала записка. Мои глаза разом увидели весь текст.

«Боря! В моей смерти никто не виноват. Доктор сказал, что я неизлечимо больна. В этом случае лучше добровольно уйти из жизни. Я очень люблю тебя. Я была тебе верной женой и хорошей матерью. Подаренное тобой ожерелье я отнесла в монастырь, чтобы монашки поминали меня, совершившую страшный грех самоубийства, в своих молитвах. Это было моим последним желанием. И потом, ты же подарил мне его, значит, я могла поступить с ним по своему усмотрению. Прости. Прощай. Тебе одному придется растить детей. Твоя несчастная Кира».

Трясясь от ужаса, я вытащила мобильный. Господи, сделай так, чтобы Лиза была на работе. Наша с Томочкой давняя приятельница, Лиза Вишнякова, работает в больнице, в отделении, куда свозят людей, решивших под влиянием минуты уйти из жизни.

— Вторая токсикология! — прозвучало из трубки.

— Девушка, — заорала я, — позовите Вишнякову! Срочно!

— Сейчас.

Я перевела дух, слава богу, повезло.

— У телефона, — произнесла Лиза.

— Господи, — завизжала я, — помоги!..

Около сорока минут я сидела, леденея от ужаса, около Киры. Все попытки напоить ее водой окончились неудачей. Нифонтова никак не реагировала на меня, не отвечала на вопросы и не шевелилась. Но она была жива, дышала тихо-тихо, медленно, почти незаметно.

— Что она сожрала? — деловито спросила Вишнякова, врываясь в спальню. За ней маячила медсестра.

Я ткнула пальцем в пустые упаковки.

— Вот.

— Ясно, — рявкнула Лизавета и принялась ловко отламывать головки у ампул.

Один укол, второй, третий, капельница... Я отвернулась. Никогда бы не сумела стать врачом, мне слабо́ воткнуть иголку в живого человека, а уж разрезать его скальпелем я не смогу даже под страхом смертной казни.

Загрохотали носилки. Киру, несмотря на жару, сначала укутали в теплое одеяло, а потом понесли в машину. Мы с Лизкой тоже влезли в «рафик».

— Рассказывай, — велела Вишнякова.

Я заколебалась.

— Понимаешь, это не моя тайна.

Лиза скривилась:

— Колись, голуба. Ты же знаешь, я кладбище чужих секретов.

Поместив Киру в палату реанимации, Вишнякова вышла ко мне и сказала:

— Пошли покурим.

Вытащив из пачки сигарету, Лизавета сердито заявила:

— В моем отделении девяносто процентов дур, решивших свести счеты с жизнью из-за любви. Кирка сошла с ума.

Я вздохнула:

— Да уж! Только Борис ничего не должен знать, иначе плохо дело.

Лиза стала накручивать на палец прядь волос.

— Прямо беда, есть определенные правила, которые я нарушать не имею права. Попытка самоубийства была? Следовательно, я обязана сообщить близким.

— Лизка! Придумай что-нибудь! Мы же столько лет дружим, — взмолилась я.

Вишнякова прикусила нижнюю губу, прищурилась, потом швырнула недокуренную сигарету в ведро.

— Ладно. Запоминай! Кирка решила похудеть и обожралась таблеток. Попытки суицида не было. Кто-то сказал ей, что от «волшебных тайских таблеток», принятых в большом количестве, можно сбросить вес. Вот дура и слопала их разом.

— В такое никто не поверит, — затрясла я головой.

Вишнякова ухмыльнулась:

— Обычное дело. Недавно сюда тетку привезли, хотела к отпуску «уши» на бедрах убрать. Вообще-то жрать меньше надо, но дамочка решила пойти иным путем — выпить уксусу. Где-то она вычитала, что это самое замечательное средство для мгновенного обретения шикарной фигуры. Можно я не стану тебе описывать последствия? Вообще, маниакальная страсть к похуданию доставила медикам массу неприятностей! Чего только не пьют бабы, мечтающие превратиться в скелет! Клей, стиральный порошок, медный купорос! Хавают не известные никому лекарства! Привезут такую, без сознания, рядом муж или мама рыдают. Начинаешь спрашивать: «Живо говорите, что пила, от этой информации жизнь вашей кретинки зависит». Ну и суют тебе аннотацию, всю на китайском, сплошные иероглифы. Вот и гадай, какой там состав.

— Что ж получается, таблетки от похудания вообще пить нельзя? — удивленно спросила я.

— Почему нельзя? Конечно, можно. Только все нужно делать с умом. Сначала следует обратиться к врачу, чтобы он прописал безопасное и по-настоящему действенное средство. Вот, например, есть замечательный препарат ксеникал. Выпиваешь его с обедом или ужином — и все, жирная еда не усваивается организмом. Очень просто, эффективно и безопасно — принимаешь ксеникал и забываешь о лишнем весе... Так что предлагаю в случае с Кирой использовать ту же ситуацию. Тогда я имею право просто ее лечить, и муж ничего не узнает. Вот только...

— Что?

— Если человеку в голову по-настоящему взбрела идея лишить себя жизни, он попытается совершить еще одну попытку. Чтобы предотвратить суицид, надо изменить ситуацию.

— Извини, я не поняла!

— Все очень просто, — спокойно продолжала

Кира, — если N полез в петлю из-за того, что лишился работы, то ему следует помочь найти службу. Коли А наелась таблеток от несчастной любви, то, выздоровев, она должна увидеть обожаемого парня с букетом роз. Ясно? Ищи ожерелье. Только оно спасет Киру.

Я закивала:

— Да, да, конечно. Скажи, она долго тут пролежит?

— Сколько надо.

— Мне можно с Кирой поговорить?

— Пока нет.

— А когда?

Лизка развела руками.

— Очень не люблю делать прогнозы. Как только, так сразу.

— Борису сообщат?

— Естественно, я сама позвоню и обману его.

— Вдруг кто-то в отделении проговорится?

— Исключено. В истории болезни я напишу то, что считаю нужным, письмо Киры ты выбросишь.

— Не пускай к ней мужа, — взмолилась я, — с Кирки станется начать молоть глупости.

— Он в реанимацию не пройдет!

— Точно?

— Абсолютно.

— Вдруг денег даст медсестрам?

— В палату интенсивной терапии Борьку не пропустят даже за все сокровища мира, — мрачно заявила Лиза и добавила: — Пройти туда можно лишь в одном случае.

— Каком? — испугалась я.

Кирка смяла пустую пачку.

— Очень надеюсь, что он для Кирки не настанет. Но если случится беда, тогда, ей-богу, все равно, что услышит Борис от жены. Хотя это только в кино главная героиня долго прощается с супругом, рассказывая ему о своих страданиях. В нашей реанимации все происходит по-иному, исповедей не бывает. Если бы самоубийцы знали, каково на самом деле умирать, большинство из них мигом бы позабыло о глупостях.

Глава 8

Умывшись в больничном туалете, я выпала на улицу, ощутила липкую духоту, добрела до «Жигулей», шлепнулась на раскаленное сиденье и вытащила мобильный. Номер сервиса оказался занят. Предприняв пару безуспешных попыток, я вздохнула и порулила в сторону улицы Народного ополчения, скорей всего, Гоша сейчас на работе.

На ресепшен в салоне сегодня сидела круглощекая толстушка в белой футболке.

— Позовите Гошу, — попросила я.

— Нет его, — испуганно ответила администратор, — могу предложить Максима.

— Но Гоша...

— Ваш автомобиль у него?

— Ну... да!

— Макс! — заорала девушка.

Из служебного помещения высунулся парень.

— Чего?

— Вот, пришла! Гоша ее тачку чинил.

Юноша подошел к ресепшен и улыбнулся:

— Фамилию назовите.

— Тараканова.

— Сами сдавали или поручили кому? — деловито осведомился Максим, двигая мышкой. — Что-то не вижу вас.

— Я просто хотела поговорить с Гошей.

— А-а... его нет, — быстро ответил Максим.

Я поманила парня пальцем.

— Можно тебя на минутку? Давай отойдем в сторону.

Механик, не выразив удивления, выполнил просьбу.

— В чем дело? — спросил он. — Жаловаться хотите?

— Нет, нет, я думала нанять Гошу. Понимаешь, в вашей мастерской чинить дорого, с деньгами у меня туго. Вот приятели и посоветовали Гошу, дескать, сумеет «на коленке» тачку взбодрить и возьмет недорого. Не знаешь, где парня найти можно?

Макс поскреб в затылке.

— Да тут дело такое, плохое!

— Что случилось?

— Разбились они.

— Кто? — еле ворочая языком, спросила я.

— Гошка и Серега Яковлев. Мы прям в шоке, — сказал Максим. — Сережка машину классно водил, тачку недавно купил, не новую, конечно, но он за ней следил. И вдруг — шаровая опора вдребадан. Ну и ну! Они как раз по МКАД ехали, скорость приличная была. Хорошо хоть сразу погибли, не мучились. По отбойнику их размазало.

— Когда случилось несчастье? — промямлила я.

— Сегодня ночью, — охотно пояснил Макс, — нам утром позвонили, только-только на работу пришли, и тут такое! Теперь руководство на ушах стоит. Серега-то ведущим мастером был, к нему со всей Москвы ехали. Гоша, тот урод, хотя о покойниках плохо не говорят, но толка от него не было. А у Яковлева и голова варила, и руки золотые. Ща наш Иван Семенович их родственников ищет. Серегины в Крым укатили, адреса нет. А Гошина мать в деревню подалась. Удалось связаться только с его сестрой.

Не чуя под собой ног, я вышла на улицу. Так, Вилка, попытайся сохранить хладнокровие, спокойно разложи все по полкам. Гоша обещал узнать адрес Эдуарда Малины у Сергея Яковлева. Каким же образом могли разворачиваться действия?

Гоша, мечтающий попасть на телевидение, рьяно принялся «интервьюировать» Яковлева. Увы, Мискин был не слишком умен, а вот Сергей не выглядел дураком! Естественно, он догадался, что приятелем движет не простое любопытство, и начал вытряхивать из него информацию. Вот тут-то Гоша и раскололся, сообщил обо мне и о заманчивом предложении оказаться на службе в «Останкино». Что же случилось дальше? Думаю, Сергей бросился звонить Эдуарду с сообщением, что его разыскивает некая Настя Трифонова. Ох, хорошо, что я не назвала своего настоящего имени, не похвасталась перед Гошей, что являюсь писательницей Ариной Виоловой. Потому что в противном случае моя судьба могла быть печальной. Ну с какой стати у машины Сергея Яковлева вышла из строя таинственная для меня штука? Я не знала, что в автомобилях бывают шары! Парень классный механик, он следил за тачкой. Куда ехали ночью приятели? Решили найти себе девочек? Или надумали просто погулять? А может, их под благовидным предлогом зазвал к себе Малина? Испортил машину Яковлева, а потом позвонил Сергею и сказал:

— Собирайтесь ко мне на дачу, шашлычок пожарим.

Или наоборот? Сначала пригласил на гулянку, улучил момент, быстро подпортил эти самые шары и спокойно махал ручкой вслед парням, зная, что тех через пару километров ждет смерть?

Думаю, Сергей хорошо знал Эдуарда. Вопрос: где они познакомились? Почему у мужчины оказались документы на фамилию Малина? Если он простой мошенник, аферист, влюбляющий в себя замужних женщин, а потом разводящий их на деньги, то с какой стати ему убивать Гошу и Яковлева? Чтобы те случайно не выдали его?

Несмотря на жару и липкую духоту, меня заколотил озноб. Иногда на Куприна нападает болтливость, и он начинает рассказывать о криминальном мире. Олег убежден, что преступники редко «меняют ориентацию». Грубо говоря, если вас грабит домушник, то он вовсе не собирается убивать хозяев. Воришка хочет получить чужое имущество, и ему нет никакого смысла вешать на себя «мокруху». Может, вам такое заявление и покажется странным, но себе подобных убивают, как правило, не профессиональные преступники. Карманник, мошенник, брачный аферист, угонщик автомобилей занимаются своим делом, и трупы им ни к чему. Другое дело заказное убийство, его совершает наемный киллер, человек, получающий деньги за работу. Кстати, убирать ненужных свидетелей они не любят, предпочитают обходиться лишь выполнением заказа. Как это ни печально, но основной процент убийств дают банальные, бытовые распри. Сели, выпили, схватились за ножи, табуретки, молотки. Знаете, какое самое распространенное орудие убийства в России? Сковородка, чугунная кухонная утварь, которую разъяренная жена опускает на голову пьяницы мужа.

Так зачем мошеннику Малине устранять парней и становиться кандидатом на пожизненное заключение. Чего он так испугался? Ну, предположим, я нахожу его, Кира, что маловероятно, обращается в милицию, и... Эдуард спокойно сообщает: «Она сама дала мне ожерелье в долг. Увы, пока не могу вернуть украшение, Кира моя любовница, поэтому я и позволил себе взять камни с золотом».

Никакой уголовщины в ситуации нет, простая история. Малина брильянты не крал... Единственное, что можно вменить ему в вину, — использование чужого документа. Ну зачем при таком раскладе кого-то убивать? Или дело намного серьезней? Ожерелье всего лишь вершина айсберга, а ведь всем известно, что семь восьмых гигантской глыбы скрыто под водой.

У меня закружилась голова. Во что втянули Киру? Кто? С какой целью? Чего желают добиться? Может, я усложняю ситуацию? Эдик банальный жиголо, стырил украшение и пропал. Яковлев с Гошей разбились из-за неполадки в машине, и все! Но нет, что-то подсказывает мне: дело нечисто!

Сплошные вопросы, никаких ответов. Одно лишь знаю точно, оборвана единственная тоненькая линия, ведущая к Эдуарду, я забрела в непроглядно черный тупик, из которого нет выхода, куда ни суйся, везде каменные стены. Бедная Кирка, похоже, я не сумею ей помочь!

Злые слезы подступили к глазам, и тут ожил мобильный.

— Да, — проглотив горький комок в горле, сказала я, — слушаю, говорите.

— Малина беспокоит, — прохрипело в ухе.

Я чуть не выронила сотовый.

— Кто? Эдуард? Как вы меня нашли?

— Ванда я, — сообщил голос, — сами же телефончик оставили. Велели звонить, ежели чего вспомним.

Тут до меня дошло, что от неожиданности я перестала дышать и сейчас задохнусь. Сделав огромный глоток воздуха, я воскликнула:

— Вы что-то можете рассказать? Знаете, кто паспорт у мужа брал!

— Ага, — кашлянула Ванда.

— Уже еду.

— Пятьсот баксов, — предупредила супруга Малины.

— Что?

— Сведения продаются.

Я стала лихорадочно подсчитывать имеющиеся у меня деньги. Так, в коробочке, где храню «хозяйственные» рубли, есть сумма, эквивалентная ста долларам, еще триста затырены в шкафу, под постельным бельем. Это неприкосновенный запас, госпожа Тараканова пытается собрать на новую машину. Делаю я это очень оригинально. Из каждой получки отстегиваю некую сумму и запихиваю под чистые простыни. В этот момент ощущаю себя богатой женщиной и бываю страшно довольна. Но уже через неделю становится понятно, что оставленных на хозяйство денег катастрофически не хватает, и снова приходится лезть в шкаф, на этот раз, чтобы вытащить накопленное. Ситуация тупо повторяется каждые тридцать дней и напоминает анекдот о бедных крестьянах, которые утром сеяли картошку, а вечером ее выкапывали, потому что очень хотели есть.

— Четыреста, — быстро сказала я, — могу привезти через пару часов.

Ванда снова закашлялась.

— Ладно, к восьми вечера. Ты метро хорошо знаешь?

— Всю жизнь в Москве живу!

— Ну и ладушки, приезжай ко мне на работу, там и поболтаем.

— В какую сторону катить?

Ванда назвала станцию и спросила:

— Найдешь такую?

— Конечно, а дальше, я выйду на улицу и куда?

— Никуда, я на кассе сижу, подойдешь к окошку. Значит, к восьми. Народ схлынет, я отойти смогу.

Я бросила телефон на сиденье и стала перестраиваться в левый ряд. Никогда не следует сдаваться. Отчаянье — это грех. Жизнь интересная штука, в тот момент, когда кажется, что выхода нет и ты начинаешь тонуть, невесть откуда появляется плывущее по реке бревно, уцепившись за которое легко можно спастись. А еще, если понимаешь, что неведомая сила затягивает тебя на дно жизни, надо не плакать, не стонать, а опуститься вниз и, сильно оттолкнувшись, вынырнуть на поверхность. Чем хуже нам сейчас, тем лучше потом, из любой ситуации можно найти два выхода, главное, никогда не говорить себе: «Все. Конец. Я погибла».

Вот тогда точно расстанешься с жизнью, даже оказавшись в тарелке с супом. Человек, который верит в свою удачу, выберется из наглухо запаянной консервной банки. Надо лишь твердо помнить — все будет хорошо. Вот мне же сейчас повезло! Не успела пасть духом, как позвонила Ванда. Она явно знает что-то интересное и теперь хочет продать информацию в обход мужа-пьяницы. Супруга Малины желает одна завладеть долларами. Да здравствуют жадные люди! Ура корыстолюбивым личностям!

В эйфорическом состоянии я доехала почти до самого дома и притормозила у супермаркета. Наверное, Олег прав. Мы с Томочкой перегнули палку.

Дома должны быть продукты, а не только вареные капустные листья. Сейчас много всего диетического, обезжиренного. До встречи с Вандой полно времени, я успею сделать необходимые покупки, отвезти их домой, взять доллары...

Напевая себе под нос, я пошла вдоль стеллажей, укладывая в проволочную корзинку упаковку йогуртов с надписью «жирность 0%», колбасный сыр, печенье без сахара и крабовые палочки, в которых от благородных морепродуктов остался лишь запах. Некие сомнения охватили меня при виде торта, украшенного надписью «бисквит с низкокалорийными сливками, минимум жиров и углеводов». Насколько я понимаю, пирожных, от которых человек худеет, попросту не бывает. Уже у кассы я, вспомнив, что Олег еще позавчера обиженно воскликнул: «У меня нет крема для бритья», взяла из расположенной рядом открытой витрины тюбик. Наверное, многие люди забывают приобрести всякие мелочи, вот продавцы и подтащили к выходу разную лабуду, типа бритв, шариковых ручек, дезодорантов и игрушек.

— Ой, молодец, — обрадовалась Томочка, увидев меня с туго набитыми пакетами в руках, — я только-только собралась в магазин. Сеня так ругался, увидав капусту! Просто категорично сказал: это есть не стану ни за какие деньги!

Тихо посмеиваясь, Томочка принялась засовывать еду в холодильник. Я налила себе чаю и села у стола. Надо было купить те два «низкокалорийных» пирожных, мы бы с Томуськой сейчас съели их со спокойной совестью, потому что наш совокупный вес не превышает и ста кило.

— Это что? — удивилась Тамарочка, вертя перед глазами тюбик.

— Крем для бритья, — ответила я, — его не надо в холодильник класть, сейчас в ванную отнесу.

— Интересно, — протянула Томуська, — ты видела, что на нем написано?

— Где?

— Вот тут, читай.

Я вгляделась в мелкие буквы. «Крем для бритья Хорьков»

— Хорьков? — удивилась я. — Но зачем их брить? Насколько я понимаю, хорек — такое не слишком крупное животное.

— Мохнатое, — задумчиво протянула Тамарочка, — короткошерстное, но, наверное, волосы с него все равно сыплются.

— Ты о чем?

— Вроде хорьков теперь держат дома, ну как собак или кошек, — задумчиво сказала Томуся, — наверное, хозяевам не нравится собирать клоки шерсти, вот и придумали специальный крем для бритья хорьков. Намазываешь его, и вжик, вжик, готово, почти лысый домашний любимец, никаких проблем с уборкой.

Я продолжала рассматривать тюбик.

— Странно. Слово «Хорьков» написано с большой буквы.

— Правильно, — воскликнула Томочка, — это же название животного[1].

— Да?

— Точно.

— Но я приобрела это средство у кассы.

---

[1] Названия животных пишутся с маленькой буквы: слон, лиса, бегемот и т.д.

— Ну и что?

— Если этот крем для Хорька, то он должен продаваться в специализированном отделе, там, где стоят шампуни и лежат всякие прибамбасы для четвероногих.

— Верно, — согласилась Тамарочка.

— Значит, крем для людей!

— Но ведь тут четко написано: для бритья Хорьков!

Пару минут мы недоуменно рассматривали яркий цилиндрик, потом меня осенило.

— Ясно! Смотри, здесь указано: сделано на Украине.

— И что?

— Следовательно, надпись на украинском. В этом языке много смешно звучащих для русского уха слов. Вот, допустим, перукарня, это, по-твоему, что?

— Пекарня, — подумав мгновение, сказала подруга.

— А вот и нет! Парикмахерская. А зупынка?

— Стоматологическая клиника?

— Остановка трамвая или автобуса!

— Что же такое Хорек?

— Думаю, это крем для бритья подмышек.

Томуська покрутила пальцем у виска.

— Вилка! Ты того, да?

— Рассуди логично. У нас место под рукой называется подмышка. Никогда не задумывалась, при чем тут мыши?

— Не-а, — помотала головой Тамарочка.

— Я тоже, подмышка и подмышка. А украинцы небось зовут эту часть тела — хорек. Он тоже грызун. Ясно?

— В принципе, да, — осторожно ответила Томочка, — крем для бритья Хорьков, то есть подмышек?

— Точно.

— Лучше отнести его назад в магазин.

— Почему?

— Олегу не понравится пользоваться таким средством.

— Верно, — пробормотала я.

— Чек сохранился?

— Да.

— Вот и сходи быстренько, обменяй на нормальный, для людей, — посоветовала Томуся.

Глава 9

Увидав тюбик, кассирша вяло спросила:

— И чем он вам плох?

— Я хочу другое средство.

— С какой стати? Купили — и пользуйтесь.

— Оно мне не нравится!

Девушка повертела упаковку.

— Срок годности не истек. Вы его сами выбирали, нет никакого основания для обмена товара.

— На название гляньте!

— Крем для бритья Хорьков, — протянула кассирша.

— А я хочу брить лицо, — быстро сказала я.

Кассирша с огромным удивлением уставилась на меня.

— Да ну? — выпалила она. — У вас, че, борода растет?

С трудом подавив желание треснуть дурочку проволочной корзиной по носу, я процедила:

— Нет. Крем предназначается мужу. Но у него нет хорька, если имеется в виду домашнее животное. А если хорек — это подмышки, то тоже не надо.

Девушка прыснула:

— А может, Хорек — это не то и не другое!

— Что же тогда?!

— Ну... хи-хи... сами понимаете!

Вот тут я обозлилась до крайности, да у этой идиотки в голове одни скабрезные мысли.

— Позовите администратора!

— Алла Николаевна, — завопила девушка, — подьте сюда!

— Люда, — укоризненно воскликнула дама лет сорока, выныривая из-за стеллажей, — сколько раз тебе говорила, слова «подьте» в русском языке нет.

— Все меня учат и учат, — надула губки Люда, — прям за самую глупую дуру тут держат! Лучше гляньте, чем мы торгуем!

— Крем для бритья Хорьков! — изумилась Алла Николаевна. — Это кто ж такие?

Люда захихикала, я открыла было рот, но тут Алла Николаевна метнулась к стойке, составленной из проволочных корзинок, над залом полетел ее смех.

— Покупательница, идите сюда.

Я подошла к администратору.

— Вот, — веселилась Алла Николаевна, — смотрите: «Крем для бритья. Харьков». Это просто опечатка, на одной партии в название города вкралась ошибка, и получилось Хорьков.

Я стала рыться в корзинке. Действительно, на одних тюбиках стоит: Харьков, на других — Хорьков.

— Надо же! — восторгалась Алла Николаевна. — Какая вы внимательная. Целый месяц торгуем, и никто ничего не заметил.

Я выхватила упаковку с правильной надписью и ушла домой. Никто не предлагал брить грызунов, и хорек не имеет отношения к подмышкам. Не следует делать сложных выводов, как правило, необычная ситуация имеет более простое объяснение, чем это нам представляется.

Ванду я нашла сразу, едва спустилась под землю. Она восседала в кассах за одним из стеклянных окошек. Я наклонилась к тарелочке, на которую следовало класть деньги.

— Здрассти.

— На сколько поездок?! — мрачно гаркнула Малина, не поднимая глаз.

— На четыреста долларов.

Ванда сфокусировала на мне взгляд.

— А, пришла. Иди в дверь с табличкой «Вход запрещен».

Я повернула голову, увидела надпись, толкнула створку и оказалась в крохотном предбанничке, выкрашенном темно-голубой краской.

— Здесь я, — крикнула Ванда, — на кухне! Влево поверни.

Я послушно выполнила приказ и очутилась в комнатенке размером с пачку сигарет. У одной стены стоял стол с электрочайником, возле другой — две табуретки.

— Садись, — велела Ванда, — деньги принесла?

— Да.

— Покажи!

— Вот.

— Давай! — жадно воскликнула кассирша.

— Э, нет, — помотала я головой, — сначала стулья, а уж потом ассигнации.

— Стулья? — вытаращила круглые глаза Ванда.

Я вздохнула, тетка, похоже, не читает книг, она никогда не слышала про писателей Ильфа и Петрова.

— Рассказывай, что знаешь, а потом получишь «гонорар».

— Нашла дуру, — подбоченилась Ванда, — ща все выложу, а ты уйдешь и ау!

— Я честный человек!

— Я тоже. Давай бабки! Иначе рта не раскрою, и ты ничего не узнаешь. Тебе ж правда нужна!

— А тебе деньги!

Разговор зашел в тупик.

— Ладно, — пошла на компромисс Ванда, — сто доллорешников вперед! А остальное в конце, по рукам?

Я кивнула и положила около чайника купюру. Кассирша мигом схватила ее, сунула в потертый кошелек, удовлетворенно вздохнула и завела рассказ.

— Эдька у меня третий муж. Первые два померли, допились до смерти. Во, представь, невезуха! Ну где только другие бабы нормальных находят. Вон в соседнем окне Раиска сидит, сама страшная, ноги колесом, ни груди, ни жопы, готовить не умеет, грязнуля, а муж ей попался золотой. Не пьет, не курит, каждую копеечку в дом тащит! У них и дача, и машина, и мебель! А у меня?

Я спокойно слушала Ванду. Каждый народ достоин своего вождя, а каждая жена — своего мужа. Если на вашем пути с тупым постоянством попадаются пьяницы, то, может, дело не в мужчинах, а в вас самой? Значит, вы приманиваете именно таких, нормальные мужики на вас смотреть не хотят. Вопрос: почему? Ну это не ко мне. Лучше всего спросить это у самой себя!

— И первый от «белочки» убрался, и второй, — бубнила Ванда, — осталась я одна-одинешенька, тосковала горько, совсем уж подумала, что жизнь кончена, но тут к нам на работу Эдька нанялся.

Ванда очень обрадовалась, узнав, что новый механик, призванный следить за турникетами, пропускающими пассажиров на станцию, холост. Конечно, Эдуард не был красавцем, скорей наоборот, но свободные мужчины в наше время редкость, выбирать не из кого, следует хватать то, что проплывает мимо. Да еще коллега Ванды, тоже вдова, Наташка Ломакина, стала вовсю кокетничать с Малиной. Ванда испугалась конкуренции и живо прибрала Эдика к рукам.

Поначалу жизнь их текла просто замечательно. Ванда переехала к мужу. То, что Эдик жил в коммуналке, ее не смущало. Потому как она сама имела десятиметровку в густонаселенной квартире. Свою комнатенку Ванда сдала студентке, получаемые от девушки копейки старательно прятала в кубышку. У Эдика в квартире в соседках была всего лишь одна полуглухая и слепая баба Зина, совершенно не конфликтная и не вредная. Ванду она приняла как родную, конфорки на плите не занимала потому что крошечная пенсия не позволяла старухе готовить себе обед из трех блюд. Баба Зина в основном питалась кефиром. Наверное, из-за вынужденной диеты она практически никогда не занимала санузел, еще старуха не ворчала, не требовала вывешивать расписание с точно указанным временем мытья коридора, практически не жгла электричество и шмыгала по коридору тенью. Очень скоро Ванда стала относиться к ней как к родной и принялась угощать старуху супом. Баба Зина в благодарность сказала:

— Зачем мне две комнаты? Давай в одной гостиную сделаем.

Ванда обрадовалась, и скоро они начали вместе смотреть телик. Эдик никак не комментировал ситуацию. Он обретался в этой квартире с детства и держал бабу Зину за тетку. Вот так и проводили дни, жили счастливо. Потом Эдик вдруг запил. Да как! Неделю квасил без отдыха. Заплаканная Ванда вышла на кухню, села у стола и сказала бабе Зине:

— О господи! Ну что случилось? Ведь нормальный, трезвый мужик, чего его на ханку потянуло!

Баба Зина деликатно кашлянула.

— Так, — пробормотала она, — точно, опять понеслось!

— Ты о чем? — насторожилась Ванда. — Эдька непьющий. Я ученая, за двумя алканавтами замужем побывала. Третьего не хотела. Очень хорошо пьяниц вижу. Да мы с Эдькой год живем, он водку не нюхал, даже пиво и то не пьет! Трезвенник! Потому я и расписалась с ним.

Баба Зина тяжко вздохнула:

— Эх, милая! Надо бы тебе раньше сказать, да Эдик припугнул: дескать, проговорюсь, он меня к батарее привяжет. Запойный твой муж.

Ванда прислонилась к стене, а баба Зина вещала дальше:

— Когда он пить начал, я и не упомню. Весь в отца пошел. Колька, покойник, таким же был. Несколько месяцев золотой, а потом сорвется и киряет без остановки десять дней. Вынырнет из запоя, неделю в себя приходит и снова чин-чинарем, в белой рубашке. Умный ведь человек был, врач, пока не помер от водяры.

— Доктор? — удивилась Ванда.

— Ты чего про мужа-то знаешь? — спросила баба Зина.

Ванда призадумалась.

— Ну... москвич, прописка постоянная. Родители на кладбище, он в метро работает, зарплату получает, братьев, сестер, всяких родственников не имеет. Была у него жена, да скончалась, детей не оставила.

— Эх-ма, — вздохнула баба Зина, — экие вы, молодые, нелюбопытные. Вот в наше время замуж выходили, так про жениха все разузнавали, неровен час дурной человек попадется, распишешься с ним, и выяснится: родичи по тюрьмам сидят! Ладно, слушай про свое сокровище. Знаешь, кто в нашей квартире жил?

Ванда пожала плечами:

— Нет.

— Ага, — кивнула баба Зина, — значитца, так. У меня сейчас две комнаты, у вас две, жируем на большой площади, спасибо Лужкову. Это он приказ написал, чтобы к таким, как мы, никого не подселяли. Вот помру, ты хозяйкой всей квартиры станешь.

— Живи двести лет, — быстро сказала Ванда.

— Оно хорошо бы, — вздохнула бабка, — но не получится. Так вот, раньше в нашей квартире много жильцов было. У двери Попов Владимир Семенович, рядом с ним Смайкин Паша с супругой, затем Малина Колька с женой Светкой, у них потом Эдик народился, а в крайней я вместе с Игорем Федоровичем.

Жили мирно. Жилплощадь людям предоставил НИИ, в котором они работали. Директор института собирал кадры по всей стране. Чем занимался на работе муж, Зина не понимала. Игорь был врачом, а она работала простой медсестрой в поликлинике. Супруг редко рассказывал о служебных проблемах жене, а вот с соседями они часто говорили на научные темы, потому что все, и Смайкин, и Малина, и Попов, работали вместе. Более того, все они были провинциалами, талантливыми учеными, привезенными в столицу из разных мест: кто прибыл из Ростова, кто из Новосибирска, а Смайкина принесло аж из местечка Мары. Да и жены оказались кто откуда.

Первой квартиру покинул Смайкин, он получил

отдельную жилплощадь и уехал. Баба Зина более с ним никогда не встречалась. Потом и Поповы перебрались в свою квартиру. У Володи с Верой родилось несколько детей. Соседи далеко не уехали, жили по соседству, и их дети пошли в одну школу.

Но, несмотря на то что бывшие соседи были практически рядом, Зина с ними не встречалась. Честно говоря, ни Смайкин, ни Поповы ей особо и не нравились. Когда толклись вместе на коммунальной кухне, Зина, человек спокойный, неконфликтный, никогда не сварилась, но дружбы, допустим, с Верой Поповой не заводила. Зина даже стала забывать Поповых, но тут судьба устроила им встречу. Спустя много лет после разъезда Зина в булочной встретила Веру. Та неожиданно бросилась ей на шею с объятиями. Зинаида удивилась, но вежливость предписывала пригласить Веру в гости, напоить ее чаем.

— Загляни к нам, — улыбнулась Зина.

Вера мгновенно согласилась, пришла туда, где раньше жила сама, выпила чайку и вдруг стала плакать. Через пару мгновений Зинаида поняла, по какой причине Верочка кинулась к ней, словно к родной сестре. Поповой очень хотелось пожаловаться на жизнь, но, похоже, у нее просто не было близких людей, готовых выслушать исповедь.

Веру тревожили дети, сыновья, Миша и Петя, впрочем, старший особых хлопот не доставлял, учился себе спокойно, не хватая, правда, звезд с неба, но вот младшенький!

То стекла в подъезде разобьет, то кнопки в лифте подожжет, то сбросит из окна банку, полную воды. Учиться Петя не хотел ни в какую. Ни ругань отца, ни слезы матери на него не действовали. Затем Петя стал заниматься тем, что в советские времена называлось фарцовкой. Сначала он обменивал у иностранцев в гостиницах жвачку, ношеные джинсы, косметику и парфюмерию на советские значки, ушанки с красной звездой и гжельские кружки. А потом продавал полученный товар одноклассникам. Его, естественно, поймали, и разгорелся дикий скандал. Бедный Владимир схватился за ремень, а потом сумел замять дело. Он забрал Петьку из школы и пристроил в медицинское училище. Владимир искренне надеялся, что Петя сделает правильные выводы, но мальчишка опять принялся за старое. Теперь он, правда, больше не толкался около гостиниц, проник неведомыми путями в среду часто выезжающих за рубеж артистов, начал скупать у них привозимые шмотки и продавать их желающим.

Володя ругался с сыном, пару раз выгонял его из дома, а толку? Петька не обращал на родителей никакого внимания. Внешне он сильно отличался от всех Поповых. Одевался в американские джинсы и водолазки, курил импортные сигареты, носил длинные, прикрывающие уши волосы, слушал западную музыку и вообще вел чуждый советскому человеку образ жизни. В результате из училища Петьку тоже вышибли. Володя даже обрадовался подобному повороту событий.

— Вот заберут тебя в армию, — воскликнул он, — отправят на подводную лодку, живо нормальным станешь.

Петя расхохотался отцу в лицо:

— Меня? Во флот? Да никогда!

— В нашей стране, — нахмурился отец, — если молодой человек не получает образование, то он обязан служить Родине.

Петя скривился:

— Я болен, таких не призывают. Белый билет получу.

— Ты? — изумился Владимир. — Каким образом?

— У меня порок сердца, — с самым серьезным видом заявил Петька.

— Откуда? — разинул рот отец-врач.

Сын снисходительно посмотрел на глупого предка и пояснил:

— Это только ты можешь в говнодавах и в индийских джинсах разгуливать, положив сигареты «Дымок» в карман. Кое-кому охота иметь качественную обувь, фирменные трузера на зипперах[1] и американские сигареты. Вот они мне и помогли, диагноз поставили, потому что я людям весь этот кайф приношу. Так что армия мне не грозит.

Володя схватился за сердце, с Петькой он после этого разговора общаться перестал. Скоро младший сын съехал неведомо куда.

Вера жаловалась долго, она нахваливала Мишу и истово ругала Петю. Из ее слов выходило, что один мальчик у нее получился просто замечательный. Мишенька, правда, пока особо не проявил себя, но его таланты еще раскроются, а вот на Петьке клейма ставить негде!

Излив душу, Вера ушла. Зина очень обрадовалась, когда за Поповой захлопнулась дверь. Разговор-то получился тягостный, и Зина тогда подумала: «А может, хорошо, что мы с Игорем вдвоем?» У оставшихся с ней в одной квартире Коли и Светы Малина дела тоже шли не слишком хорошо. В прин-

---

[1] Т р у з е р а н а з и п п е р а х — брюки с ширинкой на «молнии». Слэнг советских фарцовщиков. В СССР мужские брюки в основном делали на пуговицах. Поэтому иметь американские джинсы с «зиппером» было круче, чем сейчас «Феррари». О «Феррари» тогда и не мечтали.

ципе, эта семья могла быть счастливой, если бы не привычка Николая Малины уходить в запой.

Приятный, интеллигентный, тихий Коля, войдя в штопор, превращался в зверя. Мог сломать мебель, избить до полусмерти жену и сына и устроить пожар. Протрезвев, он хватался за голову, извинялся и снова жил тихоней. Со временем светлые промежутки становились все короче, периоды буйства длинней. Николая уволили с работы, и в конце концов он умер от цирроза печени, попросту утопил себя в водке.

К сожалению, Эдику достались гены алкоголика.

Глава 10

Баба Зина замолчала, но Ванда поняла, что старуха чего-то недоговаривает, и сурово сказала:

— Раз уж начала, то болтай до конца.

Соседка вздохнула:

— Чего уж там, рано или поздно все равно узнаешь. Тебе Эдька что про первую жену рассказывал?

— Умерла она.

— Правильно. А с чего?

— Ну... не знаю.

Баба Зина перекрестилась.

— Ладно, расскажу, но ты меня не выдавай, а то Эдька осерчает. Он ведь все отсидел, что суд дал!

— Какой суд? — дрожащим голосом спросила Ванда.

Старуха снова осенила себя крестным знамением.

— Клавка, жена Эдика, оторви и брось была. Он на ней сразу после смерти матери женился. Похоже, и не любил вовсе, взял на хозяйство, ну там постирать, прибрать, жрачку приготовить. Думал, жена о нем заботиться станет, насмотрелся на свою мамку, та вечно то с кастрюлей, то с тряпкой.

Ванда сидела ни жива ни мертва. Зина рассказывала о давно прошедших событиях так, как будто они случились вчера, ясной памяти бабки мог позавидовать молодой человек.

Мать Эдика умерла, когда парень был на втором курсе института. Сначала юноша растерялся, а потом быстро женился на студентке Клаве Забойко. Любовью, похоже, в отношениях молодоженов и не пахло. Малина искал в супруге бесплатную домашнюю работницу, а Клаве, уроженке крохотного городка с малопоэтичным названием Сысь, хотелось получить московскую прописку. Кстати, подобные браки, основанные не на быстро затухающем пламени любви, а на холодном расчете, как правило, получаются на редкость прочными. Но у Эдика и Клавы жизнь не задалась сразу. Ни муж, ни жена не собирались себя ни в чем ограничивать. Клава приходила домой около трех утра, чаще всего до подъезда ее доводили посторонние парни, а Эдик пил без просыху. Зина только вздыхала, она-то понимала, что добром ситуация не закончится. Так и вышло.

Пьянице учиться недосуг, вот Малину и вышибли из института, а через некоторое время вручили ему повестку в армию. Эдик пригорюнился, а Клавка даже не скрывала своей радости. Она-то хоть и бегала задрав хвост по вечеринкам, но сессии сдавала успешно. Перспектива остаться на два года одной, без уже опостылевшего за короткое супружество муженька, настолько вдохновила Клаву, что она предложила устроить Эдуарду шикарные проводы. Малина, не упускавший момента повеселиться, мигом согласился.

Что случилось потом, баба Зина точно не знает.

Накануне праздника Эдик пришел к соседке и сказал:

— Слышь, теть Зин, мы тут ребят соберем.

— Гуляйте на здоровье, — разрешила женщина, — проводы в армию дело святое, а я на вечерок к своей подружке смотаюсь, не хочу вам мешать.

— Оставайся, — предложил Эдик, — выпьешь за мое здоровье.

— Рюмочку опрокину, чтобы тебе хорошо служилось, — согласилась соседка, — а потом утопаю.

Вернулась Зинаида за полночь, на последнем поезде метро. Она полагала, что шумная компания давным-давно разбрелась по своим квартирам. Но Зина фатально ошибалась. Когда она вошла в дом, тот был полон абсолютно трезвых людей в милицейской форме. Во время веселой вечеринки случилось несчастье: пьяная Клава выпала из окна и разбилась насмерть.

На следующий день Эдика арестовали. Одна из девчонок, Рита Семина, принимавшая участие в гульбище, сообщила следователю, что видела, как супруги Малина страшно поссорились. Сначала Эдик и Клава подрались, а затем муж выкрикнул:

— Ну, погоди, дрянь, я тебя из окна скину, уйду в армию вдовцом, точно тогда знать буду, что никто мою фамилию не позорит!

Ну а через некоторое время Клава выпала из окна во двор.

Бедный Эдик упорно твердил на следствии:

— Ничего не помню, может, мы и ругались спьяну. Клаву я не сталкивал. Она сама выпала, набралась водки, решила покурить, высунулась наружу и свалилась.

Может, Эдик и не врал, пьян он в тот день был до отключки, очнулся в камере предварительного заключения и принялся с тупой настойчивостью спрашивать у всех:

— Где я?

Но следователь имел на руках бумагу, «утопившую» Малину. Она содержала свидетельские показания Риты Семиной.

Сами понимаете, какой срок грозил Эдику, и он его должен был получить, отправиться на зону, но тут случилось невероятное. Рита Семина, рыдая, явилась к следователю и призналась во вранье. Никакой драки она не видела, выдумала все от начала и до конца, потому что была влюблена в Эдуарда Малину и решила отомстить ему за женитьбу на Клаве.

Дело стало разваливаться на глазах. Остальные участники гулянки были в тот день настолько пьяны, что ничего не могли рассказать о произошедшем, они путались, даже сообщая о количестве участников гульбища. Малина утверждал, что пригласил вместе с однокурсниками и своего приятеля детства, Мишу Попова, а студенты твердили, будто присутствовали только свои, институтские. Затем Эдик сообщил, что Мишу-то он звал, только парень проигнорировал приглашение, а его одногруппники вдруг изменили показания и заталдычили:

— Был такой, сосед его прежний, пришел в середине вечера.

Короче говоря, без поллитры не разобраться. Для Эдика во всем происходящем имелся лишь один положительный момент: поскольку парень находился под следствием, его не взяли в армию. Малина сидел дома, тихий, испуганный, боялся лишний раз нос на улицу высунуть. Пить он перестал, вел трезвый образ жизни и даже устроился на работу слесарем в местное домоуправление. Эдик понимал, что суд все же состоится, а в Кодексе тех лет имелась статья за тунеядство, советским людям вменялось работать постоянно, на переход с одной службы на другую давали месяц.

Затем вдруг умерла Рита Семина. Ничего криминального в ее смерти не было, девушка упала с платформы станции метро. Следователь было заподозрил неладное, но у Эдика имелось стопроцентное алиби. В тот день и час Малина старательно чистил засоренную трубу под раковиной в квартире очень уважаемого человека, профессора Никанорова. Слесаря видел и сам ученый, и его жена, а домработница так просто стояла над парнем и бдила во все глаза, наверное, боясь, что сантехник сопрет чего-нибудь.

Дальше — больше. Следователь, который занимался Малиной, заработал инфаркт, оказался в больнице, а потом уволился из органов МВД по состоянию здоровья. Дело досталось другому специалисту, который, решив особо не мучиться, отправил Эдика в СИЗО. Да и было за что!

Во время той гулянки разошедшиеся парни сломали во дворе скамейку, подожгли мусорный ящик, разбили окна на первом этаже, обматерили местных старух и напачкали в подъезде. Отвечать за содеянные действия пришлось Эдику, потому что разозленные соседи все как один твердили:

— Малины это работа. Видели его, а остальных и не заметили. Он несчастье нашего двора, пьет да гуляет, посадите его.

Вот так Эдик, получив небольшой срок за хулиганство, оказался на зоне. Вышел он довольно быстро, вернулся домой и стал жить тихо. Очевидно, исправительная система ушибла парня на всю жизнь.

Малина перестал пить каждый день водку, он теперь впадал в запой два раза в год, как покойный отец. Но больше никаких «подвигов» он не совершал. Затаскивал в свою комнату ящик водки, намертво забивал окно гвоздями и просил соседку:

— Слышь, баба Зина, ты меня на улицу не выпускай. Входную дверь запри, ключ себе на шею повесь и не обижайся, если материться начну.

Зина вздыхала, но просьбу непутевого соседа выполняла. Эдуард, правда, особо не буйствовал. Наливался водкой на своей территории, выползал лишь в туалет, на кухню не ходил, в момент запоя он не ел, не пил, не мылся...

Единственное, что бесило Малину в такой момент, это попреки. Баба Зина как-то раз попыталась укорить парня, сказала было:

— Эх ты! Разве ж хорошо как свинья нажираться, — но тут же осеклась.

Всегда мирный сосед подскочил к ней, схватил в охапку, легко донес до окна и прооорал:

— Ща выкину дуру!

Зина тогда перепугалась до отключки, кое-как она сумела вырваться из цепких объятий парня и удрать к себе. Когда Малина протрезвел, соседка сообщила ему:

— Ты чуть не убил меня.

Эдик схватился за голову.

— Прости, сам не знаю, как получилось.

Зина только вздыхала. Она хорошо помнила, как Колька Малина в момент запоя тоже творил дивные вещи, бил до полусмерти жену, а потом, придя в себя, начинал рыдать и кричать:

— Ужас! Ужас! Это был не я!

Ванда выслушала рассказ старухи и с испугом спросила:

— Господи! Чего мне делать-то?

Баба Зина сморщилась.

— А че тут поделаешь? Эдька, когда трезвый, тихий вполне, приятный. Живи да радуйся. Он тебя небось любит.

— С какой стати ты так решила? — прошептала перепуганная Ванда.

— Видишь ли, — забубнила бабка, — девок он, конечно, сюда водил, как без них, но жениться не хотел, боялся.

— Чего?

Зина развела руками.

— Небось Клавку вспоминал. А с тобой расписался, зацепила ты его, следовательно. Все хорошо будет, только правила соблюдай.

— Какие? — еще больше встревожилась Ванда.

— Простые, — принялась поучать ее соседка, — коли он злобиться начинает, ко всему придираться, значитца, скоро запьет. Ты ему не перечь, темя не долби, хуже будет. Нехай со своей водкой в спальне сидит. Переезжай вон в гостиную и спи там молчком. Упаси тебя господь ему в такой момент слово поперек сказать, мигом в окошко швырканет, как Клавку.

Ванда схватилась за сердце.

— Думаешь, он первую жену убил?

Баба Зина пожевала нижнюю губу.

— Мое дело сказать, твое послушать.

— Ой, — заплакала Ванда, — уйду я от него! Страх берет.

Зинаида погладила соседку по голове.

— Не глупи, не восемнадцать лет тебе, останешься без мужика вековать. Эдька нормальный, урок на всю жизнь усвоил, в обычное время тихий. Даже хорошо, что он запойный. Другой каждый божий день квасит, а этот лишь два раза в год, считай, повезло тебе.

— Страшно, — рыдала Ванда, — вдруг и меня...

— Клавка сама виновата, — вздохнула бабка, — вечно нарывалась! Сколько раз я видела: нажрется и давай мужа щипать — и дураком обзовет, и идиотом, и кретином. Тычет в него язык, тычет... Тут святой не выдержит, не то что Эдька. Допихает она его, до ручки доведет, так он вскочит, схватит ее за шею, к окну подтянет, перегнет и шипит:

— Ну, чего притихла? Ща вниз скину! Говори давай, какой я дурак!

Воспитывал он ее так, на самом деле скидывать-то не собирался. Небось просто в тот раз оба пьяные сильно были, Клавка языком размахалась, а у Эдьки руки дрогнули, слишком сильно он жену из окошка выпятил, а потом не удержал. Ты его не дразни, перетерпи запой и живи дальше счастливо.

— Что ж вы в милиции-то правду тогда не сказали? — прошептала Ванда.

Зина объяснила:

— Так дома меня не было, я ничего не видела, так, догадываюсь. Потом, кто мне Клавка? Чужая да пришлая, противная девка была, царствие ей, конечно, небесное. А Эдик свой, вроде племяша он мне. Ясно?

Ванда прорыдала всю ночь, потом, обретя способность трезво мыслить, решила послушаться старуху. Эдик и впрямь большую часть времени был золотым, а в дни запоя ей просто нужно сидеть тихо, тем более что «неприятность» приключалась с супругом как по расписанию: в конце марта и в начале ноября.

Может, вам это покажется странным, но Эдик с Вандой жили душа в душу. Жена сделала все, чтобы привязать к себе мужа: хорошо готовила, чисто убирала, ловко вела хозяйство, ухитряясь откладывать на старость. После запоев никогда не «щучила» свою половину, а заботливо варила отощавшему супругу жирные, мясные супы. Работали они вместе, и Ванда старательно приглядывала, чтобы кто-нибудь не начал соблазнять Эдика бутылкой. Если же их звали в гости, то Ванда молча наливала Малине в рюмку минеральную воду. Эдик с женой не спорил, был ласков, мог купить ей просто так, без повода, шоколадку. И всегда подносил к праздникам подарки, правда, не слишком изысканные, дарил нужные вещи, типа электрочайника или мясорубки. Но Ванда не обижалась, денег у них было мало, нечего их по пустякам растренькивать, и потом, «мне не дорог твой подарок, дорога твоя любовь».

Представляете теперь, как обозлилась Ванда, когда однажды, придя домой с ночной смены, обнаружила Эдика вместе с незнакомым, улыбчивым мужиком. Может, она и не стала бы поднимать скандала, но на столе стояла почти пустая бутылка водки и нехитрая закуска в виде косо нарезанной «Докторской» колбасы. А Эдик, недавно вышедший из очередного запоя, сидел с сильно раскрасневшимся лицом. Поняв, что супруг наливается горячительным вне расписания, Ванда ощутила приступ неуправляемой злобы.

Чеканя шаг, она подошла к столу, схватила бутылку, вышвырнула ее в окно и рявкнула:

— С ума сошли!

— Э... э... прекрати, — растерянно забормотал муж, никогда ранее не видавший жену в подобном состоянии.

— Офигел, — завизжала Ванда и повернулась к гостю: — Ты, ваще, кто?

— На одном поле не срали, не тыкай мне, — раздалось в ответ.

— Убирайся! — затопала ногами Ванда.

— Ты тут хозяйка? — усмехнулся нагло мужик и глянул на Эдика. — Чего своей бабе позволяешь? Ладно, если не ко двору пришелся, уйду. Не знал, что меня здесь так встретят!

— Сиди, — отрезал Эдик, — это она сейчас умотает, если язык не прикусит.

— Пусть за новой бутылкой сходит, — предложил гость.

— Ванда, живо, — прикрикнул Малина, — двигай на рысях! Да купи хорошую, не жмоться!

Сначала Ванда разинула рот, до этого момента супруг никогда так с ней не разговаривал. Но через секунду она сообразила, что Эдик просто решил покрасоваться перед не пойми откуда появившимся мужиком, и разозлилась до полной потери самообладания.

— Фиг тебе, — выкрикнула она, — ишь, придумали ханку жрать среди бела дня...

— Не уважает, — констатировал гость, — ни в грош, Эдька, тебя баба не ставит.

Ванда подлетела к нагло улыбающемуся пакостнику, хотела спихнуть мерзавца со стула, но тут чьи-то железные руки схватили ее за шею и поволокли к окну.

Дальнейшее Ванда помнила с трудом. Кто-то перегнул ее через подоконник, почти свесил из окна и голосом Эдика сказал:

— Запомни, сука, мне перечить нельзя. И еще, раз обидела Мишку — обидела меня, усекла? Ща швырну вниз, и делу конец, сама виновата.

— Отпусти ее, — раздалось из глубины комнаты — еще мараться о дуру!

Внезапно железная хватка ослабла, Ванда отпрянула от подоконника и опрометью бросилась в комнату к бабе Зине, где и проревела до ночи. Она не видела, как ушел гость. Эдик же почему-то не вошел в запой. Утром, протрезвев, он хмуро сказал жене:

— Прости.

— Ты меня чуть из окна не выбросил, — заплакала Ванда.

— Не я это был, — начал мрачно оправдываться муж, — дурею от водки, лучше в такой момент ко мне не подходить. Знаешь ведь сама, чего на рожон попёрла?

— Ага, — упёрла кулаки в боки Ванда, — твой ханурик меня оскорблял. Кто он вообще такой?

Эдик насупился.

— Это мой приятель детства, мы с ним долго не разлей вода были, Мишка Попов. Встретились случайно, вот и выпили. Все. Забыли. Больше это не повторится.

Ванда кивнула:

— Ладно.

Глава 11

Через некоторое время на работе ей вдруг предложили невиданную по нынешним годам вещь: бесплатную путевку в санаторий, на двоих. Ванду премировали таким образом за многолетнюю работу на одном месте. Страшно обрадованная, она спросила мужа:

— Где твой паспорт?

— Зачем он тебе нужен? — насторожился Эдик.

— Так путевку оформить, — радовалась жена,

роясь в комоде, — куда подевался, всегда тут лежал! Эдя, чего стоишь! Ищи документ.

— Потерял я его, — сообщил тот.

— Когда? — подскочила жена.

— Ну... недавно.

— Где?

— Не знаю.

— Зачем с собой паспорт брал? — не успокаивалась Ванда. — Какого ляда в город его таскал?

— Надо было.

— Да зачем?

— Да отвали, зануда, — заорал Эдик, — не помню! Все! Эка беда! Новый уже делают, скоро дадут!

И тут Ванду осенило.

— Врешь, — прошипела она, — ты его этому Мише дал!

Уж с какой стати ей взбрела в голову сия мысль, она не знала, но Эдуард неожиданно сел в кресло и тихо сказал:

— Верно.

— Офигеть! — всплеснула руками Ванда. — У него своего нет? Зачем твой-то понадобился?

Эдик вздохнул:

— Телик он в кредит взять хотел.

— На твой документ?

— Ага.

— Ну ваще, — пришла в негодование жена.

— Ну не сердись, — устало сказал Эдуард, — Мишка меня в свое время из очень большой беды выручил, можно сказать, от смерти спас. Долг платежом красен. Эка ерунда, паспорт.

— Что ж он на себя кредит оформить не захотел? — насторожилась Ванда.

— Так без работы сидит, ему не дадут, — простодушно сообщил супруг.

От подобного заявления Ванде стало просто плохо.

— Ты идиот, — разволновалась она, — сейчас твой приятель телик захапает, а нам расплачиваться!

— Мишка не такой, обманывать не станет.

— Еще арестуют его, — лила масло в огонь Ванда, — увидят, что не его документ, и сцапают, а потом навесят на тебя срок за мошенничество.

— Не, — помотал головой Эдик, — не поймут.

— А фотография?

— Она страшная, да и похожи мы немного.

— Дурак ты, — вырвалось у Ванды.

— Сама такая, — по-детски ответил Эдуард, и начался скандал.

Ближе к вечеру Эдик хлопнул дверью и ушел. Его не было дома всю ночь, днем заявился прямо на работу, ткнул жене под нос паспорт и рявкнул:

— И чего визжать было? Вот новый получил с утра!

— Подождем теперь квитанций всяких, — не сдала позиций Ванда, — начнешь потом бегать да оправдываться!

— Заявление в ментовке есть о потере, не с меня спросят, — хмыкнул Эдик и ушел на рабочее место.

В санаторий они так и не попали, выяснилось, что профком оплачивает только проживание, а еда и билеты за свой счет. Вот супруги Малина и решили, что незачем за семь верст ехать киселя хлебать да зря денежки тратить.

Несколько месяцев Ванда провела в тревожном ожидании, но никто ее не беспокоил, не звонил и не требовал выплатить деньги за телик.

Спустя некоторое время Ванда успокоилась. Приятель Эдика, несмотря на хамское поведение, оказался честным человеком и, наверное, исправно вносил платежи.

А потом вдруг явилась я. Ванда сразу поняла, кто был тем человеком, назвавшимся Малиной. Сообразил, о ком идет речь, и Эдик. Когда за мной закрылась дверь, Эдик вдруг сказал жене:

— Ты, того, лучше молчи.

— Говорила же, что этот хмырь нас до добра не доведет, — стала закипать Ванда, — во что он тебя втравил?

— Ну... не знаю, — забубнил Эдик, — ерунда какая-то, забудь!

Вечером муж ушел, вернулся под утро пьяный, упал в кровать, продрых сутки и впал в незапланированный запой.

И тут Ванда пришла в полнейшее негодование. Она столько лет хорошо жила с Эдиком, не было у пары никаких проблем, притерлись друг к другу, привыкли, притерпелись. Вдруг, нате вам, появляется некий друг детства и разом нарушает сложившийся порядок. Этот Миша явно сбивает Эдика с истинного пути, втягивает его во всякие махинации, поит водкой...

— Вот что, — сердито говорила сейчас Ванда, — мой-то пьяным лежит. Я в его записной книжке телефон нашла, запиши-ка номерок этого Попова. Он паспорт брал, набедокурил, а моего отвечать подставил. Ступай к пакостнику да потряси его. Только сделай милость, про меня ни гугу, а то Эдька обозлится. Если этого Мишку за решетку сунут и он перестанет Эдика спаивать да в глупости вовлекать, я тебе четыреста баксов верну. Только муж ничего знать не должен. Хорошо?

Я сказала:

— Будь спокойна, отлично тебя понимаю, сама выросла среди алкоголиков, знаю, каково приходится семье, если хозяин выпивоха. Давай телефон, я с Михаилом разберусь.

— Пиши, — обрадованно воскликнула Ванда, — я не стала бы мужу перечить, только очень уж хочется от этого Попова навсегда избавиться. Пусть его посадят, мне спокойней будет.

Вторая рабочая смена на телевидении прошла на редкость спокойно, и в десять утра я вышла из здания на улицу Королева совершенно бодрой. В голове складывался план действий на сегодня: так, сейчас соединюсь с Михаилом Поповым и...

В кармане закурлыкал мобильный, я поднесла его к уху и моментально покрылась липким потом.

— Виола Ленинидовна? — прозвучал в голове спокойный, как всегда, голос редактора Олеси Константиновны. — Я прочитала вашу рукопись.

Я прислонилась к забору и попыталась унять дрожь в ногах. Если вы думаете, что писатель приносит свое творение в издательство, кладет папку на стол и преспокойно убегает, чтобы сесть за создание очередного шедевра, то сильно ошибаетесь. Лично я, отнеся очередной труд Олесе Константиновне, теряю сон и покой до того момента, пока она ровным голосом не сообщает:

— Роман мною прочитан.

Вот тогда меня отпускает, и я подавляю в себе желание напиться до поросячьего визга. Увы, фразу «К вам вопросов нет», Олеся Константиновна сказала мне лишь один раз, как правило, она говорит совсем иное, вот как сейчас:

— Очень прошу приехать в издательство, есть недоработки.

Смахивая пот со лба, я кинулась к «Жигулям» и понеслась в «Марко» на очередную головомойку.

Олеся Константиновна выложила на стол папку и воскликнула:

— Ну, Виола Ленинидовна, можно сказать, вы превзошли себя!

Редактор никогда не хвалит меня, я ни разу не слышала из ее уст что-то типа «Это изумительно» или «Великолепный сюжет», поэтому сейчас обрадовалась почти до потери пульса.

— Вам так понравилось?

Олеся Константиновна наклонила голову набок.

— Честно говоря, я смеялась от души!

— А! Наверное, в тот момент, когда главная героиня падает в лужу?

— Вовсе ничего веселого в той сцене я не нашла, — вздохнула Олеся Константиновна, — если человек шлепнулся в грязную воду, это грустно!

Я насторожилась.

— Тогда что вам показалось смешным?

Редактор взяла один листок.

— Действие у вас начинается в августе. Вот, в первом абзаце: «Стояла жара». Верно?

— Да.

— На сороковой странице главная героиня ходит в сарафане!

— Точно.

— Хорошо, — прищурилась Олеся Константиновна, — но на пятидесятой она уже в шубе и под ногами у нее бодро скрипит снег.

— Не может быть!

— Смотрите.

Я уставилась на текст. Действительно. И как только такое получилось?

— Идем дальше, — бесстрастно вещала Олеся Константиновна, — глава восьмая. «Дождь лил как из ведра, сентябрь в этом году не задался». Вы уж определитесь со временем, что у вас на дворе! Лето, зима или осень!

— Ага! Хорошо.

— Теперь. Как зовут главного героя, помните?

— Конечно! Георгий.

— Но почему он во второй половине книги откликается на Юру?

— Э... не знаю.

— Я тоже, — вздохнула Олеся Константиновна, — следуем далее. Один из ваших персонажей, тучный, стокилограммовый профессор, протискивается между прутьями забора.

— Ой, это я исправлю.

— Замечательно. Ситуацию с женщиной по имени Вера помните?

— Да, да, все думают, что она, упав из самолета, расшиблась насмерть, но...

— Она, оказывается, жива, — закончила Олеся Константиновна, — но такого не бывает. Вера вывалилась вниз без парашюта!

— Ну... может, у нее с собой имелся зонтик? Раскрыла и спланировала.

Олеся Константиновна закашлялась. Поняв, что и эта версия событий не устраивает придирчивого редактора, я быстро затараторила:

— Пусть на ней окажется широкая юбка, которая надулась от воздуха...

Олеся Константиновна подняла одну бровь. Я похолодела, настал момент, которого я боюсь до потери пульса! Не знаю, как другим авторам, я, к сожалению, совершенно не знакома ни с кем из коллег по перу, но мне часто видится во сне кошмар.

Вот писательница Виолова вползает в кабинет к редактору. Олеся Константиновна спокойно смотрит на меня, потом берет папку с рукописью, швыряет ее в окно и невозмутимым голосом заявляет:

— Виола Ленинидовна, вы мне смертельно надоели. Книги пишете глупые, работу вовремя не сдаете. «Марко» более не нуждается в писательнице Арине Виоловой. Уходите вон и никогда не появляйтесь на пороге издательства!

Поняв, что сейчас настал тот самый роковой момент, я вцепилась пальцами в край стола и пискнула:

— Ну с юбкой я пошутила, хи-хи.

— Да уж, — вздохнула Олеся Константиновна и перевернула страницу, — тут много замечательных моментов. У одного из героев имеется собака, пудель.

— Верно.

— До середины книги вы не называете ее клички.

— Ну... да. А что?

— Ничего, — бесстрастно ответила редактор, — только в десятой главе герой наконец-то подзывает свою любимицу, кричит ей: «Мурка». Считаете, «Мурка» — подходящее имечко для пуделя?

— В общем, нет, — ловко стала выкручиваться я, — понимаете, это шутка! Собака Мурка! Ха-ха! Весело? Да?

Олеся Константиновна побарабанила пальцами по столу.

— Может быть. Но в двенадцатой главе у собаки Мурки родились котята! Значит, либо она не пудель, либо у нее должны быть щенки!

Я икнула и не нашлась, что возразить.

— Еще меня немного смутила манера героини есть шпингалеты.

— Что?

— Шпингалеты, — повторила Олеся Константиновна, — такие запоры для окон или дверей, вот тут у вас написано: «Я заказала себе шпингалет с яйцом, с детства обожаю его». Может, конечно, в сочетании с яйцами железка и проскочит в желудок, только подобное блюдо очень вредно для здоровья, после его приема следует срочно бежать в больницу.

Я схватила листок.

— Тут опечатка. Не заметила ее, я имела в виду шпинат.

— Ага, — протянула Олеся Константиновна, — понятно.

— И что же делать? — дрожащим голосом спросила я.

— Ничего, — пожала плечами редактор, — я все исправила. В книге теперь везде август, Георгий больше не Юра, героиня выпадает не из самолета, а из автомобиля, так, по крайней мере, она имеет хоть какой-то шанс остаться в живых, собаку переделала в кошку, шпингалет в шпинат...

— Ужасно, — прошептала я.

— Нормально, не берите в голову.

— Боже, какая я дура!

— Вовсе нет.

— Отвратительная писака!

Олеся Константиновна аккуратно убрала рукопись в шкаф.

— Виола Ленинидовна, — абсолютно спокойно заявила она, — вы не слишком аккуратны, задерживаете рукописи, иногда пишете... э... довольно неправдоподобные вещи и не умеете правильно расставлять знаки препинания, но в целом являетесь перспективным автором с рядом достоинств. Например, ведете трезвый образ жизни. Если поработаете над собой, то, безусловно...

Дверь кабинета распахнулась, и на пороге возникла финура крупной, красивой женщины, очень коротко стриженной, одетой во все черное.

— Можно? — спросила она. — Ой, простите, вы заняты.

— Входите, — бесстрастно ответила Олеся Константиновна, — мы уже закончили. Кстати, вы знакомы? Татьяна Путинова. А это Арина Виолова.

Я вскочила.

— Здравствуйте.

— Рада встрече, — ласково улыбнулась Татьяна.

— До свиданья, Виола Ленинидовна, — кивнула редактор.

— Так рукопись остается у вас? — воскликнула я.

— Естественно, — ответила Олеся Константиновна, — пишите следующую.

Еле живая от переживаний, я выпала в холл, свалилась на один из кожаных диванов и попыталась прийти в себя. Слава богу, эта книга сдана, похоже, изгнание госпожи Виоловой из «Марко» временно откладывается.

Тяжело дыша, я сидела, разглядывая стены с портретами ведущих авторов. Моего фото нет, оно и понятно, госпожа Виолова принадлежит, так сказать, ко второму эшелону писателей, впрочем, если и дальше я стану допускать идиотские ошибки, то скачусь совсем вниз. Ну почему я не замечаю очевидных вещей? Каким образом в моей рукописи оказалась собака Мурка, благополучно разрешившаяся от бремени котятами? Ну разве можно быть такой дурой? Вот Татьяна Путинова небось никогда не допускает глупостей, поэтому ее фотография и украшает издательство, а мне остается лишь повеситься!

Горькие слезы стали подбираться к глазам, колючий комок заворочался в горле, но зарыдать я не успела, потому что в холл выползла красная, потная Путинова и шлепнулась в кресло, стоящее около дивана.

Трясущимися пальцами ведущий автор «Марко» вытащила из необъятной сумки пакетик с леденцами, запихнула в рот несколько конфеток, потом протянула мне упаковку:

— Хотите?

— Спасибо! — воскликнула я и взяла оранжевый леденец.

— Не надо бы мне сладкое есть, — пробормотала Татьяна, — и так не Дюймовочка, но иначе не успокоюсь.

— Вам-то с какой стати нервничать? — криво улыбнулась я. — Рукопись отдали и ушли.

Путинова горестно вздохнула:

— Боюсь Олесю до одури.

— Вы?!

— Ага.

— Но почему?

Татьяна быстро высыпала в рот оставшиеся леденцы.

— Прикиньте, я принесла работу, Олеся ее прочитала и сегодня мне список ошибок представила.

Я подскочила на месте.

— И вы допускаете недочеты?

— И такие глупые, — пригорюнилась Путинова, — в этой рукописи у меня есть героиня Маша.

— Ну и что?

— А у нее муж по имени Лена!

Я закашлялась.

— Ну, нетрадиционной семьей сейчас никого не удивить!

— Оно бы так, — вздохнула Путинова, обмахиваясь пустым пакетиком из-под леденцов, — только у сладкой парочки детки есть: Аня и Ваня. Это уж, согласись, ни в какие ворота не лезет!

— Может, они приемные? — предположила я.

— Не, там речь о наследстве идет, родные кровиночки, — гудела Татьяна, — Аня и Ваня, а родили их Маша с Леной. Ваще чума! Как я не заметила? Впрочем, он не Лена, а Лёня, но я нигде имя не исправила, попросту опечатки не заметила. Ну не дура ли!

— На фоне моей героини, выпавшей из самолета, пролетавшего на высоте десяти тысяч метров, это ерунда, — заверила я. — Представьте, она у меня жива осталась, а потом двадцать километров за убийцей по болоту чесала.

— Поймала? — заинтересовалась Путинова.

— Ага, — кивнула я, — связала, а потом еще пять часов на себе до милиции несла!

— Молодца! — одобрила Татьяна. — Есть женщины в русских селеньях! Впрочем, это объяснить можно! Ну, допустим, она шлепнулась прямо на склад фабрики, которая производит пуховые подушки, поэтому и не ушиблась. Бегом же неслась по причине перенесенного стресса. Если покумекать, все путем сложится. Но здоровая семья из Маши и Лены, родившая парочку близнецов! Ты из какой бутылки пьешь?

— Извини, не поняла, — я перешла тоже на «ты» с известной литераторшей.

Татьяна встала, подошла к шкафу, распахнула дверь и ткнула пальцем в полку.

— Во.

Я проследила за ее рукой и увидела три емкости, каждая примерно по литру.

— Слева валерьянка, справа валокордин, посередине пустырник, — объяснила Путинова, выуживая из недр шкафа бумажные стаканчики, — угощайся. Неужели не знала, что они тут хранятся? Для нас поставлено, для придурковатых авторов.

— Нет, — помотала я головой, — понятия не имела.

Путинова быстро выпила валерьянку.

— Фу! Ну и гадость.

— Значит, у всех в рукописях случаются ошибки, — протянула я.

— Нет, — вздохнула Татьяна, — это мы с тобой такие идиотки! Вот Смолякова, та, похоже, биоробот!

Не успела Путинова закончить фразу, как из расположенного напротив кабинета самого преглавного редактора, куда госпожу Виолову еще ни разу не приглашали, вылетела растрепанная, худенькая блондиночка на головокружительных каблуках.

— Ангольских кроликов не бывает, — понеслось из полуоткрытой двери комнаты начальства, — грызуны называются ангорскими! Матерь божья, с ума сойти можно! Смолякова! Ты куда?

— Сейчас, — крикнула блондинка, кидаясь к шкафу и вцепляясь в бутылку с пустырником, — иду! Добрый день, дамы!

— Здрассти, — хором, словно детсадовцы, ответили мы с Путиновой.

Самая рейтинговая детективщица России залпом осушила стакан и, распространяя удушливый запах французского парфюма, ринулась назад. Дверь кабинета главного-преглавного редактора захлопнулась, воцарилась тишина.

— Во, — воскликнула Татьяна, — а еще говорят, что зависть грех! Пишет по книге в месяц, и такая хорошенькая, худенькая, лично меня при виде ее обуревают разные чувства! И не всегда светлые!

Я кинулась к Путиновой и попыталась обнять ее большое тело.

— Наплюй на фигуру! Подумаешь, эка важность, ты покрасивей будешь. Слышала вопль? Смолякова напутала в рукописи, назвала ангорских кроликов ангольскими!

Пару секунд мы стояли молча, потом начали давиться смехом.

— Тихо, — прошептала Путинова, показывая глазами на дверь всемогущего главного редактора, — нехорошо получается, похоже, мы радуемся чужим ошибкам. Это просто неприлично!

— Верно, верно, — закивала я, — отвратительное поведение, ужасное, следует взять себя в руки! Давай еще по стаканчику валерьянки, за успех новых книг!

Мы чокнулись пластиковыми емкостями, разом опустошили их и уставились друг на друга.

— Все-таки человек подлое существо, — воскликнула Татьяна, — ну с какой стати я так обрадовалась чужим неприятностям?

Я хихикнула.

— Я испытываю те же чувства, право, некрасиво быть такой гадкой, но зато как успокаивает!

Глава 12

Попов снял трубку сразу.

— Алло, — рявкнул он, — слушаю!

Огромная, всеобъемлющая радость затопила душу. Вот, нашла мерзавца! Ну погоди, сейчас тебе мало не покажется!

— Здравствуй, милый, — прочирикала я.

— Вам кого?

— Тебя.

— Ошиблись номером, — буркнул мужик и бросил трубку.

Я разозлилась еще больше и снова набрала номер.

— Алло!

— Некрасиво отсоединяться, не поинтересовавшись, кто звонит, миленький!

— Девушка, — каменным тоном отрезал Попов, — мой аппарат оснащен определителем номера.

— Чудесно, мой тоже.

— Прекратите хулиганить.

— Вы Попов?

— Да. Слушаю. Что надо?

— Ой, как грубо!

— Говори же наконец! Кто такая? Как зовут? Откуда взяла номер?

— Фи! Неприлично общаться с дамой в подобном тоне. Я — писательница Арина Виолова, может, встречали на лотках мои детективы?

Из трубки послышалось покашливание.

— Чем могу вам помочь? — уже другим голосом осведомился мужчина.

— Меня надоумил обратиться к вам Эдуард Малина.

— Кто?

— Неужели не знакомы с человеком, носящим это имя?

— Нет.

— Полноте! Ваши родители жили когда-то в одной квартире, и, похоже, вы общались.

— Эдик! — воскликнул Попов. — Когда-то я знал его, просто сразу не сообразил, о ком речь. Так что случилось? Мы много лет не встречались.

Меня всегда бесит умение собеседника врать

самым наичестнейшим голосом, поэтому я резко
воскликнула:

— Я все знаю.

— Что? — недоуменно спросил Попов.

— Тебе привет от Киры!

— От кого?

— Киры Нифонтовой.

— Это кто?

— Хватит придуриваться, — вскипела я. —
Верни ей немедленно ожерелье!

Из трубки донеслось сопение, потом Попов тихо
сказал:

— Я знаком с творчеством писательницы Арины
Виоловой, люблю детективные романы, написан-
ные женщинами, они мало похожи на правду и оттого очень привлекательны. Если вы и правда она...

— С какой стати мне врать?

— ...то попытайтесь спокойно объяснить мне, в
чем дело, — предложил Попов, — лучше всего нам
встретиться. Ресторан «Аро» знаете? Пишите адрес.
Во сколько вам удобно?

— Через час, — рявкнула я, — справку из издательства привезти? Подтвердить свою личность.

— Не надо, — засмеялся Попов, — я узнаю вас,
на каждой книге ведь есть фотография.

До «Аро» я добралась без проблем и слегка удивилась. Похоже, у гадкого мошенника нет проблем
со средствами, ресторан выглядит фешенебельно,
повсюду мрамор, позолота и официанты во фраках.

— Пообедать хотите? — настороженно поинтересовался мэтр, быстро окидывая взглядом незнакомую посетительницу. — Если торопитесь, то советую
перейти через дорогу, там, в «Чуланчике», велико-

лепный и недорогой бизнес-ланч, а у нас авторская кухня, блюда готовят по часу.

Я улыбнулась. Понятно, не прошла фейс-контроль.

— Спасибо за совет, не премину им в ближайшее время воспользоваться, но сегодня меня тут ждет господин Попов.

Мэтр начал кланяться.

— Здравствуйте, здравствуйте, проходите, вот сюда, осторожненько, ступенечка, дверка, аккуратненько.

Продолжая фонтанировать заботой, метрдотель довел меня до небольшого зала и возвестил:

— К вам гостья!

Стройный темноволосый мужчина, сидевший в самой глубине зала, встал, отложил салфетку и, улыбаясь, сказал:

— Если вы пишете в книгах о себе, то не любите мясо.

— Верно, — кивнула я, — вы меня узнали?

— Конечно, сразу. На свой страх и риск я заказал для вас рыбу. Не ошибся?

— Нет, — невольно улыбнулась я ему в ответ.

Ведь уверена, что парень мошенник, но устоять перед его обаянием не сумела.

— Так в чем проблема? — серьезно спросил Попов, когда мы остались одни.

Я заколебалась. Как начать разговор? Мужчина ведет себя словно богатый, удачливый бизнесмен, позвал меня в «Аро», небось еда тут стоит бешеных денег. Да и костюм на нем не из дешевых, на запястье сверкают совсем не копеечные часы, на пальце дорогой перстень, а запонки на манжетах переливаются бриллиантами. На столе, возле тарелки, лежит супермодный мобильный аппарат, который стоит как мои «Жигули». Впрочем, понятно! Эта сволочь грабит бедных, наивных, влюбленных в него женщин...

— Верни ожерелье!!! — вырвалось у меня.

Попов уронил вилку. Моментально из темноты материализовался лакей и поменял прибор.

— Какое? — вытаращил глаза Попов. — Я ничего у вас не брал! Исчезни!

Последнее восклицание относилось к официанту. У меня потемнело в глазах от злости.

— Правильно! Ты стащил ожерелье, бриллианты с эксклюзивным изумрудом, у Киры Нифонтовой!

— Я?

— Работал ты под именем Эдуарда Малины.

— Ну не бред ли!

— Опять врешь, что не знаком с Эдиком? Лучше не надо!

— Наши с Эдуардом родители и впрямь когда-то жили в одной квартире, — спокойно пояснил Попов, — а еще мы ходили в одну школу, но я с Малиной бог знает сколько лет не встречался.

— Врешь! — в запале выкрикнула я. — Знаю все. Паспорт...

Попов слушал меня молча, когда фонтан информации иссяк, мошенник взял со стула барсетку, вынул оттуда паспорт и протянул его мне.

— Смотри!

Я машинально глянула на фото, отметила, что мерзавец отлично получился на снимке, и прочитала:

— Петр Владимирович Попов. Постойте, вы не Миша?

— Нет. Я его брат.

— Но с какой стати он дал Малине ваш телефон? — забормотала я. — У Эдика в записной книжке записан ваш номер.

Петр пожал плечами.

— Михаил мерзавец! У нас с ним непростые отношения. Если интересно, могу рассказать, это целый сюжет для вашей новой книги, поучительная история.

— Вы знаете, где Михаил? — нервно воскликнула я.

— Давайте по порядку, — вздохнул Петр.

Братьев Мишу и Петю разделяет всего одиннадцать месяцев. Обычно дети не чувствуют этой разницы и играют вместе, но у Поповых дружбы не вышло. Миша рос тихим, болезненным, а Петя бойким, здоровым и шумным. Первый мальчик все детство просидел дома, зачитываясь книжками, второй хулиганил и безобразничал. Мишу всегда ставили Пете в пример.

— Ну почему Мишеньке никогда в голову никакая дрянь не лезет, — кричал отец, выдергивая ремень из брюк, — отчего он нормальный, а ты псих бешеный?

Петя не мог ответить на постоянный вопрос родителей. Ему было скучно в школе и тоскливо от жизни, которую вела их семья. Он не радовался жутким ботинкам, купленным мамой, ему хотелось других башмаков, красивых... Лет в четырнадцать у него появились девочки, и Петя открыл для себя мир кафе, куда без наличных средств невозможно попасть. Просить у предков рубли на кино и мороженое было делом бесполезным, и Петечка взялся за фарцовку.

Миша же тихоней сидел дома, учился он, правда, плохо, зато хлопот родителям не доставлял. Между собой братья практически не общались, им не о чем было говорить, они жили в разных мирах. А потом и вовсе разорвали отношения.

Однажды Петя, не успев продать пару блоков сигарет, тайком принес американское курево домой, спрятал в укромное место и ушел в ванную. Когда вернулся, то увидел разъяренного отца, ломающего пачки сигарет, с криком:

— Чтобы этой пакости в моем доме не было! Я член партии, уважаемый человек, великолепный специалист, а не спекулянт.

Рядом на стуле, как всегда, глазки в пол, сидел Миша. Он не произнес ни слова, но Петя сразу понял, кто растрепал про тайник.

Потом Петя, окончательно разлаявшись с родителями, ушел из дома. Ни с матерью, ни с отцом, ни с братом он не встречался довольно долго. Дела его шли хуже некуда, официальным местом службы Петра Попова считалась дворницкая. Жил он в съемной комнате, в жутком бараке, занимался фарцовкой и был вопреки всему счастлив.

Потом зимой его скрутил бронхит, перешедший в воспаление легких, выйти на работу Петя не смог, чемодан со шмотками остался непроданным, денег не было, и старуха, хозяйка комнаты, попросту вышвырнула квартиранта вон.

Первую ночь Петя, судорожно кашляя, провел на вокзале. Потом, заметив, что на него косо поглядывает милиционер, предпочел за благо уйти. День он катался в метро, по кольцу, изредка впадая то ли в сон, то ли в бессознательное состояние, но ночью подземка закрылась, и Петя вновь очутился на улице.

Стояла, как назло, не по-московски студеная зима. В огромном враждебном городе было лишь одно место, где Петю могли накормить, напоить чаем и уложить спать. Спотыкаясь о сугробы, парень пешком побрел к родителям, тяжелый чемодан с дефицитными шмотками он потерял по дороге.

В тот день Пете было не до фарцовки, очень хотелось живым добраться до отчего дома.

Дверь открыл Миша, увидел брата и хмуро спросил:

— Чего надо?

— Вот, — прохрипел Петя, — пришел.

— И что дальше?

— Пусти переночевать.

— С какой стати?

— Это мой дом, — прошептал Петя.

— Нет, — отрезал Миша, — ты отсюда ушел.

— Мне плохо.

— Мне тоже, — парировал брат, — и маме, и папе.

— Я заболел, — кашлял Петя, — у меня воспаление легких.

— Ничем не могу помочь.

— Мне идти некуда, — молил Петя.

— Жил же ты где-то до сих пор! — не дрогнул
Миша.

— Хозяйка меня выгнала!

— И почему?

— Деньги кончились, — честно ответил больной, —
позови маму!

— Вспомнил, — злорадно усмехнулся Миша, —
припекло, и пришлепал. А то, что нас опозорил, это
как? Меня чуть из комсомола не исключили.

— Где мама?

— В командировке.

— А отец?

— Тоже.

— Ты один?

— Да.

— Ну пусти, Христа ради. Ей-богу, мне очень
худо, и денег нет ни копейки, — чуть было не заплакал Петька.

Миша прищурился, потом запустил ладонь в карман, вытащил мятый рубль, сунул брату в руку и со словами:

— Больше ничем помочь не могу, — захлопнул дверь.

Петька посмотрел на желтую бумажку, хотел было вышвырнуть ее, но потом передумал и медленно пополз по лестнице вниз. Ноги не слушались, руки тряслись. Не помня как, он оказался на улице, прошел немного вперед, упал и заснул.

Очнулся Петя в чужой однокомнатной квартире и стал изумленно оглядываться. Не успел он сообразить, что происходит, как в комнату вошла девушка, полная, совсем не красавица, скорей наоборот, смуглянка со сросшимися слишком густыми бровями, и воскликнула:

— Ой, ты пришел в себя!

Спустя пять минут Петя знал все. На него, замерзающего в сугробе, наткнулась Алена Кречет, студентка пятого курса медицинского института, москвичка, счастливая обладательница собственной жилплощади. В прежние времена люди были более сострадательными, чем сейчас, о том, что в большом городе есть преступники, не задумывались. Вот Алена и кликнула соседа, тот помог донести исхудавшего Петю до кровати. Собственно говоря, это все.

Пете никогда не нравились толстые брюнетки, его тип женщин — блондинка с высокой грудью и аппетитной попкой. Алена совсем не походила на его идеал. Мало того, что у нее были кудри цвета вороньего крыла, а кожа напоминала спелый апельсин, так еще у девушки начисто отсутствовал бюст. Впрочем, природа компенсировала этот недостаток полными руками и слишком широкими бедрами.

Но у студентки-медички оказался веселый характер, она не была занудой, и Петька почувствовал себя хорошо. К тому же Алена оказалась очень хозяйственной. Петя понял, что нашел настоящее сокровище, пусть и не красавицу. Но ведь и алмаз похож на серенький, невзрачный камушек, сверкающим бриллиантом он становится только после соответствующей обработки.

Петька женился на Алене, она не побоялась связать свою судьбу с бездомным дворником, промышляющим фарцовкой. Жених не стал ничего рассказывать ей о своей семье, сухо бросил:

— Все умерли, сирота я.

Вскоре началась перестройка, массовое бедствие для миллионов советских людей, привыкших стабильно получать зарплату, а потом тихо стоять в очереди за колбасой, основным компонентом которой была туалетная бумага. Плохо стало всем, исключая узкую прослойку граждан, давно живущих по иным стандартам, настало время тех, кого в Советской стране называли фарцовщиками, цеховиками, валютчиками — в общем, подлыми спекулянтами, за которыми охотился всевидящий ОБХСС[1].

Именно они, давно функционирующие в системе капиталистических отношений, умеющие правильно продавать или производить товар и не растратить полученные средства на пустяки, а вложить их опять в дело, стали открывать лавки, реанимировать производство и создавать валютный рынок. Петя превратился в хозяина сети магазинов, торгующих одеждой.

---

[1] Отдел борьбы с хищениями социалистической собственности, сокращенно ОБХСС. Аббревиатура, известная каждому жителю СССР.

Путь к благополучию был тернист. Сначала Петр мотался челноком в Турцию, а Алена стояла с раскладным столиком у метро, предлагая москвичкам недорогие, но очень симпатичные блузочки. Еще не избалованные тогда товарным изобилием женщины расхватывали разноцветные тряпки, словно горячие булки, и Петя сумел через полгода арендовать небольшой подвальчик, затем второй, третий.

С тех пор прошел не один год. Россия сильно изменилась, неожиданно выросло поколение людей, не считавших зарабатывание денег чем-то постыдным. Те, кому в приснопамятном 1985 году было по шестнадцать-семнадцать лет, стали успешно вести свой бизнес и, не стесняясь, демонстрировать приметы богатства: дорогие машины, престижные квартиры, загородные дома. А журналисты брали интервью у «новых русских», и не всегда материалы оказывались разгромными. Вот и о Пете написала популярная газета. Статья, в общем-то, была обычная, девочка, вдохновенно навалявшая ее, не сумела скрыть легкой зависти и слишком подробно живописала особняк Попова с коллекцией книг и картин, рассказала о пяти собаках, которые носятся по гигантскому участку, восхищалась очень красивыми машинами, стоящими в гараже. Она только забыла указать, что Петя заработал свое состояние сам, тяжелым трудом.

Увы, наши газеты, то ли из зависти, то ли из глупости, не устают повторять: «новые русские» жадные сволочи, идиоты, тупицы в малиновых пиджаках и золотых цепях, отнимающие у сирот горбушку хлеба. Спору нет, подобные личности встречаются, но основная масса успешных бизнесменов состоит совсем из других людей, и благодаря им мы имеем сейчас любые продукты, мебель, книги... Ну да не об этом речь.

Примерно через неделю после того, как газета со статьей о Попове попала в киоски, Петр приехал на службу. Выбрался из машины, прошел пару метров по тротуару и увидел, как к нему серой тенью бросается мужик. В жизни Пети случалось всякое, пару раз, когда в России шел активный дележ рынка, его пытались подстрелить, поэтому сейчас у Попова имеется охрана. Нападавший был схвачен и доставлен в комнату, которую занимает соответствующая служба фирмы, а Петя занялся обычными рутинными делами. Чтение документов прервал звонок начальника службы безопасности.

— Простите, Петр Владимирович, — сказал он, — но мужчина, пытавшийся совершить на вас нападение, называется вашим родным братом и утверждает, что ничего плохого и в мыслях не держал, просто хотел поздороваться.

— Веди его сюда! — воскликнул Петя.

Попов был уверен, что сейчас увидит абсолютно незнакомого человека. Но спустя пару секунд в кабинет вошел не кто иной, как Миша, которого Петя, несмотря на долгую разлуку, узнал сразу.

— Здравствуй, Петяша, — прошептал тот, — помнишь меня еще?

Петр окинул взглядом родственника и сразу сообразил, что дела у того идут плохо. На Михаиле болтался бесформенный, вытянутый свитер, ботинки потеряли всякую форму. В руках родственник сжимал допотопный темно-коричневый бочкообразный портфель.

— Давно увидеться хотел, — завздыхал брат, — а тут газета на глаза попалась, ну я и нашел твой офис по справке. Богато выглядит! На коне ты, а я...

Наверное, следовало напомнить Михаилу тот холодный декабрьский день, мятый рубль и равнодушно-обидные слова: «Ничем больше помочь не могу», сказанные вполне благополучным по тем временам юношей брату-фарцовщику, изгою общества.

Очень многие люди, оживив в памяти эту ситуацию, протянули бы Михаилу сто долларов и, сказав: «Возвращаю долг, ты удачно вложил рубль, он конвертировался в эту купюру», велели бы охранникам вытолкнуть Михаила взашей. Но что-то помешало Петру поступить подобным образом. А тут еще, как на грех, появилась секретарша с подносом, на котором позвякивали чашки и высились вазочки со сладким. Весть о том, что служба безопасности облажалась, скрутив родного брата самого хозяина, пошла гулять по зданию, и девушка, решив угодить Петру Владимировичу, мигом сервировала поднос.

— Мама с папой умерли, — прошептал Миша, — я теперь сирота. Работу потерял, почти голодаю, памятник родителям поставить не сумел.

Петя вздохнул и сказал:

— Садись, поговорим.

После продолжительной беседы бизнесмен принял решение помочь Михаилу. Родная кровь не вода, да и брат так вздыхал, рассказывая о перенесенных лишениях, что у Петра заболело сердце. В конце концов, в любой ссоре виноваты обе стороны. Да, Михаил проявил в свое время редкостную черствость, но ведь и Петр оказался не прав, обиделся и вычеркнул ближайших родственников из жизни, не звонил им, не поздравлял с праздниками...

Петя поставил на могиле родителей шикарный обелиск, дал брату денег на ремонт квартиры и на одежду, а потом предложил ему работу. Попов посадил Мишу в отдел, который занимается жалобами покупателей. Узнав об уготовленной ему должности, Миша с трудом скрыл разочарование и с обидой воскликнул:

— Я ведь уже не мальчик! Думал директором одной из твоих торговых точек стать.

Петя терпеливо разъяснил брату:

— Ты не имеешь никакого опыта, поработай некоторое время, пообвыкнись, а там, если все хорошо пойдет, сделаю тебя управляющим.

Миша хмыкнул, поджал губы, но занял предложенное место.

Примерно через полгода после воссоединения братьев к Пете пришел Сергей Федорович, начальник службы безопасности, и сообщил:

— В нашей точке на проспекте, ну той, что у метро, дивные дела творятся.

— А что такое? — насторожился Петя.

Глава службы безопасности положил на стол два платья.

— Что скажете о них?

Петя взглянул на одежду.

— Справа оригинальная вещь от Кензо, стоимостью в шестьдесят две тысячи рублей, слева подделка под нее, довольно хорошая, думаю, сшитая вьетнамцами, красная цена этой шмотки три сотни деревянных.

— Вот-вот, — кивнул Сергей Федорович, — практически каждая фирменная вещь тиражируется «пиратами», бороться с этим процессом невозможно. Стоит зайти на любой рынок и поглядеть по сторонам, повсюду тебе Шанель, Гуччи и Дольче с Габанной висят. Кстати, как вы узнали, где подлинник, а где самострок?

— Издеваешься? — вскинулся Петр. — Да я шмотками с малолетства занимаюсь.

— И все же? — не успокаивался Сергей Федорович.

— Обработка швов, — принялся загибать пальцы хозяин, — качество ткани, «молния», пуговицы, да мало ли примет!

— Но на первый взгляд это Кензо от того не отличить!

— Да ты чего? — вскинул брови Петр. — Самопал, он и есть самопал.

— Только не все покупатели такие доки!

— Верно, — кивнул Петр, — поэтому следует делать покупки не в сомнительных местах, а в магазинах, которые дорожат своей репутацией. Вот ко мне человек приходит и точно знает: Попов дерьма не подсунет!

— Очень даже ошибаетесь, — сказал Сергей Федорович. — Фальшивый Кензо тетка сегодня к нам принесла — возвратить решила. Только она считала его настоящим, претензий к качеству не предъявляла, сдать хотела лишь по одной причине: мужу одеяние не понравилось, слишком прозрачное и откровенное. Отдел претензий ее заявление принял, печать шлепнул, и пошла дама в кассу. Только продавщица, которой платьишко сунули и велели в зал отнести, насторожилась и сказала:

— Не наше оно! Фальшак.

Петя побагровел:

— Я народ не обманываю.

Сергей Федорович покраснел:

— В магазине орудует группа мерзавцев. Механика обмана очень проста. Продавщица, помогающая женщинам примерять вещи, всегда спрашивает покупательниц:

— Вот это не берете? Вам размер не подошел? Имеем вариант в другом тоне.

Чаще всего, если дама не хочет покупать обновку, продавщица слышит в ответ нечто вроде:

— Мне это не идет, — либо: — Очень уж юбка коротка.

Но иногда дама признается честно:

— Очень красивая вещь, сидит шикарно, но, увы, мне не по карману.

И тогда девушка тихо предлагает:

— Тут за углом кафе, зайдите в него, можем предложить вам эксклюзивный вариант.

Кое-кто из покупательниц пожимал плечами и уходил, но большинство шло в забегаловку, где к ним подходил мужчина и спрашивал:

— Хотите приобрести понравившееся платье за полцены?

Пять дам из десяти восклицали:

— Конечно!

И тогда им предлагалась та самая, полюбившаяся шмотка. Передавали товар через два дня, без всякой примерки, на одной из станций метро, вечером.

Знакомая продавщица отдавала даме пакет, получала деньги и уходила. Покупательницу никто не обманывал, придя домой, она обнаруживала в упаковке ту самую фирменную вещь.

— Не понял, — процедил Петя.

Сергей Федорович с жалостью посмотрел на него.

— Девица-воровка ехала на рынок, подбирала там копию дорогостоящей одежды, вывешивала ее в торговом зале, а настоящую вещь продавала, кладя себе в карман нехилую сумму. «Базарная» шмотка энное время висела в зале, потом она продавалась либо уценялась и шла в наш дисконтный магазин.

— Падла! — заорал Петр. — Давно она так орудовала?

— Полгода.

— И никто из покупателей не понял, что приобрел туфту? — ревел Попов.

Сергей Федорович кивнул:

— Угу. Во-первых, модницы не слишком хорошо разбираются в тонкостях, а во-вторых, и это главное, их гипнотизировал наш магазин. Все же знают о вашей безупречной репутации и о том, что Попов продает только эксклюзив, по крайней мере, в этом бутике, на проспекте! Но кое-кто, кстати, начал сомневаться в качестве приобретенного товара. За последнее время в отделе жалоб побывало четыре человека, посчитавших, что они приобрели вещи... э... как бы помягче высказаться... дерьмовые.

— Но почему наш отдел жалоб молчал? — бесновался Петр. — Отчего не начал бить тревогу?

Сергей Федорович уставился в окно.

— Ну... знаете... там...

— Говори! — затопал ногами начальник.

Сергей Федорович набрал в грудь побольше воздуха и выпалил:

— Продавщица работала в паре с сотрудником, принимавшим претензии. Тот гасил скандал, мгновенно выплачивал клиентам назад деньги, а шмотки списывал, они не шли назад в торговый зал.

— Это как? — голосом, не предвещающим ничего хорошего, протянул Петя.

— В общем, просто, — угрюмо ответил Сергей Федорович, — один раз костюм якобы разорвали случайно. Пальто от Шанель уронили в ведро с краской, помните, мы на складе дверь красили? Случается такое, я бы и не насторожился. Да и сегодняшнего инцидента, наверное, не произошло бы, только тот сотрудник отдела жалоб, который вещи уничтожал, приболел, вот платьишко и оказалось в руках у честной продавщицы.

— Ее наградить, — прошипел Петр, — премировать месячным окладом, а тех двоих задержать и вызвать милицию! Я их под суд отдам, посажу, устрою показательный процесс на весь мир, чтобы народ знал. Ах, поганцы! Репутацию мне портили, суки, сволочи!!! Чего ты вылупился? Почему ментов не кликнул? Живо зови милицию. Сколько у нас за мошенничество дают, ты не в курсе?

Сергей Федорович кашлянул:

— Я не решился столь резко действовать.

— Давай, начинай.

— Продавщица у меня в кабинете.

— А мерзавец из отдела жалоб?

— Он болен.

— Послать за ним домой, немедленно!

— Петр Владимирович...

— Хватит, — заорал бизнесмен, — обоих за решетку! Чтоб другим неповадно было!

— Это ваш брат, — тихо сказал Сергей Федорович.

Петя заткнулся, словно налетел на столб, и удивленно спросил:

— Что мой брат? Миша приболел, звонил мне, что... Погоди... ты хочешь сказать...

Начальник службы безопасности кивнул:

— Да.

Попов обхватил голову руками и замолчал. В кабинете повисла тяжелая, вязкая тишина.

— Так я пойду? — осторожно спросил Сергей Федорович.

Петя кивнул.

— Милицию вызывать? — уточнил начальник службы безопасности.

— Не надо.

— Понял.

— Гони сюда девку, — устало сказал Петя.

Когда зареванная красавица вползла в кабинет, Попов велел:

— Немедленно говори правду, иначе прямо сегодня на нарах окажешься.

Заливаясь слезами, девчонка начала излагать факты. Петя мрачнел все больше и больше. Надежда на то, что Сергей Федорович неправильно разобрался в сути вопроса, растаяла без следа. В конце концов Попов не выдержал и заорал:

— Я что, мало тебе платил? Воровка! И зарплату имела огромную, и процент от продаж!

Неожиданно девушка зло сверкнула глазами и перестала лить сопли. Утерев лицо рукавом кофты, она подлетела к столу начальника, смахнула с него кипу бумажек и с чувством произнесла:

— Вы мерзавец!

От такой наглости Петя опешил и удивленно воскликнул:

— Ты больная?

— Нет, это ты погань! — завизжала девица. — Я люблю Мишу, мы собрались пожениться. А ты! Разорил родного брата! На счетчик его поставил! Так тебе и надо! Жаль, что мы мало продали! Кровосос!

Глава 13

— А дальше что? — воскликнула я, пока Попов пил кофе.

Петя отставил чашку.

— Эта дурочка выложила мне замечательную историю. Михаил закрутил с ней роман, наобещал золотые горы и рассказал, что на заре перестройки, когда умерли наши родители, я продал отцовскую квартиру, чтобы начать бизнес. Брата я отселил в барак, где он и проживал до нынешних времен. Несчастный Мишенька, ограбленный безжалостным Петей, куковал в комнатенке с земляным полом при полном отсутствии центрального водоснабжения, электричества и канализации.

— А что, в Москве есть такие здания? — с огромным изумлением перебила я Попова. — С сортиром во дворе?

— Может, и есть, — протянул Петя, — только Михаил к нему никогда отношения не имел, родительская квартира отошла целиком ему. Соврал он Нике.

— Кому?

— Дурочку продавщицу зовут Никой Залыгиной, — пояснил Петя, — она во все поверила. Причем ладно бы квартира, но Михаил навешал глупышке такую лапшу на уши! Дескать, барак снесли, Михаил остался на улице, заболел и пришел ко мне просить помочь ему с жилплощадью. Я же купил ему комнату в коммуналке и велел отрабатывать долг. Михаил не сумел в нужный срок вернуть деньги, тогда брат-подонок включил счетчик, и сумма теперь составляет сто тысяч долларов.

— Сколько?!

— Сто тысяч долларов, — повторил Петя, криво ухмыляясь правым уголком рта, — дальше — больше. По словам милого Мишеньки, если он до Нового года не принесет в кабинет к сволочи Попову сумку, набитую банкнотами, его добрый братец продаст должника в Чечню, в рабство...

— Ну и идиотство! — подскочила я.

Петя кивнул:

— Согласен.

— Ни за что бы не поверила в такое!

— А Ника, влюбленная в Михаила, поверила, ужаснулась и стала помогать братцу зарабатывать.

— И как вы поступили?

Петя допил кофе.

— Выгнал Залыгину без выходного пособия.

— Не стали ей ничего объяснять?

— Зачем? Не царское дело со смердами якшаться, — заявил Попов.

— А Михаил?

— Он испарился, наверное, девка предупредила негодяя. Сергей Федорович отправился на квартиру к сволочуге, но там никого не оказалось. Пару недель наши ребята дежурили в подъезде, потом я плюнул и решил: в жизни случается всякое, если нас произвели на свет одни родители, это еще не гарантирует, что оба отпрыска будут похожи друг на друга. И вообще, дети перенимают от предков только самые дурные качества. Мои родители были слишком правильными, прямолинейными. Отца я плохо помню, он жил на работе, а мать очень любила Мишу. Мне от нее не доставалось ничего, ни любви, ни ласки. Я теперь, трезво оценивая ситуацию, понимаю, что, наверное, по этой причине и ударился в фарцовку, хотелось родительского внимания. Подсознательно думал, если стану безобразия вытворять, они мною займутся. Ан нет, отец меня просто ремнем сек, и все. Кстати, в детстве Мишка особо противным не был, наоборот, тихий такой, улыбчивый. Кто бы мог предположить, что из него мерзавец вырастет. Между прочим, наш отец сочинял рассказы, он обладал безудержной фантазией, пытался даже печататься, но что-то у него не получилось, и писателем он не стал. Миша, очевидно, в него враньем пошел. Такое фантазировал! Газету «Все обо всех» читаете?

— Изредка, — призналась я, — неприлично, конечно, интеллигентный человек к подобному изданию даже щипцами прикасаться не должен, но там такие забавные сплетни печатают!

— Очень забавные, — скривился Петр. — Прихожу я как-то на работу, офис словно вымер, в коридоре никого. Обычно курильщиков полно, поставщики бегают, а тут — тишина, как в крематории. Полина, секретарша, испарилась невесть куда. Вбегаю в кабинет, на столе эта пакостная газетенка, на первой полосе заголовок: «Попов обул родных». Начал читать, чуть не умер. Интервью с Михаилом. Уж он постарался, такого понарассказал, в голове не укладывается. Оказывается, наш Мишенька все детство провел в запертой комнате, его никуда не выпускали, потому что брат, то бишь я, поставил родителям условие: либо они Мишку прячут, либо он покончит с собой. Вот по этой причине несчастный мальчик и сидел, словно в тюрьме.

— Да уж, — покачала я головой. — Дюма отдыхает, судьба его героя Железной маски не настолько трагична.

— Наврал семь верст, — горько заметил Петр, — приплел какую-то сестру, убитую мною в младенчестве. Дескать, я из ревности девочку в коляске придушил, а родители, чтобы любимого сыночка в специнтернат не отправили, представили дело так, что их дочь скончалась от менингита. Они же медики были, им такое легко. Ну и, естественно, далее рассказ про барак, счетчик и Чечню.

Я целый час в себя приходил после прочтения. И весь материал украшали семейные фото.

— Может, ваш брат болен психически? — предположила я. — Ну, согласитесь, подобное поведение говорит о явной его ненормальности.

Петя стукнул кулаком по столу.

— Да он здоровее нас с вами! Падла! Я же моментально в редакцию вонючего листка поехал и устроил допрос корреспонденту, накропавшему материал. Знаете, что мне парень сообщил? Ему позвонил Михаил и предложил эксклюзивный рассказ под названием «Вся правда о Петре Попове». За деньги, причем немалые. Борзописец мгновенно ухватился за предложение, у него осталась на диктофоне запись интервью.

Здоров Михаил, просто это его способ зарабатывать. Сам в жизни ничего не достиг, остается теперь брата грязью поливать. Поэтому ваша история с бриллиантами и изумрудом меня нисколько не удивляет.

— Но почему вы позволяете марать свое честное имя? — возмутилась я. — Отчего не подадите на Михаила в суд?

Петр скривился.

— Ну уж нет! Стать главным действующим лицом публикаций в желтых газетах?

— Ну ведь можно попросить службу безопасности отыскать Михаила и... хотя бы попросту поколотить его!

— Это подонка только вдохновит, — воскликнул Петр, — еще обрадуется, станет снова интервью раздавать, рассказывать, как его изуродовали. Сейчас он заткнулся, не такой уж я известный человек, не певец, не артист, не писатель, не музыкант, ну кому сплетни обо мне интересны? Один раз написали, и хватит. Больше он никому интервью не продаст. Главное, я его видеть не желаю и слышать о нем не хочу. Нет у меня брата. Все! Конец!

— И вы не знаете, где он живет?

Петр повертел в руках пустую чашку.

— Могу дать телефон и адрес той квартиры, где мы обитали с родителями. До того, как начал у меня работать, Михаил жил там, я ему ремонт сделал. Но сейчас, думаю, он съехал. Боится небось меня, а может, еще кого-то обманул и смылся. Хотел бы я вам помочь, но, увы!

— А вы храните личные дела уволенных продавцов?

Петя бросил на меня быстрый взгляд, потом вытащил мобильный, набрал номер и сказал:

— Алиса? Скажи, у тебя не осталось данных по Залыгиной? Да, понимаю, говори.

Положив сотовый на стол, Петр взял салфетку и написал на ней название улицы, номер дома и квартиры.

— Нет гарантии, что она и теперь там живет, — предупредил он, протягивая мне бумажку, — могла переехать.

— Спасибо! — воскликнула я.

— Пожалуйста, — кивнул Петр, — вы бы написали о нас с Михаилом, чем не тема? Двое детей в семье, один гадкий безобразник, второй радость родителей, их надежда. А что вышло? Как нас жизнь перелопатила1

Оказавшись на улице, я вместо того, чтобы сразу сесть в машину, отчего-то встала у витрины магазина и уставилась на разноцветную обувь. Лично у меня нет ни братьев, ни сестер, одно время я страшно переживала, ощущая себя очень одинокой в этом мире, но потом поняла: судьба весьма благосклонна ко мне, я встретила Томочку. Я теперь знаю точно, родственниками не рождаются, ими становятся по жизни, иной раз подруга бывает ближе, чем родная мать и сестра, вместе взятые.

Продолжая размышлять на эту тему, я увидела замечательные кроссовки, светло-розовые, с белыми цветочками, просто мечта, а не обувь, мне давно хотелось такие. Цена симпатичных баретток не пугала бесконечными нолями. Но в особенности меня обрадовала небольшая табличка, на которой стояло: «Последняя пара. Уценка от объявленной цены 50%. Сороковой размер».

В полном восторге я ринулась в магазин. Понимаю, в это трудно поверить, но при росте метр с кепкой и весе барана я ношу именно сороковой размер, стою как на лыжах, или, если вам такое сравнение нравится больше, хожу в ластах.

— Мне вон те кроссовочки! — воскликнула я, плюхаясь на пуфик.

— Они большие, — мило предупредила продавщица.

— Давайте.

Девушка подошла к витрине, вытащила пару и с улыбкой подала мне:

— Пожалуйста.

Я попыталась надеть замшевые ботинки и вздохнула:

— Малы! Это не сороковой.

— Странно, — покачала головой продавщица, — их только что дама мерила с тридцать девятым размером, так просто провалилась внутрь. Может, вы сорок первый носите?

— Да нет, я купила себе не так давно белые туфли именно сорокового размера, — протянула я, пытаясь натянуть обувь.

— Нога вырасти могла.

— В моем возрасте?

— Ну, случается такая болезнь, когда человек всю жизнь к небу тянется!

Я засмеялась:

— Вы шутите.

— Вовсе нет, — покачала головой продавщица, — каждый месяц хоть миллиметр да прибавит. Говорят, такая болезнь у Петра Первого была, от нее он и помер.

— Мой рост не менялся со школьной поры.

— Ну и что? Значит, у вас увеличивается длина ступни.

Я насторожилась. Вдруг девчонка права, а? И что же выйдет? Где через год я куплю себе ботиночки? В мужском отделе? А когда дотяну до пятидесятого размера? Вот катастрофа, мне суждено остаток жизни носить вместо элегантных лодочек ящики из-под апельсинов!

— Девушка, — крикнула другая покупательница, — принесите такую же пару, как я сейчас меряю, но меньше.

— Сейчас, — крикнула продавщица, двинулась в сторону служебного помещения, потом остановилась, обернулась и воскликнула: — Только сейчас мне в голову пришло! Вы язык высовывали?

— Нет, — удивленно ответила я, — а надо?

— Конечно, — засмеялась продавщица, — поэтому кроссовки и малы вам показались. Вы выставьте язык, посидите пару секунд, чтобы ноги отошли, и снова обувь натягивайте, а я пока на склад сбегаю.

— Думаете, это поможет?

— Конечно, — заверила девушка и унеслась, оставив после себя ненавязчивый аромат духов.

Я с сомнением покосилась на уже полюбившиеся кроссовки. Язык и ноги! Какая между ними связь? Хотя, если подумать! Вот Томочку одно время замучили головные боли, доктор сказал, что они вызваны остеохондрозом и хорошо бы провести курс специального массажа. В нашем доме незамедлительно появился нужный специалист. Очевидно, он делал Томуське больно, потому что из ее комнаты порой неслись крики. Один раз я не выдержала, решила все же посмотреть, как медик мучает Томусю, и заглянула к ней в спальню. Честно говоря, была немало удивлена. Руки врача старательно разминали совсем не шею, а то место, на котором Томарочка, как правило, сидит.

— Эй, эй, — решила я навести порядок, — у вашей пациентки болит голова.

— Помню, — кивнул доктор, — именно над ней я сейчас и работаю.

Я закашлялась, но потом все же подумала, что следует поставить наглого мужика на место, и воскликнула:

— Конечно, я понимаю, что многие представители сильного пола полагают, будто у женщины в умственном плане верхний и нижний этажи вполне взаимозаменяемы, но мигрень — это болезнь и...

Массажист ухмыльнулся и прочел мне целую лекцию о кровообращении и напряжении в мышцах. Теперь-то я отлично знаю, что снять головную боль можно, нажав соответствующие точки на заднице. Так, может, и размер стопы изменится от высунутого языка?

Осторожно посмотрев по сторонам и поняв, что все посетители магазина заняты своими делами, я осторожно открыла рот и притихла на пуфике, потом, подождав указанное время, вновь попыталась втиснуться в понравившиеся кроссовки.

— Ну что? — поинтересовалась подбежавшая продавщица. — Подошли?

Я покачала головой.

— Совсем? — расстроилась девушка.

— М-м-м.

— Окончательно малы?

— М-м-м.

— Ой, как неприятно! А язык вы высунули?

Я подняла голову.

— М-м-м.

Девушка попятилась:

— Вам плохо?

— М-м-м, — ответила я, предпринимая очередную тщетную попытку втиснуться в обувь.

— Господи, — перепугалась продавщица, — у вас эпилепсия! Анжела, Катя... Сюда!

Остальные сотрудницы магазина мигом явились на зов.

— Че делать? — заломила руки обслуживавшая меня девушка.

— Вау! — хором воскликнули глупышки.

Я вздохнула:

— Что вы так переполошились?

— Ай, — взвизгнула продавщица, — вы не больны? Но ваш язык...

— Что с ним?

— Ну... сидели с таким видом...

— Жутким, — вмешалась другая девушка.

— Страшным, — сообщила третья, — рот раскрыт, глаза выпучены, я решила, вас инсульт разбил!

— Щеки красные, — не успокаивалась первая продавщица, — язык наружу...

— Послушай, — рявкнула я, — похоже, ты страдаешь болезнью Альцгеймера!

— Ой! — пискнули Анжела с Катей и на всякий случай отодвинулись от товарки.

— Это у меня просто насморк, — растерянно сообщила продавщица, — а не эта Але... ге... ми... ца...

— Болезнь Альцгеймера поражает мозг, — рявкнула я, — и несчастный человек перестает соображать, ему начисто отшибает память. С тобой как раз этот самый случай. Сама мне только что велела: высуньте язык, подождите пару секунд, а потом снова попытайтесь кроссовки померить, авось налезут.

Продавщицы переглянулись и захихикали, я стала медленно закипать.

— Вот что, девушки, несите сюда жалобную книгу, а заодно позовите старшего менеджера. Похоже, вы большие любительницы подшутить над покупательницами. Здорово придумали! Высуньте язык, а мы посмотрим и посмеемся!

Внезапно Катя, зажав рукой рот, метнулась в глубь торгового зала, а Анжела, быстро присев на корточки, сказала:

— Никто и не думал потешаться над вами.

Пальцы девушки ловко дернули за замшевый язычок под белыми шнурками. Моей ноге моментально стало свободно, обувь легко «села» на стопу.

— И как? — поинтересовалась Анжела, проделывая ту же операцию со второй кроссовкой.

— Нормально, — растерянно ответила я, — очень удобно.

— Вам Маша посоветовала именно этот язык высунуть, — пояснила Анжела.

Я перевела взгляд на кроссовки.

— Это называется язычок!

— Да какая разница? — ожила Маша. — Язык или язычок? Всем понятно, если обувь не лезет, поправь аккуратно язык под шнурками и посмотри.

— Язык во рту, — настаивала я, — а язычок в ботинках!

Анжела хихикнула:

— До сих пор все покупатели понимали, когда про язык слышали, вы одна такая попались!

— Значит, берете? — деловито уточнила Маша.

Я, ощущая себя полнейшей идиоткой, кивнула и направилась к кассе.

Когда я, сжимая в руках коробку с обновкой, вышла на улицу, от моей машины с визгом отпрянула стайка школьников.

— Вот поганцы! — с чувством воскликнул мужчина, с интересом наблюдавший за детьми. — Просто сволочи! Поймать бы да по заднице отхлестать. Девушка, вы только гляньте, что у вас с мордой!

Я машинально схватилась за лицо и уронила покупку.

— Во, — констатировал дядька, — коробочку потеряла. Непруха тебе сегодня, морда в пятнах, и из рук все валится.

Трясущимися пальцами я вытащила из сумочки пудреницу и с некоторым страхом взглянула в зеркальце, ожидая увидеть на лбу и щеках красные отметины. Но не заметила ничего ужасного, так, слегка растеклась тушь от жары.

— Что за ерунду вы говорите! — воскликнула я, пряча пудреницу в ридикюль.

— Да ты глянь, — не успокаивался дядька, — вся в грязи.

Я снова потянулась было за зеркальцем, но тут

прохожий ткнул пальцем в направлении моей машины и продолжил:

— Они тебе всю морду фломастерами извозюкали, которыми на стекле и металле рисовать можно! Теперь попотеешь, отдирая безобразие.

Я обозрела обиженные «Жигули», подобрала вывалившиеся из коробки кроссовки и буркнула:

— Учитесь правильно выражать свои мысли! Пятна не на моей морде, а на капоте автомобиля.

Мужик надулся, попыхтел пару минут и заявил:

— Ишь, фря нашлась! Молодцы парнишки, надо было тебе еще и бока, и задницу расписать!

Не желая связываться с идиотом, я села за руль и поехала в сторону шумного проспекта. Все беды людей от того, что они не умеют разговаривать. «Высуньте язык», «тебе разрисовали всю морду». Произносящие эти фразы субъекты имели в виду одно, я поняла их по-другому, и что получилось в результате? Может, именно из-за косноязычности большинство людей не способно ужиться с себе подобными?

Глава 14

Оказавшись во дворе дома, где жила Ника Залыгина, я ощутила легкий укол в сердце. Именно в таком месте прошло мое детство и большая часть юности. Четыре блочные пятиэтажки стоят квадратом, в середине лужайка со скамейками, песочницей и качелями. Чуть поодаль расположился покосившийся деревянный стол и две колченогие лавки, дальше идут гаражи, не ракушки, а разномастные железные сооружения, покрашенные зеленой, синей и коричневой краской. Около них сиротливо тоскует турник, на который местные хозяйки вешают ковры, дабы от души поколотить их выбивалкой. В противоположном углу двора натянуты веревки, и на них висят свежевыстиранные пододеяльники, разноцветные детские колготки и женское белье устрашающего вида: розовые атласные лифчики сто одиннадцатого размера и трусы, которые, похоже, носит беременная самка бегемота. Несколько вполне чистых, сытых, счастливых домашних кошек развалилось в траве, среди чахлых цветочков. Мы называли эти цветики в детстве «петушками». А еще тут колыхались желтые шары, неприхотливое растение, буйно цветущее даже в условиях загазованного мегаполиса. Когда-то эти кусты возвышались почти во всех столичных дворах, во времена моего детства «золотые» шары были самым распространенным московским украшением, но потом кто-то наверху решил, что они простят облик города, и велел вырубить цветы. Желтые шары уничтожили, как классового врага. Но во дворе моего детства они спокойно доживают свой век, и сейчас на меня напал приступ ностальгии, а перед глазами вспыхнула яркая картина.

Вот я шлепаю в магазин, зажав в кулаке выданные Раисой копейки на бутылку пива. «Жигулевского» по тем годам в Москве было не достать, едва в магазины поступали заветные ящики, как орда мужиков штурмом брала прилавки, крича:

— Больше двух бутылок в одни руки не давайте, гоните вон ветеранов, пиво не хлеб, постоят в очереди, как все!

Но Раисе, любившей с утра опохмеляться пивком, повезло. С нами на одной лестничной клетке жила сварливая Танька, продавщица из винного отдела, поэтому пол-литровая бутылка из темного стекла всегда поджидала мачеху. Танька охотно продавала соседке из-под прилавка дефицит. Именно продавала, в долг у нее было не допроситься.

Я брела в магазин, загребая пыль сандалиями, доставшимися мне по наследству от дочери другой соседки, Люси. В нашей пятиэтажке, где все мужики пили, трезвым считался тот, который набирался только два раза в месяц: пятого и двадцатого числа. Вот Люсин муженек был из таких, позволял себе лишь в аванс и получку, поэтому его семья жила хорошо, они ели каждый день мясо, а дочери покупали добротную одежду. Обноски доставались Вилке Таракановой.

Сандалии были мне чуть велики, в какой-то момент я споткнулась, шлепнулась, разжала кулак и увидела, как монетки покатились вперед и исчезли в решетке канализации. Не знаю, испытывала ли я еще когда-нибудь подобный ужас. Раиса довольно долго рылась по карманам, наскребая необходимую сумму на пиво, она ждет падчерицу с «лекарством». Поэтому домой лучше не возвращаться. Поняв, что, прошлявшись по улицам до ночи, мне потом все же предстоит явиться пред очи Раисы, я заревела в голос, что, в общем-то, простительно, мне тогда едва исполнилось девять лет.

— Мамочка, — прокричала, подбегая ко мне, девочка, по виду моя одногодка, — посмотри, она упала и ушиблась.

— Может, тебя домой проводить? — ласково спросил женский голос, потом мягкие, нежные руки осторожно помогли мне подняться. — Пойдем к твоей маме!

— Нет, — закричала я, — ой, не надо!

— Что случилось? — нахмурилась незнакомка.

Рыдая, я изложила ей суть дела, рассказала про Раису, пиво, монетки, решетку канализации...

Девочка-одногодка, одетая в красивое, накрахмаленное белое платье, симпатичные лаковые туфельки и гольфы с кисточками, слушала меня, разинув рот, а ее мать молча расстегнула шикарную сумку, какой не было даже у зажиточной тети Люси, вытащила из нее целый рубль, протянула мне и тихо сказала:

— Ступай, купи своей мачехе пиво, себе мороженое и в дальнейшем ходи по улицам аккуратно.

— Здесь очень много денег, — попятилась я.

— Извини, у меня нет мелочи.

— А как мне их отдавать? Я пока еще не работаю!

Женщина силой впихнула в мой кулачок ассигнацию.

— Держи, это подарок.

— Раиса не разрешает мне брать ничего просто так, — прошептала я, — коли взяла — надо вернуть.

Незнакомка присела передо мной.

— Послушай! У меня есть деньги, ты свои потеряла. А бог велит помогать друг другу. Никому не рассказывай про рубль, просто ступай в магазин.

— Бога нет, — уверенно сказала я, — нам в школе объясняли.

— Ладно, — кивнула дама, — спорить не стану. Ты отдашь мне рубль потом, когда вырастешь. Станешь большой, красивой, получишь зарплату, пойдешь по улице и увидишь маленькую девочку, которая потеряла деньги, подаришь ей рубль, и мы будем квиты.

— Но получится, что я верну деньги не вам! — воскликнула я.

— Это неважно, — улыбнулась дама, — мне когда-то, очень, очень давно, тогда тебя еще на свете не было, помогла одна женщина, теперь я выручаю из беды тебя, а уж ты тоже, сделай одолжение, протяни руку помощи нуждающемуся. Если каждый так поступит, на свете не будет несчастных.

Я потрясла головой. Удивительное дело, в школе на уроках учителя часто гудели: «Надо быть добрыми», — но отчего-то их сентенции смешили, порой раздражали нас и мигом вылетали из головы.

А женщину, подарившую мне рубль, я вспоминаю до сих пор, вижу ее мягкую улыбку, красивые темно-каштановые волосы, карие глаза, ощущаю запах нежных духов и очень хорошо помню фразу: я помогу тебе, ты другому, он третьему, и все станут счастливы.

Вздохнув, я пошла искать нужный подъезд. Говорят, неумеренная сентиментальность — признак надвигающейся старости. Хотя мне до пенсии очень и очень далеко, и сейчас нужно не предаваться воспоминаниям детства, а искать ожерелье Киры, моей несчастной, наивной подружки, лежащей до сих пор без сознания в реанимации. Хорошо хоть я сообразила позвонить Лизе, в отделении у которой лежит Кира, и теперь спешно прилетевший из командировки Борис уверен, что его жена очутилась в клинике из-за чрезмерного увлечения «волшебными тайскими таблетками».

Дверь в квартиру Залыгиной была открыта и подперта табуреткой, а на лестнице, на подоконнике, сидела девушка в шортах и футболке, измазанной краской.

— Там ремонт? — спросила я.

— И что? — мгновенно полезла в драку девица. — Шума нет, стены не ломают, пол не вскрывают, нечего тут претензии предъявлять!

— Мне нужна Ника Залыгина, — улыбнулась я,

думая, что сердитая малярша, услыхав имя нанявшей ее хозяйки, сменит гнев на милость.

Девица соскочила с подоконника, уперла руки в боки и рявкнула:

— Даже лучше не начинайте! До двадцати трех часов я имею право делать что хочу. Насчет запаха заткнитесь, и ваще, чего все ко мне идут? Почему мой ремонт поперек горла людям встал? Рыскины и Волковы тоже квартиры в порядок приводили, так к ним никто носа не показывал! А ко мне шеренгой прут!

— Вы Ника?

— И что теперь? Хоть все домоуправление приведи, я на них плевать хотела!

— Я не ваша соседка.

— Тогда чего лезешь? — окончательно разъярилась Залыгина.

— Вы меня не поняли...

— Совсем дура, да? Стоишь тут, на запах жалуешься!

— Вовсе нет, ничего такого я не говорила! Мне ваш адрес дал Петр Попов.

Ника отступила к подоконнику.

— Кто? — тихо спросила она.

Я отметила, что ее голос изменился, и повторила:

— Петр Владимирович Попов, владелец бутика, откуда вас уволили.

Ника прикусила нижнюю губу, потом решительно тряхнула волосами и снова бросилась в бой:

— Я уволилась по собственному желанию!

— Верно.

— Меня привлечь нельзя!

— Никто и не собирается! — воскликнула я.

Залыгина спросила:

— Зачем вы тогда явились?

— Поговорить.

— Вы из милиции?

— Нет, конечно.

— Слушайте, — осмелела Ника, — что вам надо?

— Вы Михаила Попова знаете?

Ника всплеснула руками.

— Ой! Но он давно здесь не бывает! Вы зря приехали.

— Почему? — решила я поддержать разговор.

— Знаете, — проникновенно сообщила Ника, — ваш муж врун и гад!

— Почему вы так решили? — осторожно осведомилась я.

— Надеюсь, вы не собираетесь мне глаза выцарапывать? — деловито осведомилась Ника.

— А есть за что?

Залыгина скривилась.

— Ну тогда зимой вы погорячились. Да и я всего не знала.

— Мы встречались зимой?

— Ага.

— И где же?

— Вы меня не узнали?

— Простите, нет.

— Ясно, — протянула Ника, — пришли, значит, свое сокровище искать! Это он вам наврал, что со мной живет? Мастер спорта по брехне.

— Кто?

— Да Миша ваш! — заорала Ника. — Нечего на меня наезжать, лучше бегите прочь от гада! Он мерзавец, подонок, враль... да я... да мы... да нас...

— Вы можете спокойно объяснить, в чем дело? — попросила я.

Ника взобралась на подоконник.

— Идиотская ситуация! Первый раз в такой оказываюсь. Вы в курсе, чем ваш муженек промышляет?

— Ну...

— Вы такая лохушка или с ним в доле состоите?

— Лохушка, — быстро закивала я, — сделайте одолжение, просветите меня.

Ника неожиданно улыбнулась:

— Дуры мы, а такие, как Миша, нас ловят. Смотрите, я работала у Попова, была на хорошем счету, замуж, конечно, хотелось. Но, с другой стороны, что в этом плохого? Понятное желание!

Я спокойно слушала уже известную историю про обман с вещами.

— Я не знала, что он женат, — каялась Ника, — я не из тех, кто парней из семьи уводит. На меня штамп в паспорте, как ушат холодной воды, отрезвляюще действует. Только Миша вел совершенно свободный образ жизни, мы вместе все выходные и праздники гуляли, он у меня жил, иногда только уходил, но редко. Ну вы бы в подобном случае чего плохое заподозрили?

— Нет, — покачала я головой.

— Во, — подняла палец Ника, — и ведь когда вы дебош устроили, у меня тоже ничего не щелкнуло, наверное, я дурой кажусь, да?

— Извините, — продолжала я исполнять случайно доставшуюся мне роль жены Михаила, — я плохо помню детали.

— Да и то верно, — согласилась Ника, — вы в тот день были похожи на сумасшедшую. Мы с Мишкой пошли в харчевню, «Бутерброд наоборот» называется.

Я кивнула. Знаю это заведение.

— Сидим себе спокойно, — бубнила Ника, — жрем сандвичи. Вдруг хрясь! Вы влетаете! Подбегаете к столику и орете: «Ага! Ты меня всегда обманывал!» Бац, бац Мишку по щекам.

— Вы уверены, что это я была?

— Кто ж еще? — Голос Ники набрал обороты. — Сейчас-то зачем сюда заявились? Ясное дело, пришли муженька долбасить. Я сразу вас узнала, хоть вы тогда в шубу замотались и шапчонку на лоб натянули. По росту вычислила, вы чуть выше таксы.

Я вздохнула. Да уж, люди не только не умеют нормально разговаривать друг с другом, но еще делают ложные логические умозаключения. Ника якобы узнала меня по росту. Это здорово, а учитывая, что тетка, устроившая дебош, была закутана в зимнюю одежду и надвинула на лицо ушанку, то Ника просто молодец!

— И чем же дело кончилось?

— Неужели не помните?

— Всю память отшибло, после гриппа такое случается, — лихо соврала я.

В глазах Ники неожиданно мелькнула жалость.

— Я испугалась и на улицу удрапала, а Миша остался разбираться. Потом ко мне вышел и спокойно так сказал: «Это моя бывшая бузит. Развелись давно, а она все успокоиться не желает, выслеживает, вынюхивает, никакой жизни нет. Ну ее сейчас к директору отволокли, пусть милицию вызывают! Все настроение испортила!» И я ему поверила!

— Какого числа это случилось? — осведомилась я.

— А накануне моего дня рождения, — ответила Ника, — аккурат двадцать третьего декабря прошлого года!

Я постаралась не издать негодующий вопль. Вот ведь мерзавец! Примерно в это время Михаил познакомился с глупой Кирой и начал ее «окучивать».

— Ну я и жила себе дальше, — тарахтела Ника, — а потом эта история приключилась. Не поверите!

— Чему? — вздохнула я. — Похоже, от Михаила любой пакости ожидать можно.

Залыгина затеребила край испачканной футболки.

— Я ему сразу позвонила, когда поняла, что наша афера раскрылась. И что? Он ответил: «Не волнуйся, еду на работу. Я тебя выгорожу, все улажу!»

— Думаю, вы его больше никогда не видели, — мрачно констатировала я.

— Ага, — кивнула Ника, — верно. Испарился мой Ромео. Мобильный отключил, а адреса его я и не знала, ни к чему спрашивать было, бормотнул он мне разок что-то типа: «Живу у черта на рогах, можно у тебя переночую?» — и остался. Во! Это потом до меня доперло: денег он мне не давал, подарков не дарил, цветов и конфет не покупал, продуктов не приносил, а все полученное от продажи шмоток себе целиком и полностью забирал, говорил, долг брату выплачивать надо, а то он его убьет.

— И ты верила?

Ника вздохнула и стала ковырять пальцем подоконник.

— Конечно, — выдавила она наконец из себя, — я тут на вас наорала, дурой обзывала, только сама ничуть не лучше. Дура я стоеросовая. Верила ли Мишке? Еще как! Без всяких сомнений его враки выслушивала, помочь хотела, думала, мы с ним поженимся. Петра Владимировича просто ненавидеть стала, если, не дай бог, с ним в магазине сталкивалась, меня аж крючило. Ну, думаю, и падла же ты! На лимузине катаешься, а брат голодает. И ведь как мне Мишка мозги запудрил! Начисто все соображение потеряла!

— Вы его мобильный помните?

— Угу, — кивнула Ника.

— Сделайте одолжение, назовите номерок, — попросила я.

Глава 15

Думаю, вы не очень удивитесь, когда узнаете, что, набрав названный Никой номер, я услышала радостный детский голосок, бодро сообщивший:

— Антон слушает.

Я ожидала подобного поворота событий, но все же попросила:

— Позовите Михаила.

— Здесь такого нет, — затараторил мальчик, — моя мобила, папа подарил на день рождения, с сим-картой.

— Иногда люди, поменявшие телефон, звонят по своему старому номеру и просят нового хозяина: если кто меня спрашивать будет, сделайте одолжение, скажите, что я теперь пользуюсь другим телефоном. С тобой такого не произошло?

— Не-а, — протянул Антон.

— А сколько тебе лет?

— Двенадцать.

— Вот что, Антоша, — вздохнула я, — меня зовут Виола Леонидовна, я сотрудник одного очень секретного отдела, который занимается поиском нарко-торговцев.

— Вау, — взвизгнул школьник, — я только вчера кино про вас смотрел, по СТС показывали. Знаете канал СТС на телике? Только его и гляжу, там лучшие передачи идут, фильмы классные. Мы их всей семьей смотрим.

Я улыбнулась. Ага, теперь понятно, отчего мне в голову пришла идея представиться таким образом. Когда я вчера вечером приползла домой, Кристя сидела, разинув от удовольствия рот и уставившись в телеэкран. На мой вопрос: «Как дела?» — девочка быстро ответила:

— Ой, потом. Сейчас эта тетка преступника скрутить должна.

— Ты ничего не путаешь? — удивилась я. — Вроде бабенка не похожа на бравого шерифа.

— Она сотрудник отдела по борьбе с наркодилерами, — пробормотала Крися, — ой... вот... вау!

— Такая кинушка! — радовался Антон.

— Очень хорошо, — одобрила я, — не мог бы ты мне помочь?

— Как?

— Запиши телефончик.

— Ага, уже, — с готовностью ответил мальчик.

— Если кто-нибудь, мужчина, женщина или ребенок, позвонит тебе и спросит Михаила Попова или Эдуарда Малину, ты должен ответить: «Оставьте, пожалуйста, свои координаты, я узнаю, можно ли вам сообщить его новый номер».

— Куда же я ему позвоню? — удивился Антон. — Мы с ним не знакомы!

— Ты соединишься со мной и сообщишь, кто искал Михаила!

— Ладно, — протянул мальчик, — понял, постараюсь!

Я сунула мобильный в карман и включила радио. «Все будет хорошо, все будет хорошо, все будет хорошо, я это знаю, знаю...» — полетело из динамика. Ох, очень хочется верить, что все на самом деле будет хорошо, только пока у меня нет никаких оснований для подобных мыслей. Кира в больнице, она не приходит в себя, и Лиза начала осторожно говорить о коматозном состоянии. Борис убит горем, он, правда, не сидит сутками около жены, но, с другой стороны, какой смысл в подобном поведении? Кира его не узнает, она то ли спит, то ли находится в отключке.

Внезапно мне стало жарко. Конечно, Вишнякова хорошо знает свое дело. Если Кира придет в себя, Бориса к ней сразу не пустят. Сначала Лиза побеседует с Нифонтовой, расскажет ей, что мы, ее подруги, уничтожили предсмертную записку и представили все дело как неправильный прием таблеток для похудания. Надеюсь, Кира поймет, что мы так поступили ради спасения ее доброго имени. Но, к сожалению, я не учла еще одной опасности, мысль о ней лишь сейчас пришла мне в голову. Что, если Борис заметит отсутствие ожерелья? Он, естественно, мгновенно позвонит мне и задаст вопрос:

— Вилка, ты случайно не знаешь, куда Кира задевала брюлики?

Господи, вот положение! Впрочем, не стоит падать духом, ежели Борис начнет поиски драгоценностей, я с абсолютно спокойным лицом сообщу ему:

— Кира обмолвилась, что боится держать столь дорогую вещь в квартире, она хотела отнести украшение в банковскую ячейку, вот название хранилища я не знаю.

Слегка успокоившись, я завела мотор, услышала звонкую трель телефона и схватила трубку.

— Алло, — тихо сказал Борис, — как у тебя дела?

— Ничего, а у вас?

— Кира до сих пор не пришла в себя.

— Знаешь, — затараторила я, пытаясь скрыть страх и беспокойство, — все идет нормально. Естественно, что женщина, оказавшаяся в таком состоянии...

— Лиза сказала, что в коме можно пролежать и

пять, и десять, и пятнадцать лет, — перебил меня Борис.

— Вот видишь! Кирка будет жить!! — фальшиво восторженно воскликнула я и тут же осеклась. Что за глупость я несу! Чему тут радоваться?

— А потом, если человек очнулся, он напоминает младенца, — продолжал Борис, — не умеет ходить, самостоятельно есть. Его нужно учить всему заново, и на это уходят еще годы. Господи! За что мне это?

Я молчала, чувствуя, как в душе поднимается удивление. «За что мне это?» Похоже, Борис жалеет себя, а не несчастную Кирку, прикованную к аппаратам, поддерживающим ее жизнь.

— Сейчас к Кире приедет профессор, — говорил Боря, — я вызвал его специально из Новосибирска, какой-то суперспец именно по подобным состояниям, авось чего хорошее посоветует.

Мне стало стыдно, ну и дрянь лезет порой в голову Виоле Таракановой! Боря очень любит Киру, он просто растерян, напуган...

— Кстати, — неожиданно громко воскликнул Боря, — ты не знаешь, куда Кира засунула ожерелье?

— Бриллиантовое с изумрудом? — хриплым голосом спросила я.

— Да.

— Это я! Я!

— Что «я», «я»? — безмерно удивился Борис.

— Ну я ей посоветовала. Кирка пожаловалась, что боится оставлять столь дорогую вещь дома, — быстро озвучила я заранее приготовленный текст.

— Название банка помнишь? — деловито осведомился Борька, когда я виртуозно закончила врать.

— Нет.

— Она без тебя ходила?

— Да, конечно.

— Странно, и мне ничего не сказала.

— Ну ты же был в командировке, — вывернулась я.

— Ладно, — сказал Борис, — если вдруг что в голову придет про хранилище, сделай одолжение, звякни.

— Конечно, конечно, — заверила я и, вытирая бумажным платком лоб, бросила трубку на сиденье.

Хорошо, что ровно за секунду до звонка Бориса я по непонятной причине вдруг стала размышлять об ожерелье и сумела достойно ответить мужу Киры. Телефон ожил вновь.

— Слышь, Вилка, — радостно закричала Лиза, — Кирка в себя приходит!

— Только не это! — вырвалось у меня.

Лиза замолчала, потом возмущенно воскликнула:

— Ты офигела, да?

— Вишнякова, не пускай в палату Бориса! — заорала я. — Ожерелье...

Лиза спокойно выслушала меня.

— Его никто сюда не проведет, — заверила она, — не волнуйся. Кира, очевидно, сумеет адекватно реагировать на раздражители не завтра и даже не через неделю.

— Значит, у меня пока есть время? — обрадовалась я. — Скажи, Кирке и впрямь лучше?

— Ну наконец-то додумалась спросить, — проворчала Лиза, — к чему нам сейчас оценка ее состояния? Скажу так — сделан крохотный шажок, намечается робкая положительная динамика. Не дрейфь, пока ничего не скажу Борьке.

Я снова бросила мобильный на сиденье. Давай, Вилка, действуй. Не мог же этот Михаил бесследно испариться. Он где-то спит, ест, принимает душ, покупает продукты... Ищи мерзавца, спасай Киру.

Стряхнув с себя оцепенение, я стала поворачивать руль влево. Понимаю бессмысленность этого поступка, но все же съезжу на ту квартиру, где Михаил благополучно проживал после смерти родителей. Вдруг он и сейчас там? Конечно, это всего лишь один шанс из тысячи, но ведь его тоже исключить нельзя.

Красивый дом из добротного светлого кирпича и сейчас смотрелся неплохо, а по советским годам здание наверняка считалось суперэлитным. Интересно, почему Владимиру Попóву дали в нем квартиру? Простому гражданину в семидесятые годы прошлого века о подобном жилище даже и мечтать не приходилось.

Вход в подъезд охраняла суровая бабуся.

— И к кому это вы направляетесь? — бдительно осведомилась она, буравя меня маленькими, пронзительно черными, похожими на спичечные головки глазами.

— В сорок вторую квартиру, — приветливо ответила я.

Бабуся, не говоря ни слова, взяла со столика газету и уставилась в нее, демонстрируя полнейшее отсутствие интереса к посетительнице. Я вошла в лифт и нажала нужную кнопку, кабина тихо поползла вверх.

Ну и скажите, зачем сидит у входа такая бабуся? Она же поверила мне на слово, не стала перезванивать в квартиру и спрашивать: «Вы ждете гостей? Кого?» Нет, спокойно пропустила посетительницу. С таким же успехом в здание проникнет и киллер. Кстати, настоящий преступник, замысливший страшное дело, легко справится не только со старухой-консьержкой, но и с молодым охранником, и со злым сторожевым псом. Выстрелит в преграду, перешагнет через тело и сделает свое черное дело.

Не так давно я гуляла по Тверской и увидела замечательную картину: около одного из салонов красоты, воя и крякая, остановилась кавалькада иномарок. Из джипов высыпала группа мрачных, толстошеих парней, одетых, несмотря на удручающую жару, в черные костюмы, а из седана выкарабкался низкорослый, черноволосый тучный дядечка. Охрана взяла хозяина в кольцо и повела в парикмахерскую. Я, наблюдая за торжественным шествием мужика в цирюльню, только посмеивалась.

Конечно, если сейчас к олигарху попытается подойти нищий или пьяный, то ловкие юноши мигом скрутят маргинала. Но что сделают обученные «овчарки» против снайпера?

Лично я бы, встань передо мной задача устранить жирного любителя модной стрижки, поступила просто. Вон на противоположной стороне Тверской стоит дом, найти в нем необеспеченного или просто жадного человека, окна квартиры которого смотрят на магистраль, довольно просто. Весь вопрос упирается в сумму. Сколько он запросит, чтобы разрешить постороннему человеку остаться на некоторое время одному в комнате? И что сделает охрана против пули, выпущенной из оружия с оптическим прицелом? Начнет отбиваться от нее, как от докучливой осы? Бросит убитого хозяина и ринется через шумную магистраль в дом? Бога ради, киллер уже успеет к тому времени добежать до канадской границы. Думаете, трудно узнать время, на которое клиент записался к парикмахеру? Ой, не смешите меня! Вся эта толпа охранников — чистый понт, на самом деле, если уж вас решили убрать, то никто не спасет.

Лифт вздрогнул и остановился, я оказалась на площадке, дошла до красивой стальной двери и позвонила. Створка сразу распахнулась, на пороге появилась симпатичная молодая женщина с огромным животом.

— Ну наконец-то! — воскликнула она с явным облегчением. — Обалдеть можно! Жду вас целый день, между прочим, вы обещали с утра за бельем приехать!

— Простите, я не имею никакого отношения к прачечной. Ищу Михаила Попова, — улыбнулась я.

Хозяйка всплеснула руками.

— Ну что делать! Сижу словно привязанная, а прачка не едет! Попов тут не живет.

— Он продал квартиру?

— Нет, сдал нам.

Я обрадовалась безмерно.

— Скажите, пожалуйста, а деньги вы ему по каким числам платите?

— Странный интерес, — нахмурилась женщина, — с какой стати я должна вам сообщать подобную информацию?

— Понимаете, — затараторила я, — мы родственники, дальние, долго не общались, телефончик Мишин я потеряла, адрес помню, вот приехала на юбилей его позвать, всю семью до седьмого колена за стол усадить хотим. Если вы расплачиваетесь с Мишей первого, я подъеду и подожду его.

Лицо беременной разгладилось.

— Увы, ничем помочь вам не могу. Михаил Владимирович сдал нам жилплощадь на два года, всю сумму арендной платы мы вручили ему сразу. Будем жить здесь, пока свой дом не достроим.

— А где Миша сейчас?

— Не знаю.

— Он к вам не приходит?

— Зачем?

— Ну... квартиру проверить.

— С какой стати?

— Некоторые хозяева так поступают.

— Вот еще! Специально договорились: мы с мужем люди положительные, непьющие, деньги отдали все сразу, извольте нас не беспокоить!

— И телефона его у вас нет?

— Только мобильный.

— Дайте мне его, пожалуйста.

— Секундочку, — кивнула женщина и исчезла в квартире.

Я привалилась к стене и вдруг ощутила приступ голода. Наверное, нужно пообедать, вернее, уже поужинать. Время обеда давно миновало.

— Вот, — сказала хозяйка, появляясь на пороге, — держите, до свидания!

Дверь хлопнула, я глянула на полученную бумажку и быстро набрала показавшийся знакомым номер.

— Говорите, — рявкнул мужской голос.

— Можно Попова?

— Я у телефона.

Тут только я поняла, что уже один раз была участницей подобного разговора, сейчас я снова слышу рассерженный голос Петра.

— Что молчите? — злился он. — А? Зачем звонить и сопеть в трубку? Просто детский сад какой-то!

Я быстро сунула мобильный в карман. Понятно, Михаил сообщил жильцам телефон своего брата. Не странно ли? Вовсе нет. Наверное, ему нравится подставлять родственников. Наивные люди отдали ему сразу большую сумму, надеюсь, что их не ожидает впереди горькое разочарование. С Михаила станется просто продать принадлежащие ему апартаменты, и новые хозяева попросту вызовут милицию, чтобы выставить прочь жильцов, не имеющих никаких прав на комнаты.

Глава 16

Когда я спустилась на первый этаж, бабушка-консьержка со смаком ела бутерброд. Запах лука, помидоров и курятины носился по подъезду. Похоже, у старушки полный порядок с желудочно-кишечным трактом, никакой диеты она не соблюдает, вон какой толстый шматок, целый окорочок лежит на куске бородинского хлеба. Наверное, замечательно вкусный сандвич, к нему бы подошел кетчуп.

Словно услыхав мои мысли, бабуся открыла ящик стола, вытащила пластиковую бутылочку и выдавила из нее струйку темно-красного, густого соуса.

Мой рот наполнился слюной. Что я ела сегодня? Утром выпила кофе, правда, со сливками, потом... потом... а ничего! Некогда было.

Неожиданно у меня закружилась голова, лицо бабушки затянула серая сетка...

— Эй, — настороженно спросила бабка, — тебе плохо?

— Нет, — прошептала я, — нормально.

— А ну садись, — велела старушка, вставая, — устраивайся на моем месте.

Следовало отказаться и уйти, но сетка перед глазами стала гуще, к тому же, как назло, в ушах начался странный писк, словно меня разом атаковало штук двести разъяренных комаров. Я как сомнамбула подошла к стулу и упала на продавленное сиденье.

— На, — старуха поставила передо мной бутылочку газировки, — не пью краску, да и остальным не советую. Только по молодым годам частенько в обморок грохалась, от духоты, сосуды у меня с детства слабые, очень хорошо знаю, нужно сладкого хлебнуть.

Я машинально отпила прямо из горлышка и через пару секунд вернулась в нормальное состояние.

— Полегчало, — констатировала бабка. — Кстати, ты не беременная?

— Нет.

— Тогда слушай, — с самым серьезным видом принялась поучать меня консьержка, — во-первых, прояви разумность. Состояние сосудистой системы передается по наследству. Что бы там ни говорили, но, если твои родители умерли, не достигнув пятидесяти от инсульта, ты в группе риска. Нужно тщательно заботиться о себе. Во-первых — движение. Два раза в неделю посещай спортивный зал, обязательно кардиотренажеры, причем учти, что заниматься на них следует не менее сорока минут до легкого пота. Если будешь по дорожке брести, еле-еле переставляя ноги, никакого толка не получится. Второе. Контрастный душ — тренировка сосудов. Третье. Еда. Пожалуй, самое главное. Уровень холестерина в крови...

— Вы говорите прямо как врач, — улыбнулась я.

— Почему как? — удивилась бабуся. — Я имею диплом медика.

— И сидите у лифта? — изумленно воскликнула я. Бабушка покосилась на свой бутерброд.

— Что же тут странного?

— Ученый человек, а работаете консьержкой!

Старушка покивала головой.

— Таких много, пенсия копеечная, муж умер, сбережения государство благополучно скушало, на что мне жить? Вот и торчу тут, за порядком приглядываю. Некоторым, конечно, больше повезло. Вот, например, подруга моя Вера Попова, та рано умерла, а я все тяну и тяну, пенсии на оплату квартиры едва хватает. Задрали коммунальные платежи до небес, небось поджидают, что старички побыстрей на тот свет уберутся. Только мы многое испытали, нас так просто не убьешь. Хотя Вера вот ушла. Ей, впрочем, дети помогли! Да уж, порадовалась на отпрысков. Петя, тот спекулянтом заделался. Ну не позор ли?

— Постойте! — воскликнула я. — Ваша подруга, Вера Попова, была женой Владимира и имела сыновей Мишу с Петей?

— Верно, — удивилась бабушка, — а ты откуда знаешь?

— И вы крепко дружили?

— Хорошими подругами считались, — с достоинством сообщила консьержка.

Я вскочила и вцепилась в бабусю.

— Как вас зовут?

— Полина Михайловна, — ошарашенно ответила старуха.

— Милая, дорогая, любимая, помогите мне! — закричала я, понимая, что судьба неожиданно послала мне замечательный подарок.

— Ты истерику-то прекрати, — решительно велела Полина Михайловна, — какой от крика толк. Чем же я тебе помочь могу, а?

— Расскажите про Поповых!

— Кому же они интересны?

— Мне. Очень. Просто до смерти! Вы же хорошо знали и детей, и родителей?

— Ну... да... конечно, — кивнула бабушка, — только я никак не пойму, кто ты?

— Сейчас все объясню! — воскликнула я.

Полина Михайловна глянула на большие круглые часы, висящие над лифтом, и радостно констатировала.

— Ага! Двадцать ноль-ноль. Моя смена закончилась. Пошли наверх, чаем угощу и бутерброд дам, а то у тебя слюни при виде моей еды потекли.

Я улыбнулась:

— Верно. Наверное, и правда потекли, раз вы заметили.

— Эх, голубушка, — протянула Полина Михайловна, — я в таком месте работала, где ничто без внимания оставить было нельзя, лаборатория номер семь, не слышала?

— Никогда.

— И то верно, — кивнула консьержка, — о ней никто до сих пор не рассказывал, потому как все давно покойники, похоже, одна я осталась, а мне и поболтать не с кем, с тех пор, как Павел Семенович умер, живу одна. Ладно, поехали.

Квартира Полины Михайловны вполне могла бы служить съемочной площадкой для фильма про чудаковатого профессора, целиком и полностью отдавшего себя науке. Книги тут были повсюду, даже в кухне над дверью висела дубовая полка, забитая растрепанными томами.

Полина Михайловна налила мне чаю, очень крепкого, сладкого и горячего. В качестве угощения она выложила на стол мягкий батон белого хлеба, поставила коробочку плавленого сыра и нарезала лимон.

— Конечно, это не слишком уж шикарное угощение, — вздохнула старушка, — но ко мне гости не ходят. Нам с Пашей когда-то еще такой плавленый сыр в продуктовых заказах давали. Отнюдь не полезная для здоровья вещь, но, когда недалеко маячит кладбище, можно наконец забыть о правильном питании и хоть перед смертью поесть жареное, копченое, соленое, сладкое — все вредное, но очень вкусное. Когда ж еще себя порадовать? Лично мне все равно, какого размера саван намотают на меня после кончины. Скажешь, я не права? Или ты плавленый сыр не ешь?

Я улыбнулась:

— Во время моего детства этот сыр вдруг невесть откуда появился в обычной продаже. Кстати, мое имя Виола, представляете, как меня дразнили одноклассники? Иначе как «сырная замазка» и не звали!

— Дети подчас бывают жестоки, — по-птичьи склонила набок голову Полина Михайловна, — бедная Верочка целиком и полностью ощутила это на своей шкуре. Ну, рассказывай.

Я отхлебнула удивительно вкусный чай, откусила от толстого бутерброда и с набитым ртом пробормотала:

— Значит, так...

— Сначала прожуй, — велела Полина Михайловна, — да не торопись, никто не отнимет. Времени полно, меня бессонница замучила, до трех утра в кровати ворочаюсь и свою жизнь перебираю.

Я быстро проглотила сандвич, откашлялась и завела рассказ.

Выслушав меня, Полина Михайловна вновь включила чайник и тихо сказала:

— Что ж! Наверное, эксперимент можно было бы считать оконченным. Жаль, что ни у Петра, ни у Михаила нет детей. Интересна динамика процесса. Еще больше жаль, что погибла Аня. По женской линии...

— Кто такая Аня? — удивилась я.

— Сестра Петра и Михаила, — ответила Полина Михайловна.

— Я ничего о ней не слышала!

— Правильно, — кивнула старушка, — небось братья и не в курсе, про нее и Юру.

— А это кто?

— Их брат. У Веры четверо детей родилось, вот уж кто на науку поработал, так это она! Юра первым родился, затем Миша, следом Петя, а уж потом Аня, последыш. Очень тогда все обрадовались, что она девочка. Интересные возможности открывались. Мы-то с Павлом ничем помочь не могли. У Малины, правда, сынок народился, только Николай пил.

— Вы знали Николая Малину?

— Конечно.

— Откуда?

— Жили вначале в одной коммуналке. Малина, Поповы, Зина с Игорем и мы, Смайкины. А потом нам и Поповым отдельное жилье дали, за хорошую работу. Малину уволили, пил он много. Игорь Федорович, увы, оказался в нашей лаборатории балластом. Вот поэтому они с Зиной остались в коммуналке.

— Ничего пока не понимаю.

Полина Михайловна улыбнулась:

— Ну, попробую объяснить. Ты в школе ведь еще при Советах училась?

— Конечно.

— Значит, помнишь про строительство коммунизма?

— Смутно, — призналась я, — никогда особо политикой не интересовалась.

— А в те годы и интересоваться было не надо, — хмыкнула старуха, — из радио и телевизора лишь одно неслось: поддерживаем и одобряем политику партии и правительства. И газеты об этом писали, и книги. Фамилию Ленин помнишь?

— Естественно.

— Так вот он наметил план построения коммунизма в одной отдельно взятой стране, и был там пункт: воспитание человека нового общества. Ясно?

— Не слишком. Кто такой человек нового общества?

Полина Михайловна заулыбалась.

— Личность всесторонне образованная, гармоничная, развитая как физически, так и духовно, талантливая, с ярко выраженными задатками либо ученого, либо артиста, либо писателя, либо рабочего. Наш новый мир должен был состоять именно из таких людей. Пьяницы, воры, мошенники, обманщики — подобных просто не должно быть.

— А куда же они делись бы?

Полина Михайловна вытащила сигарету и закурила.

— То, что я расскажу тебе сейчас, сильно смахивает на фантастический рассказ, но, как бы нелепо и странно ни звучали мои слова, в них все правда. Ты только выслушай меня внимательно, я пойду, так сказать, от печки, иначе не разберешься. Сначала изложу историческую часть о том, что происходило очень и очень давно, перечислю события, участницей которых лично никогда не была и быть не могла.

Я устроилась поудобнее на стуле и вся превратилась в слух.

— Тот, кто хорошо знает историю науки, в курсе того, что самые великие открытия делают фанатики, люди, забывшие про все на свете, кроме пробирок и лабораторных столов. Гений может родиться в самом далеком селе или крохотном городке, местное население будет посмеиваться над чудаком, который, натянув на голые ноги калоши, бредет по главной улице, размахивая руками. Стать женой такого человека истинное бедствие, супругу наплевать на все, кроме своих исследований. Подобной личностью, кстати, был великий Константин Циолковский, скромный учитель из провинциальной Калуги. Над ним потешался весь город, впрочем, вся Калуга жалела его родных. Каким образом еще в конце XIX века он сумел заявить о возможности использования ракет для межпланетных сообщений и наметить пути развития космонавтики, остается непонятным. Но факты упрямая вещь, даже сейчас, в XXI веке, труды не понятого современниками Циолковского являются базовыми в ракетостроении, а его фраза о том, что человечество освоит открытый космос и в конце концов расселится на разных планетах, звучит и поныне сказочно. Только сегодня, учитывая важность работ Циолковского, ученые, занимающиеся полетами за пределы атмосферы Земли, называют их пророческими и признают, что попросту еще не готовы полностью осознать и оценить творческое наследие Циолковского.

Вопрос: почему ничем не примечательный учитель из Калуги стал гением? С какой стати у полуграмотной деревенской женщины появился на свет

Сергей Есенин? Что толкнуло сына рыбака Михаила Ломоносова пойти с обозом в Москву, где он стал впоследствии знаменитым ученым? Отчего у беспробудно пьющих родителей, не умеющих читать, рождается великий писатель или гениальная балерина? Почему самый обычный ребенок, воспитанный вечно занятой добычей денег мамой, вырастает в удивительного математика, а другой мальчик, с папой-академиком и армией замечательных репетиторов, не способен выучить таблицу умножения?

На эти вопросы нет пока ответа, все педагогические теории, все методики по воспитанию и всестороннему развитию детей разбиваются о генетику. Что выросло, то выросло. Но всегда находятся люди, готовые поспорить с природой, искренне считающие, будто они знают ответы на любые, самые таинственные вопросы.

В 1919 году к Владимиру Ленину прорвался странный мужчина. Он положил на стол Председателя Совнаркома пухлую папку и начал страстно излагать свои мысли. Чудаковатого вида дядечка оказался ученым Демьяном Поповым, очень образованным по тем временам человеком, химиком и врачом.

— Я изобрел уникальное средство, — вещал он, — замечательные инъекции, которые следует делать новорожденным детям. Человечество станет лучше, исчезнут пороки, такие, как воровство, ложь, пьянство...

Сейчас не принято говорить хорошо о людях, совершивших приснопамятный Октябрьский переворот в 1917 году. Я нарушу эту традицию и назову Владимира Ленина трагической, искренно желавшей счастья всем людям фигурой. Ради достижения своей цели он был готов идти любым путем, отдельный человек как таковой, некий крестьянин из деревни под Тамбовом, умирающий от голода или убитый красноармейцами, его не волновал. Ленин думал о всем народе в целом, он тоже был фанатиком. Похоже, что незадолго до смерти он понял, что натворил, и испугался, любознательному человеку, взявшему в руки тома его писем и записок, не книги, посвященные теоретическим проблемам, а именно личную переписку, многое становится понятно. Но не об этом речь. Ленин был образованным человеком, но ни в химии, ни в медицине, ни в анатомии с физиологией он не разбирался, а о генетике в те годы даже не слышали. Только Попов был настолько убедителен, у него так горели глаза, что вождь пролетариата велел дать Демьяну Филаретовичу все, о чем тот просил: помещение и деньги.

Лаборатория заработала, сначала она существовала в Петрограде, потом перебралась в Москву.

Полина Михайловна закашлялась, потом спросила:

— Понятно?

— В общем, да, — кивнула я, — был даже такой фильм в свое время, о том, как Ленин спас от голодной смерти великого ученого.

Полина Михайловна кивнула:

— Верно. Правители всегда понимали, что без науки никуда. Именно по этой причине коммунисты и давали пайки и всякие блага тем, кто двигал вперед научно-технический прогресс. Приоритетными считались направления военно-промышленного комплекса. Ну да это всего лишь предисловие, теперь слушай саму историю. Когда я окончила институт во Владивостоке, между прочим, с красным дипломом, меня вызвали в партком, где торжественно сообщили, что с комсомолкой, спортсменкой и отличницей Сергеевой желает поговорить некий Иван Иванович. Понимаешь, о ком речь?

Я кивнула.

— Да. Скорей всего, представитель КГБ, Комитета государственной безопасности, впрочем, не знаю, это ли название имела структура в те времена.

— Не в вывеске дело, — отмахнулась Полина Михайловна.

Иван Иванович торжественно сообщил выпускнице:

— Вы приглашаетесь на работу в спецлабораторию. Имейте в виду, место службы и какие-либо сведения о нем разглашению не подлежат. Мы отобрали вас из тысяч претенденток, любая комсомолка была бы счастлива отправиться в Москву.

— Куда? — ахнула Полина, совершенно не ожидавшая такого поворота событий.

Честно говоря, девушка, начитавшись Вересаева[1], собиралась стать сельским доктором, на все руки мастером, способным и роды принять, и операцию сделать, и зуб удалить. Полина мечтала жить в деревне, ее тянуло к земле, хотелось после тяжелого рабочего дня покопаться в огороде, сходить в баньку и лечь в кровать с радостным ощущением человека, который с раннего утра делал добро, помогал недужным людям. А тут вдруг надо ехать в неведомую и страшную Москву.

Но спорить с Иваном Ивановичем было нельзя, и очень скоро Полину на шумном столичном вокзале встретили два хмурых дядьки. Они отобрали у девушки чемодан, сунули свежеиспеченного доктора

---

[1] В е р е с а е в В.В. (1867—1945 гг.) — русский, советский писатель, врач по образованию. Написал, в частности, «Записки врача» (1901 г.).

внутрь легкового автомобиля со шторками на окнах и привезли в... больницу.

Симпатичный молодой человек отвел Полину в комнату, которая больше походила на обычную спальню, и объяснил:

— Прежде чем начать службу в лаборатории, вам следует пройти всестороннее обследование, потому что к нам берут лишь стопроцентно здоровых людей, безо всяких отклонений со стороны психики и внутренних органов.

Полина кивнула, а что ей оставалось делать? Целый месяц девушку изучали специалисты, они менялись. Один брал кровь, другой заставлял прыгать и отжиматься от пола, третий жужжал бормашиной. Но основным лечащим врачом оставался тот самый симпатичный и молодой Паша Смайкин.

Через неделю Полечка поняла, что Паша ей нравится, спустя две влюбилась в доктора. А он, похоже, тоже не остался к ней равнодушен, приносил Поле цветы и милые пустячки вроде симпатичной кружечки.

Ровно через месяц пребывания в клинике Паша вошел в комнату к Полине, сел на стул и вдруг сказал:

— Видишь, как получилось. Выходи за меня замуж, если, конечно, я совсем уж тебе не противен.

Девушка чуть было не бросилась ему на шею, но в те годы это считалось неприличным, требовалось слегка поломаться, изображая смущение, вот почему Полина прищурилась и кокетливо ответила:

— А если противен, тогда как?

Паша вздохнул:

— Альтернативы нет. Все равно придется регистрироваться со мной, а потом родить ребенка, это обязательное условие. Тебя для этого привезли из Владивостока, а меня из городка Мары.

Полина чуть не упала с кровати от удивления.

— Что?

Смайкин взъерошил волосы.

— Все равно правду узнаешь, слушай.

Глава 17

Вот тут-то изумленная Полина впервые услышала про Демьяна Филаретовича Попова.

— Он был великим ученым, — восклицал Павел, — разработал удивительное средство. А еще, как многие гениальные исследователи, решил испробовать его на себе.

Полина только моргала. Она недавно закончила медицинский институт и хорошо помнила рассказы преподавателей о самоотверженных людях, которые, чтобы точно описать клиническую картину той или иной страшной болезни и помочь найти от нее лекарство, заражали себя чумой, холерой, туберкулезом. Исследования ведь, как правило, проводятся на животных, кто же разрешит превращать человека в подопытного кролика? Только, при всей схожести, обезьяны и люди все же разные особи, поэтому кое-кто из ученых самоотверженно жертвовал собой.

Вот и Демьян Филаретович принадлежал к таким. Он был уверен, что создал вакцину, после применения которой человек станет жить вечно. Действие лекарства было ступенчатым. Супружеская пара получала серию уколов и после этого курса рожала ребенка. Отец и мать, увы, долгожителями стать не могли, но их чадо в первые же минуты появления на свет получало дозу лекарства, и вот этому дитяти суждено уже было прожить на земле более ста лет, его потомку, получившему при рождении ту же дозу, уже гарантировалось два века. А дальше просто: следовало лишь колоть детей, но не всех, а избранных, наиболее умных, талантливых, работоспособных и здоровых, отбирать таких, которые не имеют в роду сумасшедших, пьяниц и воров. В результате через пару сотен лет Землю будут населять совершенные люди, которые, сильно продвинув науку вперед, сделают человека в конце концов бессмертным.

Не станем сейчас рассматривать проблему с морально-этической стороны. Перед Демьяном возникли практические задачи, а именно — где найти добровольцев, молодых и здоровых людей, которые сначала согласятся сами на введение совершенно неизученного лекарства, а потом позволят колоть его своим новорожденным детям. При этом учтите, что успех эксперимента находился под большим вопросом.

Сообразив, что дураков, готовых на сомнительный опыт ради счастья потомков, не сыскать, Демьян принял решение поставить опыт на себе и своих соратниках, таких же ненормальных ученых, вместе с ним работавших над созданием вакцины.

Павел посмотрел на притихшую Полину и добавил:

— Лаборатория работает и поныне, эксперименты идут на мышах, кроликах, ну и так далее. Человеческих особей, рожденных от людей, получивших дозу уколов, на Земле всего пятеро. Я, Игорь Ласкин, Коля Малина, внук Демьяна Володя Попов и Лена Иванова. Эксперимент должен быть продолжен, поэтому нам подыскали жен, а Леночке мужа.

Выбирали из тысяч, придирчиво изучая кандидатов. Тебя назначили мне в супруги.

Полина кивнула.

— Поняла. А что, остальные женщины тоже в курсе происходящего?

Павел ответил:

— Не все, вот Зинаида, жена Игоря, она совсем простая, без высшего образования, как, впрочем, и Света, супруга Малины. Вы же с Верой дипломированные врачи и станете нам еще и помощницами. Ты оцениваешь величие задачи? Спустя столетия в учебниках напишут о нашей лаборатории, об исследователях, подаривших человечеству бессмертие, нам поставят памятники!

Полина попыталась разобраться в происходящем и стала задавать вопросы:

— Почему тебе и Попову подыскали медичек, а остальным необразованных женщин?

Паша ласково обнял Полину.

— Это же эсперимент. Надо изучить все возможности. Он ученый, она ему под стать. Он талантливый, она обычная домохозяйка. Она умнейший человек, а он солдафон, ничем, кроме здоровья, не примечательный.

Вот Лена Иванова, светлая голова, Ленинградский университет закончила с блеском, ей нашли пару, Григория, военного. Два метра ростом, плечи во, пятаки пальцами гнет. Знаешь, от такой пары может пойти идеальная ветвь солдат, сильных, смелых и, может, еще и умных. Понимаешь, какая армия у нас будет в будущем? Мы весь мировой капитализм разобьем! Согласна?

Полина кивнула.

— Вот и хорошо, — обрадовался Паша, — ты мне очень понравилась, я тебе, похоже, тоже. Нам повезло, вот Кольке Малине и Ленке Ивановой их половины не очень-то по душе. В особенности Лене, ее Гриша просто долдон, ей с ним очень тяжело будет, но эксперимент есть эксперимент.

— Похоже, что этот Гриша, как Зина и Светлана, ничего знать не будет, — протянула Полина.

Паша улыбнулся:

— Ты и Вера очень умные женщины, вы станете нам помогать в работе. Об остальных речи вести не будем. Жить нам пока предстоит вместе, в одной квартире, потом нас расселят. Единственная, кто уже имеет отдельную жилплощадь, это Лена Иванова, ее Григорий коренной москвич, он в столице служить останется. Наша же задача побыстрее родить детей, причем как можно больше, ясно?

Полина покраснела:

— Да.

Вот так и началась их семейная жизнь. В коммуналке Смайкины прожили недолго, потом Полина забеременела, и их с Павлом отселили в новый дом. Вера и Владимир, тоже ожидавшие наследника, оказались с ними на одной лестничной клетке. Женщины стали близкими подругами, работали вместе с мужьями. Кстати, Зина не была допущена в лабораторию, она и Света Малина трудились совсем в другом месте. Григорий, муж Елены Ивановой, служил в каком-то подразделении. Где, Полина не знала, напоминавший Скалозуба мужик ее мало интересовал. Впрочем, Елена ей тоже не нравилась. Та была очень, как сейчас говорят, крутой. Постоянно подчеркивала свой ум и исключительность, с такой фифой общаться трудно.

Сотрудники лаборатории номер семь официально занимались разработкой лекарства от тромбофлебита. Кстати, Владимир, самый талантливый из компании, придумал-таки весьма недурное средство, запущенное в производство. Но основным направлением было не оно, ученые старательно совершенствовали вакцину Демьяна Попова. Они охотно обсуждали между собой поведение лабораторных мышей, с радостью отмечали, что каждое следующее поколение живет дольше, чем предыдущее, но о том, что у них скоро родятся дети, молчали. Потом Полина и Вера ушли в декрет, обе почти одновременно.

Первой родила Полина, мальчик у нее был насквозь больной, с недоразвитыми легкими, он прожил на этом свете чуть меньше часа и умер. Полина горевала ужасно. Мало того, что она потеряла новорожденного сына, так еще и не оправдала возложенные на нее надежды.

— Ничего, — утешал жену Павел, — какие наши годы, еще появятся крепкие наследники.

Но некто, распоряжающийся на небе судьбами людей, имел, очевидно, иные планы в отношении Смайкиных. Через месяц после того, как Полина потеряла первенца, Павел подцепил детскую инфекцию со смешным названием «свинка». Где он заразился, осталось непонятным, скорей всего, столкнулся в общественном транспорте с ребенком-бациллоносителем. Обычно взрослые без всяких последствий общаются с такими малышами, но Паше «повезло».

Смайкина моментально изолировали, и он благополучно выздоровел. Но через некоторое время стало понятно, что, полностью сохранив мужские качества, Павел потерял репродуктивные. Свинка иногда дает подобные осложнения. Некоторые мальчики, переболев ею, навсегда лишаются возможности стать отцами. Вообще-то представители сильного пола не очень-то переживают из-за бесплодия, которое ни в коем случае не следует путать с импотенцией, кое-кто даже считает, что ему повезло, но для Павла случившееся было сильнейшим ударом. Он остался работать в лаборатории, Полина тоже, но никогда ни муж, ни жена не заговаривали о своей беде, даже оставшись вдвоем, старательно обходили эту тему.

У Зины с Игорем дела тоже шли неладно. Полина, естественно, не любопытничала и не расспрашивала, в чем дело, но в конце концов Игорь сам признался Павлу:

— На меня надежды нет, похоже, мы занимаемся не божеским делом, раз нас неудачи преследуют. Ох, не случайно ты свинкой заболел, а я оказался не способен к зачатью. Господь все видит и не одобряет эту затею.

— Не пори чушь, — оборвал его Паша, — на Лену и Веру посмотри.

И правда, Лена родила здоровую во всех отношениях девочку и осела дома. Ее дочь получила необходимую дозу лекарства, и теперь ребенка следовало воспитывать по разработанным методикам. У Коли и Светы Малина тоже появился мальчик, названный модным в то время именем Эдик. Но больше всех принесла на алтарь науки Вера Попова. У той родилось четыре ребенка, три мальчика-погодка и девочка Аня...

Полина Михайловна остановилась, вынула из ящика буфета пачку бумажных носовых платков, шумно высморкалась и с горечью сказала:

— И чем дольше я всех детей наблюдала, тем больше понимала, что Игорь был прав, нехорошим делом мы занимались, неправильным. В конце концов даже Роману, похоже, в голову пришло, что в лаборатории не все ладно.

— Кому?

Полина Михайловна бросила скомканный платок в мусорное ведро.

— Ну в лаборатории работало еще несколько человек, которые не были посвящены в главную тайну. Одним из них был Роман Свапов, он за мышами следил. Очень умный паренек, похоже, он сильно Лене Ивановой нравился. Мне одно время грешным делом показалось, что Лена своему Григорию изменить собралась. Только потом она забеременела, и я глупости из головы выбросила.

— Почему? — быстро спросила я. — Вдруг эта Лена не от противного супруга родила?

Полина Михайловна покачала головой:

— Нет. Вот уж кто был фанатично предан делу, так это Лена. Она мечтала стать основательницей расы суперлюдей, понимала, что Григорий совершенно неподходящий для нее муж, но он идеальный донор спермы. От такого должны были получиться хорошие отпрыски. Даже если ей и пришелся по сердцу Роман Свапов, она бы никогда физически не изменила Григорию. Лена произвела на свет дочь, мгновенно забросила научную карьеру и стала воспитывать девочку.

— И ей разрешили? — удивилась я.

— Конечно, — кивнула Полина Михайловна, — ведь основной задачей женщин лаборатории было рождение и воспитание ребенка по специальным методикам, вот Лена и направила все свои усилия в эту сторону. Я с ней не дружила, впрочем, она сама не желала никакого общения, дистанцировалась от нас полностью. Я потеряла ее из виду еще раньше, чем развалилась лаборатория. А вот с остальными жила в тесном контакте. Тут еще такая деталь: Малина и Зина с Игорем остались в коммуналке. Николай неожиданно начал пить запоями. С чего его потянуло к бутылке, не знал никто. Просто в один прекрасный день Малина набрался и «квасил» потом безостановочно неделю.

Владимир Попов, прямой потомок Демьяна и начальник лаборатории, не выгнал Николая Малину сразу, хотя понял — Эдик пустой номер. Мальчик, рожденный от человека, ставшего алкоголиком, абсолютно не нужен для науки. Если отец или мать употребляют алкоголь, то их ребенок рискует появиться на свет ущербным, в этом Владимир был абсолютно уверен. Даже если малыш и выглядит вполне нормальным, то потом патология обязательно проявится. Женщины, рожающие от пьяниц, сильно рискуют. И Попов поставил на Эдике Малине жирный крест. Конечно, Владимиру было очень неприятно, что количество участников эксперимента сокращается, но ведь в любой работе бывает бракованный материал.

Николай, узнавший о решении Владимира, возмутился и попытался доказать, что его сын вполне здоров. Но Попов был неумолим, вакцину для новорожденного он, правда, дал, но резко сказал Николаю:

— Любовь к выпивке передается по наследству, ты поступил отвратительно, не сообщив нам о своей пагубной страсти.

— Меня проверили перед приемом на работу, — взвился Коля, — и сделали вывод: я здоров.

Владимир сказал.

— Имей в виду, что нас, детей, рожденных от «обработанных» родителей и получивших в детстве «прививку», всего пять человек. Любые отклонения в наших организмах могут объясняться мутацией, поэтому диагноз «здоров» в твоем случае ни о чем не говорит, проверяющие просто не знают, что для нас есть норма. Тебя же, дурака, спросили:

— Пьешь?

Отчего ты ответил «нет»?

— Нет!

— Так ведь и вправду я не употребляю, — заныл Коля, — пьяница — это человек, который нажирается постоянно, а меня к рюмке один, ну два раза в год тянет.

— И это говорит врач! — с укоризной воскликнул Володя. — Слушать противно.

После неприятного разговора Коля ушел в длительный запой, потом он еще год поработал у Попова и начал пить безостановочно. В результате из лаборатории он вылетел и, окончательно спившись, быстро умер. Эдик остался с матерью.

Полина Михайловна особо судьбой «дефектного» материала не интересовалась. И Володя Попов, и Паша Смайкин вычеркнули Эдика Малину из области своих интересов. Единственное, что знала Полина, это то, что Эдуард страдает припадками безудержного гнева и уже в школе начал прикладываться к бутылке. Яблоко от яблони недалеко падает, не зря русский народ придумал сию замечательную пословицу.

Вся надежда ученых теперь была на дочь Лены Ивановой и детей Поповых.

Первым у Веры родился Юра, не успело младенцу исполниться одиннадцать месяцев, как на свет явился Миша, а за ним в самый кратчайший, отпущенный природой для деторождения срок пришел на наш свет Петя. Вера четко выполняла данную ей установку. Одна беда: у нее рождались лишь мальчики, для чистоты эксперимента требовалась еще и девочка. Но Поповы не унывали.

Вера начала заниматься детьми буквально в день родов. Все было подчинено эксперименту. Владимир сам принимал сыновей, новорожденных в детское отделение не относили, они оставались вместе с матерью и сразу были приложены к груди.

Поповы не могли нарадоваться на малышей, крепенькие, словно грибочки-боровики, очень друг на друга похожие, они демонстрировали удивительные способности. Миша, правда, не слишком выделялся, он был как все, а вот Юра в год уже знал буквы, и Петя, самый младший, явно мог стать великим математиком, простые арифметические действия он освоил в том возрасте, когда его сверстники едва начинают робко говорить полноценными фразами.

У Лены же Ивановой дела шли не так хорошо. Ее девочка, названная диковинным именем Кирстанаида, росла очень болезненной. Обследовавшие ее врачи лишь качали головами. У ребенка, родители которого были совершенно здоровыми, нашли целый букет заболеваний, от диатеза до явных неполадок с сосудами. И хоть Лена старательно выполняла все предписания специалистов: закаляла девочку, занималась с ней, но успехов не было. Кирстанаида никаких особых талантов не выказывала и к трем годам была, в отличие от сыновей Поповых, как все дети. Ангел, целующий в темечко талантливых людей, при ее рождении явно отвлекся на кого-то другого и дочку Ивановой попросту не заметил.

Полина старалась не завидовать Вере, она часто забегала к Поповым и любовалась на деток-крепышей.

— Правда замечательный? — радовалась Вера,

показывая почему-то всегда на Юру. — Настоящий богатырь.

— Да, — подхватывала Полина, — все хороши, просто Ильи Муромцы.

Восторг Смайкиной был искренним, но иногда, вернувшись домой, она оглядывала тихую, не наполненную детскими голосами квартиру и невольно задавала себе вопросы. Отчего жизнь столь несправедлива? Почему Верочка родила троих отличных малышей, а единственный сыночек Полины умер? Ну с какой стати именно ее, простую девушку из Владивостока, выбрали для участия в эксперименте? Может, останься она в родных местах, так и жизнь бы протекла счастливее? Вышла бы Полина замуж, обзавелась наследниками и не плакала бы сейчас в пустой квартире?

Полина ругала себя за слезливость и за нехорошее чувство, название которому зависть. Но очень скоро в жизни Поповых стали происходить такие изменения, что завидовать этой паре стало попросту невозможно.

Глава 18

Перед тем как развязать мешок с бедами, судьба еще раз одарила Веру, ей удалось произвести на свет долгожданную доченьку Анечку.

Счастье Поповых было теперь полным. Вся любовь и нежность Веры устремились к Ане, да оно и понятно, грудной младенец требовал большей заботы, чем остальные, уже слегка подросшие дети. Анечке просто на роду было написано стать самой счастливой девочкой на свете. У нее было все: любящие, хорошо обеспеченные родители, три брата-защитника и перспектива прожить более ста лет. Анечка родилась здоровой, крепкой и, вполне вероятно, могла бы послужить одной из прародительниц касты бессмертных людей, о которой мечтали старшие Поповы. Но когда девочке исполнилось три месяца, произошло страшное несчастье.

В тот ужасный день Вера, уложив всех детей спать, побежала в магазин за хлебом. Потом не раз бедная женщина корила себя: ну зачем она оставила деток одних? Но, с другой стороны, ничего ведь не предвещало несчастья. Булочная находилась в двух шагах, отсутствовала мать десять минут, не больше. Уходя, она тщательно закрыла окна, отключила электричество, проверила газ, в общем, проявила необходимую осмотрительность, к тому же, повторюсь, малыши спокойно спали в кроватках.

Назад Вера прибежала быстро, и тут она совершила непростительную ошибку. Она приоткрыла дверь детской, увидела, что сыновья мирно посапывают, а полог над колыбелью Ани не шевелится, и ушла на кухню гладить распашонки.

Через полтора часа к ней прибежал шестилетний Юра и потребовал какао, затем возникли Миша и Петя. Вера быстро дала малышам полдник и пошла в детскую. Отчего-то Анечка до сих пор крепко спала.

Вера отдернула полог и закричала. Вся кроватка была в крови, а девочка мертва.

Попова плохо помнила дальнейшие события. Чудом сохранив самообладание, она заперла мальчиков в кабинете, позвонила мужу и упала в обморок.

Очень скоро Владимир примчался домой, естественно, не один. Веру привели в чувство, допросили и мгновенно увезли в больницу, от переживаний у Поповой случился инфаркт. Через два дня в квартиру к Поповым пришли две молчаливые тетки и увели с собой Юру. Кто они такие, куда забрали ребенка, Полина не знала. Но Юра почему-то сразу понял, что к чему, и очень удивил Полину, которая случайно оказалась свидетельницей событий. Обычно, если в дом приходили гости, дети радостно бежали к двери, предвкушая получение сладостей или подарков. Впрочем, и Миша, и Петя именно так и поступили, услыхав звонок, а вот Юра ринулся в чулан, где хранился всякий ненужный скарб, и затаился между чемоданами.

— Немедленно найди этого, — мрачно велел Владимир, оглядев Мишу и Петю.

Растерянная Полина побегала по квартире, обнаружила Юру и сказала:

— Ты чего спрятался? Пошли, папа зовет.

— Нет, — ответил всегда послушный мальчик.

— Не капризничай.

— Не пойду!

— Пошли.

— Нет, — мотал головой Юра, потом он громко, отчаянно заплакал.

Неожиданно на пороге чулана появился Владимир.

— Замолчи, стервец, — грубо заявил он.

Полина вздрогнула, она не ожидала от Попова таких выражений.

— Выматывайся! — рявкнул отец.

Сын лишь сильнее зарыдал.

— Если сейчас не выйдешь, тебя расстреляют прямо тут, — заявил Попов.

Полина вскрикнула.

— Уходи, тебе пора домой, — велел ей Владимир, — нечего тут стоять, да скажи сотрудникам, чтобы живо его забрали.

Ничего не понимающая Полина была вынуждена уйти в свою квартиру. Правду о происходившем открыл ей вечером муж.

— Юра убил Аню, — сказал Паша, — воспользовался тем, что мать ушла, и совершил злодеяние.

— Это ложь! — воскликнула Полина.

— Увы, это правда.

— Но он не мог такого сделать.

— Почему?

— Юра еще маленький, ему шесть лет, — лепетала Полина.

Павел отшвырнул ложку, которой только что ел суп.

— Маленький, да удаленький. Естественно, сразу стало понятно, кто совершил преступление, сейчас с Юрием работают специалисты, он уже все рассказал. Видишь ли, Юра привык быть любимчиком, до недавнего времени Вера, вот дура-баба, не забывала ему повторять: «Ты лучше всех, дорогой сыночек!»

Ей-богу, не ожидал от нее такого идиотизма! Ведь имела на руках методики, прошла специальный курс педагогики и несла такую чушь ребенку! Дорогой! Естественно, Юра считал себя таковым... Эх, Володя слишком доверял жене! Полагал, что Вера, понимающая, какая величайшая миссия на нее возложена, проявит ум и деликатность. Ан нет! Эта кретинка повела себя словно деревенская, малообразованная баба! Первенец оказался в любимчиках, а Миша с Петей на вторых ролях. Но потом появилась Аня, и внимание матери полностью переключилось на новорожденную. Старшие дети часто ревнуют мать к младшим. Появление нового члена семьи всегда стресс для того, кто еще недавно был самым любимым ребенком. Рождение Миши и Пети прошло для Юры незамеченным, он в то время был совсем крохой, а вот Аня родилась в тот момент, когда Юра твердо усвоил: мама принадлежит ему одному, о Мише и Пете она может заботиться только в свободное от опеки над Юрой время.

Полина молча слушала мужа, первый раз ей в голову пришла мысль: дети не всегда приносят родителям радость.

А Павел, не замечая состояния жены, продолжал:

— Во всем произошедшем виновата Вера. Оказывается, Юра за неделю до совершения ужасного преступления заводил с ней разговор, задавал ей вопросы: «Если человек умирает, это навсегда?», «Может ли врач вылечить того, кого зарезали ножом?»

Следовало насторожиться и осторожно выяснить у сына, с какой стати у него возник столь странный интерес, но Вера и тут проявила тупость. Она не увидела знаков приближающейся беды и спокойно отвечала любознательному мальчику. Ее даже не смутило то, что Юра пару раз переспросил:

— Значит, умирают навсегда?

А еще Вера, придя домой, сразу не заглянула в кроватку дочки. Сделай она это действие, Анечка могла бы остаться в живых, но, когда мать позвала врачей, было уже поздно.

— Что же теперь будет, — воскликнула Полина, — ведь такого крошку никак нельзя наказывать по закону?

Павел хмуро кивнул:

— Верно. Это очень большая проблема. Обычно детей, совершивших противоправные поступки, консультирует психиатр, а потом ребенка отдают в спецшколу, где малолетним преступником занимаются специально обученные преподаватели. Но Юре-то еще даже не исполнилось и семи лет! И потом...

Смайкин замолчал.

— Что еще? — воскликнула Полина.

— Юру вернут родителям, — пояснил Паша, — он слишком мал, чтобы нести ответственность за свои поступки, только Володя не хочет видеть сына.

— Катастрофа, — прошептала Полина.

Павел пожал плечами.

— Может, он и прав? Если мальчик совершил одно преступление, значит, он порочен и никак не может принимать участие в эксперименте. Теперь Юра опасен и для Миши с Петей. Мы не можем рисковать делом всей жизни из-за одного поганца. Сегодня Владимир принял решение, Юра будет отдан в детдом, где его станут воспитывать в строгости, чтобы искоренить в нем всякие криминальные наклонности. Вере запретят общение со старшим сыном.

Полина похолодела.

— Нельзя же думать только о будущих поколениях, — вырвалось у нее, — Вера не вынесет разлуки с малышом.

— Он убийца, — напомнил Павел.

— Он маленький ребенок, — вскипела Полина, — плохо понимающий последствия своих поступков.

— Не ожидал от тебя такой реакции, — с укоризной воскликнул муж, — это не государственный подход, а мещанство.

Глава 19

— Что же случилось потом? — в нетерпении воскликнула я, видя, как Полина Михайловна аккуратно вытаскивает из пачки новый бумажный платок.

Старушка вздохнула:

— А ничего хорошего! Мы с Верой более никогда не говорили на эту тему. Я тщательно следила, чтобы случайно не обронить в разговоре имена «Юра» и «Аня», а Вера никогда не вспоминала ни старшего сына, ни дочь.

Примерно через полгода после описываемых событий Павел, придя домой, сообщил:

— Юра умер.

Полина отшатнулась от мужа.

— От чего?

— От дифтерита, — коротко ответил супруг.

Поля хотела было расспросить мужа подробнее, но тот быстро сказал:

— Никаких подробностей я не знаю. Юра умер до приезда родителей.

Полина проплакала до вечера, она не знала, как следует теперь разговаривать с Верой, и с огромным трудом заставила себя пойти к подруге.

Попова встретила Смайкину как ни в чем не бывало, она не плакала, не причитала, общалась с Полиной спокойно, и последняя ушла домой в глубоком удивлении. Ну разве можно быть столь равнодушной, узнав о кончине ребенка? Впрочем, ночью ей в голову пришла совсем уж дикая мысль. Вдруг Вере не сообщили о произошедшем несчастье?

Бежали годы. Единственной случившейся радостью для сотрудников лаборатории было рождение у Лены Ивановой еще одной девочки. Но счастье матери оказалось недолгим. Едва вторая дочь, тоже названная диковинным именем Кибелла, научилась сидеть, как первая, Кирстанаида, погибла. Косвенно в гибели дочери был виноват отец. Григорий, успевший к тому времени сделать неплохую карьеру на военном поприще, искренне любил девочку. В один из своих редких выходных дней он взял Станю, так звали старшую дочь дома, и пошел с ней в зоопарк. По дороге она захотела мороженое, отец купил эскимо и велел:

— Ешь аккуратно.

Станя засмеялась:

— Проглочу все сразу.

— Не безобразничай, — рассердился отец, — а то отшлепаю.

— А я убегу, — захихикала Станя.

— Иди сюда, — погрозил ей пальцем папа.

Но непослушная девочка побежала от него по тротуару с криком:

— Догони!

— Немедленно вернись! — заорал военный.

— Не догонишь, не догонишь, — стала приплясывать расшалившаяся девочка. Потом она повернулась лицом к папе и, продолжая пятиться, запела: — Надо спортом заниматься, чтобы в догонялки играться.

Кривляясь, Станя не заметила, что пешеходная часть улицы закончилась, и выбежала, все так же спиной вперед, на мостовую. В эту минуту из-за угла вылетел грузовик. Григорий не успел ничего предпринять.

После случившегося несчастья Лена осела дома, она ни на секунду не отпускала от себя младшую девочку. Но при всем при том Елена оставалась исследователем, и Кибеллу она воспитывала с удвоенным тщанием.

А Полина все чаще думала на тему о том, что, наверное, бог все же существует на свете и он против того, что делается в лаборатории.

Вскоре мальчики Поповой достигли подросткового возраста, и стало понятно, что они не соответствуют возложенным на них надеждам. Миша превратился в плохо обучаемого, угрюмого, вечно молчащего школьника, никаких задатков гениальности он не обнаруживал, в его дневнике косяком стояли одни двойки. Мальчик с огромным трудом преодолевал программу даже в младших классах, несмотря на то что мать занималась с ним постоянно. В третий класс мальчика не перевели. Вера взяла сыновей и отбыла на дачу.

Когда мальчики вернулись домой, Полина с трудом узнала Мишу. Тот сильно вытянулся, возмужал и похорошел. Угрюмость и мрачность его исчезли без следа. Ребенок словно родился заново, случаются такие изменения с детьми. Миша стал другим не только внешне, он еще раз отучился в третьем классе и в дальнейшем никогда более не оставался на второй год. Отличником не стал, но получал твердые тройки вперемешку с не совсем справедливыми четверками.

— Попов просто вырос, — комментировала произошедшее классная руководительница, — повзрослел и взялся за ум.

Но, очевидно, чтобы компенсировать трансформацию Миши к лучшему, природа отдохнула на Пете. Родители недолго радовались метаморфозам, произошедшим со старшим сыном. Спустя пару лет младший занялся фарцовкой, и от приводов в милицию его спасало лишь положение отца и его связи. Но в конце концов терпение Владимира лопнуло, и он заорал:

— Пошел вон из моего дома!

И Петя исчез. Куда он подевался, Полина не знала. Попов запретил в его присутствии упоминать имя младшего сына, а Вера, как всегда, делала вид, будто ничего не стряслось.

Вообще-то, Полина считала, что во всех несчастьях, случившихся с детьми Поповых, виновата мать. Сначала она упустила Юру, позволила тому ощутить собственную исключительность, затем спокойно отдала мальчика в детдом и никак не отреагировала на его смерть. Теперь же ситуация повторилась. Миша, претерпевший внезапно радикальные изменения, стихийно стал любимчиком матери, а Петя, чтобы привлечь к себе ее ускользающее внимание, пустился во все тяжкие. Можно было не иметь психологического образования, чтобы понять суть проблем у Поповых.

Полина Михайловна скомкала упаковку платков и швырнула на стол.

— Ну и что вышло из этой затеи?

— Что? — эхом повторила я, чувствуя, что начинается головная боль.

— А ничего, — с горечью констатировала старушка, — мой муж умер относительно молодым от инсульта. То же самое случилось и с Владимиром Поповым. Что стряслось с Зиной и Игорем, понятия не имею. Коля Малина давно погиб от пьянства. Вот сына его Эдика я видела довольно часто, он в старших классах начал дружить с Мишей и иногда приходил к Поповым в гости. Очень агрессивный парень вырос. С ним какая-то неприятная история случилась, вроде он в тюрьму попал, точно не скажу. Петя испарился без следа. Вера умерла, Миша сначала жил около меня, но старался не общаться, пробежит мимо, улыбнется, буркнет: «Здрассти», — на этом все.

Затем он вообще исчез, квартиру сдал. Правда, ее отремонтировал. Наверное, где-то работает, раз сумел деньги собрать, ремонт по нынешним временам дорогое удовольствие.

— А как же лаборатория?

Полина махнула рукой:

— Там все развалилось сразу после смерти Паши и Владимира. Наверное, соответствующие органы, наблюдая за семьями, поняли, это эксперимент обречен на глобальную неудачу. Ну о какой расе сверхлюдей может идти речь? У пьяницы Малины бог знает кто родился, алкоголик с младых ногтей, про Поповых и вспоминать нечего. Расформировали нас, затем наука вообще этому государству не нужна стала, вот и пошла моя служба прахом. Знать бы, что так получится, постаралась бы изо всех сил остаться тогда во Владивостоке. Всем жизнь Володя Попов поломал. Это он виноват, весь в Демьяна пошел, решил человечество осчастливить, а на деле людям жизнь поломал.

Я только о Лене Ивановой ничего не знаю, но думаю, что и у нее ничего хорошего не получилось. Первая девочка погибла, а вторая такая болезненная родилась, прямо катастрофа. Как она на свет появилась, Иванова практически из больниц не вылезала. Потому что у ребенка то отит, то бронхит, то ветрянка, то скарлатина. Хоть Лена из всех нас самая истовая была, очень в эксперимент верила. Но, увы, получается, зря мы жили и работали. Демьян Попов что-то не так рассчитал, а Владимир не сумел лекарство усовершенствовать. Грустно очень.

Качая головой, Полина Михайловна встала, подошла к холодильнику, достала оттуда валокордин и начала тихо говорить:

— Раз, два, три...

Я смотрела, как прозрачные капли медленно падают в рюмку. Науку двигают вперед слегка ненормальные, очень упертые люди. На стене кабинета у великого физика Нильса Бора висел плакат: «Вечного двигателя не существует, это знают все. А вдруг?»

Вот этот вопрос: «А вдруг?», заданный тогда, когда все решили, что ничего сделать нельзя, и стимулирует настоящих ученых, которые не всегда удосуживаются защитить диссертации, полагая, что не в докторской и не в «любительской» работе смысл. Но всему свое время. Сколько поколений мечтало о полетах? Какое количество мужиков, смастерив крылья, прыгало вниз с колоколен и разбивалось насмерть? В конце концов люди твердо поняли — от земли способны оторваться только птицы, и успокоились. Но остались единицы, уверенные в обратном, и теперь мы садимся в самолеты и штурмуем космос.

Может быть, когда-нибудь и появится вакцина бессмертия и люди станут существовать вечно, посвящая долгие годы творчеству, а не пьянству. «Жаль только, жить в эту пору прекрасную уж не придется ни мне, ни тебе» — так, кажется, сказал классик. Ни Демьяну Попову с соратниками, ни Владимиру с потомками коллег предка не удалось создать вакцину. Но меня сейчас волнует только один вопрос.

— Вы знаете, где Миша? — спросила я у Полины Михайловны.

Та уставилась в окно.

— Нехороший он человек вырос.

— Я это уже поняла.

— Обманывал людей филигранно, у многих в нашем доме взаймы разные суммы взял и исчез, — горестно покачала головой Полина Михайловна, — он, вообще-то, с детства особым талантом к вранью отличался! Такого мог наплести, заслушаешься, а потом случайно выяснялось — набрехал. Только

Вера считала это его свойство талантом актера или писателя. Дескать, Миша не врет, просто у него отличная фантазия. А на мой взгляд, за такое мальчика следовало наказывать.

— Не подскажете его новый адрес? — с надеждой спросила я.

— Не знаю его, — ответила старушка.

Я чуть не зарыдала от обиды.

— Совсем не в курсе?

— Абсолютно, — уверенно сказала Полина Михайловна, — мы с ним не общались вовсе. И не припомню, когда виделись.

— Но зачем тогда вы мне так долго рассказывали про лабораторию и судьбу Поповых?

Полина Михайловна улыбнулась:

— Вы же ищете Мишу, значит, должны быть в курсе дела. А потом... знаете, я все время одна и одна, поговорить не с кем, а столько выплеснуть надо. Вот умру, и никто никогда про седьмую лабораторию и не узнает.

Я постаралась скрыть раздражение. Значит, старушка, страдающая от отсутствия общения, поймала меня на крючок. Следовало сообразить, в чем дело, едва она завела рассказ про Ленина и 1919 год. Ну почему я не догадалась? Ведь хорошо знаю, что многих пожилых людей хлебом не корми, а дай им в подробностях рассказать свою биографию. В нашем дворе живет Андрей Силантьевич, девяностолетний старик, сохранивший отчасти разум. Местные жители боятся его, как огня. Целыми днями дедушка сидит у подъезда, поджидая жертву. Не дай бог вам вежливо сказать ему:

— Добрый день.

Мимо дедули нужно мчаться со скоростью ветра, не обращая внимания на издаваемые стариком гудки, в противном случае тебя торжественно усадят на скамейку и заведут бесконечный рассказ о нэпе, Второй мировой войне, пятидесятых годах... Торопиться Андрею Силантьевичу некуда, в слушателя он вцепляется мертвой хваткой, и остается лишь, мерно кивая головой, погибать под лавиной совершенно неинтересных тебе сведений.

Мне же попался Андрей Силантьевич в женском обличье. И еще неизвестно, правду ли рассказала сейчас истосковавшаяся по слушателям старуха. Истории того же Андрея Силантьевича порой сильно разнятся. Иногда он сообщает о том, как ловко крошил истребители фашистов, а затем, забыв, что представлялся летчиком, говорит:

— Наш батальон первым форсировал Днепр.

Вот и пойми, кем он был на самом деле? Лично мне кажется, что Андрей Силантьевич попросту перекладывал в штабе бумажки, героем всех сражений дедушка стал потом, сидя на лавочке у подъезда!

Навесив на лицо фальшивую улыбку, я сказала:

— Огромное спасибо.

— Так не за что, — прищурилась Полина Михайловна, — приходите почаще.

— Обязательно.

— Давайте завтра?

— Ну...

— Значит, я вас жду?

Я вздохнула:

— Увы, в этом месяце не получится.

— Но почему? — расстроилась старушка. — Мы же подружились.

— Уезжаю отдыхать, — лихо соврала я, — до конца... э... ноября.

— Скажите, пожалуйста, какой длинный отпуск!

— Да, верно, — говорила я, быстро двигаясь к двери, — именно так! Я работаю на вредном производстве, вот и заслужила!

На следующее утро я, зевая во весь рот, вползла в здание телецентра. Если сказать, что я стала жертвой жестокой депрессии, это не объяснит ничего. В душе был полный мрак. Каким образом можно помочь Кире, я попросту не понимала. Проделала огромную работу, узнала, кто на самом деле скрывается под именем Эдуарда Малины, нашла адрес Михаила Попова и... абсолютный облом. Тупик. Мерзавец, ловко обманувший глупую Киру, растворился без следа в огромном мегаполисе. Многие преступники хорошо знают, лучше всего прятаться в многомиллионной Москве, тут тебя сам черт не найдет!

Сколько времени Нифонтову продержат в больнице? Ладно, пусть еще месяц, а что дальше? Рано или поздно Борис спросит у жены: «Где ожерелье?» И что той отвечать? «Положила в банк, а в какой, не помню»?

Может, попросить Лизу, чтобы та сказала Боре: «Твоя жена страдает амнезией. Она вследствие комы частично потеряла память»?

Но, насколько я знаю Борю, он начнет методично объезжать все банки и искать драгоценности. Борис не из тех людей, которые способны забыть о дорогой, купленной им на собственноручно заработанные деньги вещи.

Ну и положеньице!

Тяжело дыша, я ввалилась в гримерку и обнаружила там совершенно незнакомую девушку, одетую в униформу телеработников: мятые джинсы и не слишком чистую футболку.

— Ты Виола, новый редактор по гостям? — налетела она на меня. — Держи список.

Я взяла бумажку. Первым номером шла фамилия Сорькина, вторым Капустняк.

— Сначала притащишь эту, — ткнула пальцем в цифру 2 девчонка.

— Тебя как зовут? — сросила я.

— Люся, разве не знаешь?

— Нет, мы же до сих пор не виделись.

— Ерунда, — отмахнулась Люся, — беги за Капустняк Олесей.

— Но вначале идет Ирина Сорькина.

— Она предупредила, что подъедет позже.

— Ладно, в общем-то, мне однофигственно, — согласилась я, — Капустняк так Капустняк. Только кто она? А то еще попаду в дурацкое положение.

Люся хихикнула.

— Олеся — та, которой открылось!

— Что? — заморгала я.

— Все, — окончательно развеселилась Люся, — смысл жизни и прочее. Ну как правильно питаться, что следует делать, чтобы не болеть.

— Она врач?

— Не-а.

— Кто же?

— Вроде бананами торговала, но подробностей сообщить не могу.

— Чем торговала?

— Ба-на-на-ми! — четко произнесла Люся. — Неужели ты никогда не видела такие длинные, желтые фрукты в кожуре, очень вкусные, жаль, от них толстеют больше, чем от жареной картошки. Значит, тащила госпожа Капустняк тару с бананами, а тут случилось нечто. Точно событие не опишу, она всякий раз сама разное говорит. То в нее молния стукнула, то самосвал влетел, то инопланетяне похитили, то хозяин метлой по башке долбанул. В общем, после перенесенного горя у нее резко открылся третий глаз, обострился ум и появилась антенна.

— Антенна? — обалдело переспросила я. — Как у радиоприемника?

— Точно, — кивнула Люся, — верно сечешь ситуацию. Этой самой антенной Олеся в эгрегор втыкается и информацию получает. Очень важную и нужную. Держать подобные сведения при себе она не может, поэтому щедро делится ими с людьми за деньги, на которые очень скромно, почти впроголодь проживает в небольшом, недавно построенном ею сарайчике площадью в тысячу квадратных метров. Расположена евроизбушка в тщательно охраняемом поселке на участке размером с гектар. Вот почему она всем врет, чем ее долбануло, не хочет, чтобы и другие на это место пришли. Людям-то всем охота такие избенки иметь.

— Что такое эгрегор? — спросила я.

— Фиг его знает, — призналась Люся, — я сию Олесю по кабельному телевидению слышала, она там очень задорно вещала. Ну и позвала ее к нам.

— Тебе не кажется, что она шарлатанка? — осторожно спросила я.

Люся ткнула пальцем в висящий на стене календарь.

— Какой у нас нынче месяц?

— Август.

— Во! Сезон отпусков! В Москве никого. Чем эфир забивать? И вообще, настоящих звезд мало, они постоянно с канала на канал переползают и зрителям хуже геморроя надоели. Нужно искать новые лица.

— Но...

— Нечего тут рассуждать, — обозлилась Люся, — вырастешь до генерального продюсера, вызовешь нас к себе в кабинет, вот тут мы встанем в нужную позу и клизму от тебя спокойно получим. Начнем твои речи слушать и умом восхищаться. Только пока ты, Виола Тараканова, у нас на роли «принеси-подай-пошла вон». Сказано идти за Капустняк, вот и рули, хорош тут из себя Ломоносова корчить.

Я горестно вздохнула и пошла вниз.

Капустняк я приметила моментально, издали. В большом холле оказалось пусто, но за парнем в форме, преграждавшим вход в центральное здание, откуда вещает большинство каналов, маячила бабища такого вида, что у любого бы перехватило дыхание. Огромная туша, одетая в ярко-красное платье с нестерпимо зеленым воротником, такого же цвета пуговицами и поясом, обиженно гудела:

— Мне на утреннюю программу. С какой стати меня не пускаете?

— Сейчас вас встретят, — мямлил постовой, худенький мальчик, смотревшийся возле пурпурной глыбы, словно мышь на фоне танка.

— Я бы попила кофе в вашем ресторанчике, — настаивала Капустняк, — ну-ка дай пройти.

— Никак нельзя, — пискнул юноша, опасливо оглядываясь.

— Меня пригласили, — добавила децибел в голос Олеся.

Постовой испуганно вцепился в железную арку, через которую обязаны проходить все желающие попасть в здание.

Я бросилась со всех ног на помощь несчастному ребенку, по недоразумению нацепившему на себя серо-синюю форму. Кто, интересно, принимает мальчиков рахитичного вида на службу в ряды МВД?

Да Олеся Капустняк, девушка, весящая не один центнер, справится с подобным стражником одним щелчком.

— Программа «Проснись и пой», — затараторила я, подлетая к постовому, — это наша гостья.

Дежурный с огромным облегчением воскликнул:

— Ну и хорошо, забирайте!

Ни паспорта, ни какого другого документа, удостоверяющего личность Капустняк, он не спросил, очевидно, перепугался насмерть, представил, как ужасающего вида тетка сядет на него и раздавит, вот и нарушил все существующие должностные инструкции.

— Я стою тут уже десять минут, — укорила меня Олеся.

— Простите, я спустилась точно к назначенному времени, — попыталась отбиться я.

— Я всегда прихожу заранее, — нахмурилась Олеся, — боюсь опоздать.

Я хотела уже возразить, что мне неоткуда было узнать об этой ее похвальной привычке, но, оглядев фигуру Олеси, на всякий случай решила промолчать. Если сорок восемь килограммов ведут куда-то три центнера, то они, имеются в виду килограммы, должны постараться не допустить драки, исход которой предрешен заранее.

— Я очень разволновалась, — хмуро продолжала Олеся, — и теперь хочу есть.

— В этом кафе подают только сладкое, — предостерегла я.

— Вот и хорошо! — плотоядно воскликнула Капустняк. — Ничто так не успокаивает нервы, как добрый кусок торта! Ну-ка, пошли сюда!

Тяжелым шагом она направилась к стойке, я поторопилась за ней.

— У нас не слишком много времени!

— Ерунда! Не собираюсь тут рассиживаться, — сердито рявкнула Капустняк и уставилась на витрину, где были выставлены блюда с выпечкой. — Безобразие!

— Что-то не так? — удивилась я.

— Конечно! — выкрикнула Капустняк. — Тут торгуют дрянью.

— Вообще-то, у нас здесь все вкусное, — возразила я, — лично мне очень понравился «Черный лес», вон тот, с вишенками сверху.

— Фу, — скривилась Капустняк, — он украшен сливками из баллончика, а не взбитыми вручную. Еще в тортик недоложили сахара и масла, поэтому он не поднялся как следует. И вообще, сплошная беда. Вон эклер. И как он вам?

— По-моему, восхитительный.

— Нет нужного количества яиц, — отрезала Капустняк, — а в лежащей рядом с ним «картошке» не хватает коньяка. Идем дальше. «Наполеон» промазали готовым кремом, из пакетика, а не масляно-яичным. Чиз-кейк не стоит даже обсуждать, в него запихнули несвежий творог, а йогуртовое суфле, похоже, даже и не пахнет полезным молочным продуктом. Штрудель выглядит отвратительно, в него положили не кислые, а сладкие яблоки, чем испортили весь вкус. Впрочем, тот, кто слаще морковки ничего не ел, придет в полный восторг, но я-то знаю, о чем говорю!

Я с уважением посмотрела на толстуху. До сих пор считала, что всякие разговоры об антеннах, втыкающихся в информационные поля, окутывающие землю, являются бредом. Но вдруг я не права? Вон как лихо Олеся выяснила всю правду о сладостях. И откуда она узнала про недоложенные яйца, масло и сахар? Не иначе как через антенну ей сообщили свыше правду про пирожные. Мне-то они кажутся потрясающими. Хотя, может, я, по выражению Капустняк, ничего слаще морковки не пробовала?

— Ну, если все так плохо, тогда пошли скорей в студию, — предложила я.

Олеся с сомнением покосилась на витрину, вытянула губы трубочкой, вновь вернула их на место и приняла решение.

— Ну-ка, — приказала она девушке по ту сторону прилавка, — давай всего по порции. Надо попробовать, вдруг я ошибаюсь!

— Мы торопимся, — попыталась я урезонить ее.

— Съем в одно мгновение, — заявила Олеся, подхватывая полный поднос.

Я было двинулась за Капустняк, но была остановлена барменшей:

— Платить кто будет?

— Дайте чек, — попросила я и ринулась с клочком бумаги за Олесей.

Можете мне не верить, но, когда я добежала до столика, за которым устроилась Капустняк, ее поднос оказался пуст. На тарелочках не осталось даже бумажек с вырезанными кружевами, на которые обычно кладут пирожные. Похоже, Капустняк второпях слопала и их.

— Вот, — воскликнула я, протягивая Олесе чек.

Она уставилась на него.

— Я оказалась абсолютно права, — сообщила она, — отвратительная еда, совершенно неудобоваримая, а кофе тут вообще без комментариев. Похоже, повар взял зерна, помыл их в теплой водичке и подал, назвав «Эспрессо». Кстати, «Арабика» в чашке и не ночевала. Сплошная «Робуста», впрочем, вполне пригодный для употребления сорт. Но он значительно дешевле и не обладает нужным послевкусием. А что это вы мне под нос суете?

— Извините, но вы забыли заплатить!

— Я?

— Ну... да.

— Я?

— Взяли поднос и ушли, вот я и принесла чек. Не расстраивайтесь, я тоже иногда проявляю забывчивость.

— Я?

— Вы, — слегка рассердившись, подтвердила я, — расплачивайтесь, и побежали, иначе опоздаем в эфир.

— Я? Я?

— Что-то не так?

— Я должна сама платить за эту гадость?

— Но ведь вы съели все.

— И что из того? Было невкусно. Впору отнести назад.

Я захлопала глазами. Капустняк издевается? Каким образом она намеревается вернуть слопанные харчи?

— И вообще, — заявила Олеся, — меня ведь позвали в гости? Следовательно, угощение за ваши денежки. Или вы, когда людей к себе приглашаете, потом в прихожей счет вручаете: скушала на такую-то сумму, руки мыла, туалетом попользовалась?

У меня загорелись уши.

— Нет, конечно! Своих приятелей я угощаю от души. Но вас-то позвали на телевидение.

— Вот пусть они и платят, — отрезала Олеся, — чай, не разорятся, знаю, знаю, сколько у вас минута рекламы стоит!

— Девочки, не забудьте про деньги! — крикнула барменша.

— Еще молочный коктейль, — ожила Капустняк, — тройную порцию.

Барменша стала взрезать пакет с надписью «Сливки», я схватила рацию, отошла в сторонку и соединилась с Люсей.

— Что там? — недовольно спросила она. — Где Капустняк? Тебе пора за второй теткой идти, она на подходе, звонила, что через пару минут подъедет.

— У меня проблема.

— Во народ, — завозмущалась Люся, — тупые все, аж противно, ничего не могут! Ерунду попросили сделать, гостя привести. Проблемы! Ну и кто ты после этого? Ответь, а? Сама себе оценку дай, чтоб потом не бегала по коридорам и не орала, что тебя оскорбили. Хотя если идиотку кретинкой назвать, то ничего обидного и нет. Простая констатация факта! Да!

— Капустняк сидит в буфете.

— Немедленно выковыривай ее оттуда.

— Не получается.

— Почему???

— Она платить за пирожные не хочет, уверяет, что пришла в гости и, значит, имеет право на бесплатное угощение!

Люся коротко выругалась.

— Ладно, заплати за нее. Мы потом скинемся и тебе вернем.

— У меня столько нет.

— Ну ваще! Тридцати рублей с собой не носишь?

— Тут счет почти на тысячу!

Из рации понеслось тихое хрюканье, потом недоуменный возглас Люси:

— Сколько? Тысяча?

— Да. Она слопала почти все в буфете. И пьет тройную порцию коктейля!

— Вот что, — после короткого раздумья приняла решение Люся, — ты беги к менту, забирай Сорькину и волоки ее в гримерку, а я сама спущусь за этой, блин, Капустняк. Да, поторопись, они у нас одновременно пойдут.

— То есть?

— То есть, то есть, — сердито передразнила Люся, — гостей больше не нарыли. Хорошо хоть этих нашли, ну и придумали феньку, Сорькина — повар, говорят, гениальный, а Капустняк по своей антенне сведения о правильном питании получает. Вот пусть и говорят весь эфир. Одна будет о калорийных котлетах журчать, другая о том, что гречку надо есть прямо так, без термической обработки. Зрители позвонят, вопросики зададут, ну так время и пройдет, пронесется рабочая смена, авось живы останемся. Хватит базлать! Дуй за Сорькиной!

Я сунула рацию в карман и крикнула:

— Извините, пожалуйста!

Капустняк оторвалась от очередной порции коктейля, вытерла тыльной стороной ладони белые «усы» над верхней губой и недовольно протянула:

— Слушаю.

— Сейчас за вами придет редактор, а меня отправляют за второй гостьей.

— Передача посвящена не мне одной? — напряглась Капустняк.

— Все вопросы к начальству, — испуганно сказала я, — я маленький винтик, последняя спица в колесе, ничего не решаю.

— Ладно, — нахмурилась Олеся и велела барменше: — Ну-ка несите еще две порции вашего отвратительного чиз-кейка.

На этот раз около мента стояла очень худая, болезненного вида тетка, замотанная в черный плащ.

— Вы на передачу «Проснись и пой»? — радостно защебетала я.

Сорькина кивнула.

— Можно ваш паспорт?

Ирина, не говоря ни слова, достала из сумочки бордовую книжицу и протянула мне. Я, в свою очередь, передала, не раскрывая, документ постовому.

— Да идите, — махнул рукой парнишка, не удосужившись посмотреть ни в список, ни в удостоверение личности.

Сорькина вошла в холл.

— Нам на второй этаж, — сказала я.

Кивок.

— Тут прямо за кафе есть хороший туалет, очень чистый.

Кивок.

— Зайдете?

Отрицательное покачивание головой.

— Однако сегодня жарко, — пыталась я разговорить гостью.

Кивок.

— Но к вечеру дождь обещали.

Подергивание плечами.

— Хорошо бы слегка похолодало.

Кивок.

— Хотя хочется солнца.

Странная гримаса и кривая улыбка.

Поняв, что Сорькина не желает общаться с «шестеркой», я заткнулась и быстрым шагом пошла вверх по лестнице. Дама абсолютно бесшумно, тенью, скользила за мной. Наконец мы достигли гримерной. Испытывая невероятное облегчение, я распахнула дверь и возвестила:

— Мы пришли!

Сидевшая в большом кресле Олеся повернулась, в пухлой, похожей на подушку ладошке она сжимала сразу три пряника.

— Совершенно отвратительные, — сообщила Капустняк, помахивая лакомством, коим славится город Тула, — приготовлено с нарушением технологии.

— Вот и хорошо, — защебетала Люся, — теперь все в сборе, слушайте маленький инструктаж. Вы, Олеся, садитесь в желтое кресло, слева от ведущего. Ваше платье немного ярковато. Вообще-то, на телевидении лучше избегать излишней пестроты: орнаментов, рисунков в мелкую клеточку, полосочку.

— Это ты ко мне обращаешься? — вскинула вверх брови Капустняк.

— Ну да, — кивнула Люся, — к кому ж еще?

— Я не Олеся, а Ирина, — заявила толстуха и принялась за пряники.

— Бога ради, — закатила глаза Люся, — простите. Вечно девчонки ошибаются. Страшно неудобно вышло, мы ведь с вами незнакомы! А у меня на листочке написано: Капустняк Олеся.

— Это я, — неожиданно звонко сообщила тетка в черном плаще, — Олеся Капустняк.

Люся кашлянула и исподтишка показала мне кулак.

Я сделала большие глаза. Абсолютно ни в чем не виновата. Люся сама заявила: первой приедет Капустняк, Сорькина задерживается. Сама напутала, вот теперь пусть лично и разруливает ситуацию.

— Значит, у двери Капустняк, а в кресле Сорькина? — уточнила Люся.

— Да, — с набитым ртом отозвалась толстуха, — меня зовут Ириной.

— Вот и славно, — защебетала Люся, — вот и супер! Сейчас вам макияжик нанесут, а потом я пару словечек о передаче скажу!

Не переставая улыбаться, Люся ухватила меня за руку и вытолкала в коридор.

— Блин! — в сердцах воскликнула она. — Я офигеваю прямо! Ну отчего у нас постоянная фигня и бардак?

— Ты же говорила, что видела Капустняк, и тебе понравилось, как она выступала, — удивилась я, — неужели не заподозрила неладное, когда сия туша вперлась в гримерку?

Люся почесала в затылке.

— Понимаешь, эта Олеся была в программе «Честное слово».

— И что?

— Там гость сидит за ширмой, его только слышно, — пригорюнилась Люся.

Я усмехнулась:

— Ладно, не беда, никто на тебя не обиделся, похоже...

Конец фразы застрял в горле, потому что из гримерки донеслись крики.

Переглянувшись, мы с Люсей кинулись назад, в комнату.

— Что случилось? — завопила Люся.

Гримерша молча ткнула в сторону Олеси.

— Я попросила ее снять плащ, и вот!

— Вау! — взвизгнула Люся.

Я уставилась на тощую фигуру настоящей Капустняк и от неожиданности икнула. Та была одета в отчаянно яркое, красное платье с зеленым воротником, такого же цвета пуговицами и поясом. На скелетообразной даме одеяние смотрелось лучше, чем на толстухе Ирине, методично доевшей все наши пряники и приступившей к окаменевшим от старости сушкам.

— Да они в одинаковой одежде! — пришла в ужас Люся. — Кошмар!

Но гостьи отчего-то совершенно не смутились.

— Ты прикид небось в фирме «Вос» брала?! — скорее утвердительно, чем вопросительно поинтересовалась Ирина.

Олеся кивнула:

— Мой размер найти трудно, он только в магазинах для подростков встречается, а «Вос» много шьет для таких, как я.

— Ага, — согласилась Ирина, — у меня та же проблема, только я на другом конце линии, ха-ха!

— Что делать? — заломила руки Люся.

— А что случилось? — насторожилась Ирина.

— Вы же в одинаковом!

— Ну и пусть.

— Так нельзя.

— Кто сказал? — осведомилась Олеся.

Люся растерялась:

— Ну... так не принято. Вам надо переодеться!

— Ни за что! — хором ответили гостьи.

— Пожалуйста, — принялась умолять их Люся, — пусть... э... Олеся наденет то, что мы сейчас добудем у костюмеров.

— Почему я? Пусть она переоблачается, — воскликнула Капустняк.

Сорькина покрылась потом.

— Ну уж нет! Красный цвет изумительно оттеняет цвет моего лица, а на фоне зеленого глаза делаются ярче. В отношении меня все решено.

Люся повернулась к Олесе.

— Может...

— Ни за какие коврижки, — коротко отрезала Капустняк.

— Мне кажется, вам изумительно пойдет голубой, — влезла гримерша.

— Нет.

— Желтый?

— Нет.

— Фиолетовый?

— Вы станете все цвета радуги перечислять? — ехидно осведомилась Олеся. — Сказано, нет.

— Плащик накинуть не желаете? — с робкой надеждой поинтересовалась Люся. — Черный цвет замечательно стройнит.

Я прикусила нижнюю губу, в случае госпожи Капустняк сей безотказно действующий на дам аргумент не должен сработать. И точно! Олеся нахмурилась.

— Наверное, я неправильно поняла суть вашей программы. Она что, посвящена фэшн-бизнесу?

— Нет, — пискнула гримерша Ника, — это утренний эфир, «Проснись и пой».

— Тогда какая разница, во что мы одеты? — прочавкала Ирина, подобравшаяся к засохшим мармеладкам.

Люся застонала и схватилась за виски. Гримерша кашлянула.

— Понимаете, на телевидении свои законы...

— Вы всех участников переодеваете? — хрюкнула Ирина, проглатывая очередную конфетку. — Какой-нибудь там звезде шоу-бизнеса предложите неприличную, до пупа, юбчонку на нормальный костюм сменить?

— Нет, — честно ответила я, — такое и в голову никому не придет, ясное дело, в живых после подобного предложения не останешься.

— Значит, — монотонно протянула Олеся, — всякие певички могут на экране полуголыми ска-

кать, и ничего. А мы, умные женщины, пришедшие
сюда, чтобы просветить народ, обязаны сменить
свои элегантные наряды просто потому, что они вам
пришлись не по вкусу? Если так, то я отказываюсь
принимать участие в программе.

— И я, — подхватила Ирина, жадно оглядывая
пустой столик, — никакого внимания к гостям, ни
чаю не предложили, ни кофе, умирайте тут с голоду.
Я, между прочим, в такую рань есть не способна, но
хоть воды дайте!

— Через шесть минут начинаем, — прогремело с
потолка.

Люся затряслась.

— Милые, любимые, ваши платья шикарные,
спору нет, ну пусть одна переоденется!

— Почему? — прозвучало в ответ дуэтом.

— Нельзя в одинаковых!

— Кто сказал?

Я привалилась к стене, разговор пошел по кругу.
Интересно, какой выход найдет из этого положения
Люся? Лишиться гостей и «оголить» эфир, оставив в
нем только дурака Костю, она не может. Но и поса-
дить в студию двух бабищ в «кионовых» платьях ей
тоже нельзя. При этом учтите, что Олеся смахивает
на зубочистку, а Ирина больше всего похожа на
стратегический бомбардировщик.

Проведя на телевидении в качестве служащей совсем мало времени, я уже успела усечь простую ис-
тину. Ради чего делают передачи? Думаете, для зрителей? А вот и нет! Больше всего телевизионщиков
волнует рейтинг и так называемая «доля». Вот из-за
этих двух загадочных для простого человека вещей и
горит весь сыр-бор. Доля — вот что правит балом.
И не спрашивайте меня, что это значит. Доля — это
наше все, от нее зависит: жить данной передаче или

нет. И, по мнению главного редактора нашего эфира, величина сей доли напрямую связана с внешним видом гостей.

— Ну и че? — влетел в гримерку Костя.

Я закрыла глаза. Вот и наш идиот! Сейчас начнется! Костик будет хихикать, всплескивать наманикюренными ручками и в конце концов испортит дело окончательно. Если Люся теоретически и была способна справиться с нештатной ситуацией, то появление Константина начисто убивает все надежды на благополучный исход дела. Сейчас он завопит...

Но Костя повел себя неожиданно. Быстро окинув красно-зеленых гостей взглядом, он испарился.

Люся бросилась к Ирине.

— Дорогая! Любимая...

И тут снова возник Костя.

— Безобразие, — рявкнул он, швыряя на диван две разноцветные тряпки, — вы, лентяйки, в курсе, что до эфира осталось всего ничего? Почему гости не в форме?

Люсины глаза выкатились из орбит.

— А... о... у... — прозаикалась она.

— Ничего никому поручить нельзя, — громко возмущался Костя, — простите, дорогие дамы. Я их после передачи уволю, всех поголовно. А теперь живо натягиваем мантии, прямо поверх своей одежды... Ника, чего стоишь? Облачай дорогих гостей. Вилка! Хорош клювом щелкать.

— И зачем нам это натягивать? — насторожилась Олеся.

Костя сложил вместе пальцы обеих рук и, сверкая ногтями, покрытыми бесцветным лаком, воскликнул:

— Вы разве никогда не видели «Проснись и пой»?

— Ну... — протянула Олеся.

— Я в это время, как правило, сплю, — честно призналась Ирина.

Костя закатил глаза.

— Тараканова! Ты уволена! Не объяснить людям суть!

Я, подыгрывая Косте, затряслась всем телом и заныла:

— Вау, я забыла!

— Дура, — топнул ногой Костя, — значит, так! В нашем эфире бывают обычные гости, простые посетители, элитные, VIP-персонажи и супер-пупер-вупер великие. Вот последних мы всегда облачаем в мантии разных цветов, чтобы зрители поняли, кто перед ними. Ясно?

— Хорошая идея, — кивнула Олеся, — сразу понятно, кто есть кто.

— А цвет прикида имеет значение? — вдруг насторожилась Ирина. — Вот я в синем, а она в желтом. Кто из нас круче?

— Обе крутые, — хором заорали Люся с Никой, — круче только яйца красного дрозда.

— Давайте, любимые, — суетился Костя, — миллионы телезрителей ждут! Эй, звук повесьте!

Олеся и Ира исчезли за дверью.

— Костик! — взвыла Люся. — Ты чудо! Как только в голову такое пришло?

— Вот и нечего меня за глаза кретином звать, — отрезал Костя, — все, чао! Потом ля-ля-ля.

Резко повернувшись на каблуках, он исчез. Люся уставилась на Нику, потом обе повернулись ко мне.

— Может, зря мы его за придурка держим, — задумчиво протянула гримерша.

— Эфир пошел, — Люся ткнула пальцем в экран телика.

Я упала в кресло. Ну вот, можно перевести дух!

— Ваш любимый рецепт? — разносился по комнате красивый баритон Кости.

— Очень простой, — быстро засепетила Ирина, — кролик на троих. Значит, так! Берем три жирных, хорошо откормленных кролика...

Я втянула ноги на сиденье. Ясное дело, если Ирина собралась принимать несколько человек, то можете быть уверены, что каждый получит по тучному зверьку, нечего мелочиться и рубить одну тушку на кусочки.

— Для здоровья лучше рис с травой, — встряла Олеся, — не вареный. Слушайте...

Я закрыла глаза. Эфир тек своим чередом. Мясо в сливках, проросшие зерна пшеницы, торт из взбитой сметаны, пирожное из морковки... ля-ля-ля, рекламная пауза, ля-ля-ля, рагу из свинины, котлеты из сельдерея...

— У нас полно вопросов от телезрителей, — заорал Костя, — говорите, вас, кажется, Аня зовут.

— Да, — зачастил бойкий голосок, — очень у вас замечательная передача, я прямо заслушалась! Восторг! Итак, мой вопрос. Скажите, если паркет положить на неподсохшую стяжку, его обязательно перекосит?

В эфире повисла непривычная, пугающая любого сотрудника телевидения тишина. Люся схватилась за голову.

— Замечательный вопрос, — взвизгнул Костя, — поясняю. Если печенье уложить в виде паркета на только что взбитые сливки, торт развалится?

— Ну естественно, — завела Ирина.

С воплем:

— ..., ..., ..., ..., ...!!! — Люся вынеслась из гримерки.

— Что это было? — ошарашенно спросила я.

Ника согнулась от смеха:

— Вопрос.

— Ну и дуры встречаются, однако, — удивилась я, — передача про кулинарию, а она о стяжке спрашивает. Молодец Костя, лихо выкрутился.

— Наша птица Говорун сегодня в ударе, — простонала Ника, валясь на диван, — вопрос не тот дали! Вчера про стройку речь шла, вот ребятишки и перепутали!

— Так вопросы записаны заранее! — осенило меня.

— Угу, — кивнула Ника.

— Но ведь эфир прямой!

— Вот именно! Вдруг никто не позвонит? Или дурь понесут? — стала просвещать меня Ника. — Мы на всякий случай заготовочки имеем, не всегда, конечно, ими пользоваться приходится, но сегодня, похоже, этих двух дур только мы с тобой слушаем, никто не звонит.

Хлопнула дверь, Люся принеслась обратно и рухнула в кресло.

— Успокойся, — велела Ника, — не в первый раз! Никто ничего и не заметил!

Люся схватила со столика бутылку минералки, в два глотка осушила ее и с чувством воскликнула:

— Добрый боженька, сделай так, чтобы я дожила до отпуска, не попав в психушку. Господи, спаси меня от телевидения! Уж лучше в обезьяннике работать! Ну вечно у нас фигня и бардак! За что мне это! И ведь уже сама психопаткой стала. Прикинь, Вилка, пошла я пожрать в «Бутерброд наоборот», у меня-то времени на готовку нет. Захожу, а там!

Менты стоят, посетителей переписывают. То ли драка случилась, то ли помер кто, их хавки отведав. Ну что нормальный человек сделает? Прочь убежит! А я нет! Вытащила удостоверение, к начальнику рвусь: «Здрассти, я с телевидения, никуда не уходите, сейчас камеру вызову, у нас новостей не хватает!» Нет, я точно долбанутая! Ну и дела...

— Погоди, — прервала я Люсю, — «Бутерброд наоборот»! Драка и милиция! Точно, ну как я не додумалась сама! Ведь девушка Ника, та, что любила Михаила Попова, сказала мне: двадцать третьего декабря, как раз накануне моего дня рождения, скандал случился. Бывшая жена его бузила!

— Какая Ника? — заморгала Люся. — Наша гримерша?

— Нет, — замахала я руками, — совсем другая, продавщица из бутика Петра Попова. У нее роман с Михаилом случился! Люся, дай я тебя поцелую! Ну спасибо!

Люся покорно стерпела мои объятия, потом со вздохом пробормотала:

— Одно радует! Не только я кандидат в психушку! Похоже, тебя там тоже ждут не дождутся.

Около часа дня я набрала номер Олега и заныла в трубку:

— Ты что делаешь?

— Уместный вопрос, — сердито ответил муж, — учитывая время и то, что ты трезвонишь в мой рабочий кабинет, могу с радостью сообщить: жарю шашлык и откупориваю бутылку с пивом.

— Ну не злись!

— И не думал. Ты спросила, я ответил.

— Просто время подбирается к обеду, вот я и подумала, может, съедим где-нибудь салатик вместе?

Олег хмыкнул:

— Ладно, сейчас спущусь.

Маленькая победа вдохновила меня, и, когда Куприн с самым мрачным видом вышел из подъезда, я ринулась к нему с воплем:

— Милый, я очень соскучилась!

Олег нахмурился еще больше.

— Учитывая тот факт, что всю ночь ты стаскивала с меня одеяло, твое замечание звучит удивительно. Интересно, тот, кто первым назвал женщину слабым полом, пробовал когда-нибудь отнять у своей спящей жены плед? Наверное, нет, иначе мысль о слабости дам никогда бы не пришла в его голову.

Муж явно пребывал не в духе. Нужно привалить его к забору и методично объяснить, что при виде супруги не следует моментально принимать вид кузнечика, понимающего, что его сейчас сожрет жирная жаба. И вообще, добрая улыбка красит лицо мужчины, а вопрос «Милая, как ты себя чувствуешь?» укрепляет семейные отношения. Ладно, те, кто не желает осведомиться о здоровье жены, могут обойтись другими фразами, типа: «Ты прекрасно выглядишь» или «Это платье великолепно подходит к твоим волосам и замечательно оттеняет глаза, красивей которых нет на свете». Если последний комплимент кажется вам слишком длинным, то есть вариант короче и проще, но он, несмотря на это, срабатывает стопроцентно. Восклицание «Как ты похудела!» превратит любую, самую злобную гарпию в белую и пушистую мышку.

Но сейчас Олегу не стоит объяснять его ошибки и указывать на недопустимость поведения. Мне надо вытрясти из супруга кое-какую информацию.

Поэтому пока пропущу мимо ушей отвратительное заявление про плед. Тем более что оно лживо. Сегодня в пять утра я проснулась от холода и обнаружила около себя Куприна, старательно замотанного в общее одеяло.

— Вон там, смотри, — ткнула я пальцем в стеклянный павильончик, — очень уютное местечко. Один раз заглядывала туда, мне понравилось, очень чисто, пошли, пошли...

Схватив Куприна за руку, я буквально дотащила его до небольшого кафе. В маленьком зале оказалось очень уютно. Пять круглых столиков, застеленных бело-красными скатертями, плетеные стулья, вазочки с бумажными салфетками, приятная прохлада от работающего кондиционера и пьянящий запах свежемолотого кофе.

Обозрев интерьер, я обрадовалась донельзя. Кафе осталось таким же уютным, как и год тому назад, когда меня впервые занесло сюда. Помнится, тут давали очень вкусный яблочный пирог и замечательный капуччино.

— Куда хочешь сесть? — повернулась я к мужу. — У окошка или ближе к стене?

— Очень рад, что разрешила мне поучаствовать в выборе места, — ехидно заявил Куприн, — спасибо, что не пихнула за столик и не заказала для любимого супруга тошнотворно сладкое пирожное!

— Ты рассердился?

— Нет.

— Тогда в чем дело?

— Мне тут не нравится.

— Почему? Смотри, как мило. Чисто, уютно, тихий уголок, никакого народа.

— Мне тут не нра-вит-ся! — угрожающе повторил Олег. — А еще мне не нравится, когда ты постоянно принимаешь решения, всегда, по любому поводу настаиваешь на своем, споришь до хрипоты и сучишь ногами. Любое мое предложение встречается в штыки, ты совершенно не способна на компромисс! Ей-богу, не понимаю, чего ты хочешь от меня?

— На данном этапе я просто предложила вместе пообедать, — спокойно ответила я.

— Но я всегда должен идти туда, куда хочешь ты, — надулся Олег, — мне никогда не дают высказать собственное мнение и...

Я мгновенно перестала слушать мужа. На заре семейной жизни я, никогда не жившая в полной семье, не имевшая одновременно и папу, и маму, не знала, каким же бывает быт, ну как ведут себя дома супруги? Воображение рисовало всякие идиллические картины. Вот утром распахивается дверь спальни, и Олег входит в комнату с подносом, на котором стоит чашечка свежесваренного кофе и тарелка с обожаемыми мною бутербродами. Согласна, я, наверное, люблю странную, на взгляд Куприна, еду: кусочек черного хлеба, на который уложены ломтики тонко нарезанного огурца. Может, кому-то подобное яство и не по вкусу, но я просто обожаю его.

Еще мне казалось, что муж будет заботиться о жене, начнет работать с утроенной скоростью, чтобы нарыть побольше денег, ходить со мной в кино, театр, на прогулки, в конце концов. И мне больше не придется таскать самостоятельно с рынка торбы, набитые картошкой, и бегать с помойным ведром к мусорнику. Это, так сказать, бытовая сторона вопроса.

Еще я наивно надеялась на поддержку супруга во время всяческих неприятностей, эгоистично собиралась опереться на него, спрятаться от бурь и бед в тихой гавани. И вообще, ну откуда пошло выражение «быть замужем»? Ну вдумайтесь! Быть замужем, это быть за мужем, то есть сидеть за широкой мужниной спиной, изредка высовывая нос наружу и тут же пряча его назад. Кроме того, хотелось слышать комплименты, похвалы...

Глава 20

Действительность оказалась иной. Один раз, впрочем, Олег решил угостить меня завтраком. Вместо любимого кофе он наплескал мне в кружку очень сладкий чай и дал бутерброд с отвратительно жирной ветчиной, украшенной долькой чеснока. Наивная госпожа Тараканова, малоопытная супруга, отодвинула угощенье и вежливо сказала:

— Милый, я не люблю утром чай, ветчину не ем вообще, а уж в сочетании с чесноком в особенности, мне же сейчас на работу идти. Лучше...

Не дав мне закончить фразу, Олег вскочил, вылил содержимое кружки в раковину, вышвырнул сандвич в форточку и проревел:

— Вот и заботься о тебе! Своими замечаниями ты любую охоту отобьешь!

Я заморгала. Сам Олег не упустит случая указывать мне на ошибки. Не далее как вчера он сурово заявил, глядя в тарелку с ухой, которую я готовила в течение нескольких часов:

— Имей в виду, я не ем такое!

Ну и что? Разве я стала делать ему какие-нибудь замечания? Нет. Попросту принялась варить другое первое. Отчего бы моему мужу не намотать сообщение жены на ус, или он полагает, что штамп в паспорте обязывает одного супруга полностью перенять привычки второго? Причем приспосабливаться, как обычно, должна женщина?

Шло время, и очень скоро я поняла, что фразы «У тебя уходит куча денег на колготки» и «У НАС закончилось пиво в холодильнике» Олег произносит не в шутку, а всерьез. Еще через некоторое время стало ясно, что любой совместный поход в магазин превращается в кошмар, потому что Куприн в продуктовой лавке впадает в ступор. В промтоварные магазины я перестала затаскивать его после того, как Олег с воплем:

«Ты сошла с ума! Отдавать столько заработанных мужем денег на дрянь!» — оттащил меня от тщательно выбранной мною косметики французского производства, дотолкал до лотка с «мазилками», сделанными невесть кем в Китае, и заявил: «Вот, точь-в-точь такая же губная помада, но в десять раз дешевле, бери, и пойдем».

При этом сам он, оказавшись в магазине для рыболовов, тут же рулит в отдел, где выставлены самые дорогие товары, произведенные аккуратными рабочими из Германии. Никакие доводы, типа: «Ну зачем же переплачивать, посмотри, на другом прилавке есть леска за сущие копейки», на него не действуют.

— Я не настолько богат, чтобы покупать дешевую дрянь, — шипит Куприн, — лучше помолчи, дай спокойно рассмотреть ассортимент.

Я приваливаюсь к стене и, зевая, стою около часа. Как вам кажется, стал бы супруг молча пялиться по сторонам, пока его жена выбирает лифчик?

Чуть позднее до меня дошло, что любое бытовое замечание вызывает у Олега приступ ярости. Фраза: «Зачем ты повесил носки в гостиной, неужели нельзя их убрать в шкаф?» — вызывает у майора совершенно неадекватную реакцию:

— Вот! Понятно. Давай разберемся, с какой целью ты доводишь меня бесконечными придирками! Чего хочешь добиться, а? Я таков, каков есть, иным не стану! Все делаю для семьи! Тебе мало? Хорошо, я ухожу, развод! Прощай!

Сначала я пугалась до обморока, бросалась за мужем, рыдая, отнимала у него сумку, чуть ли не на коленях умоляла остаться. Куприн вырывался, убегал на улицу... У меня начинался сердечный приступ, Томочка бежала за каплями. Ну полный бред. При этом я искренне не понимала, чем обидела мужа. Ей-богу, я не принадлежу к числу женщин, имя которым циркулярная пила, не делаю супругу постоянно замечаний, но в быту возникают всякие ситуации. Я же не швыряю колготки на обеденный стол, неужели Олег не может элементарно убрать за собой, и почему любое невинное замечание вызывает у него базарную истерику? Отчего он позволяет себе орать на жену? Я ведь не требую от него ничего запредельного.

Потом меня свалил грипп, температура поднялась за сорок, постоянно хотелось пить, встать не было сил. Как назло, Тамарочка с Семеном и Кристей еще до того, как я подцепила инфекцию, уехали в дом отдыха. А Олег поступил очень мило. Утром он поставил на тумбочку стакан с чаем и, решив, что достаточно позаботился о занедужившей жене, радостно возвестил:

— Я ушел на работу.

Плохо заваренный, слишком сладкий для меня напиток я выхлебала сразу, поход на кухню за следующей порцией описывать не стану.

Правда, около пяти вечера Куприн позвонил и озабоченно спросил:

— Ну ты как?

— Плохо, — честно призналась я, — прямо совсем загибаюсь.

— Бедненькая, — пожалел меня муж, — ладно, звони, если чего.

Помнится, я впала тогда в дикое изумление. Что он имел в виду? «Если чего» — это что? Хуже, чем есть, мне навряд ли будет. Или Олег хочет явиться к моменту выноса трупа? Мне предлагается в последних судорогах агонии позвонить ему и сказать:

— Обед на плите, белье постирано, продукты на поминки куплены и порезаны, ритуальный автобус вызван и оплачен, по поводу могилы я договорилась, прощай, любимый, я умерла. Не беспокойся, меня тихо зароют специально обученные люди.

Приехав домой около полуночи, Олег заглянул в спальню и бодро спросил:

— Ты как?

— Лучше, — прошептала я.

— Вот и хорошо. У нас есть что покушать? — поинтересовался муженек. — Я устал очень. Может, яишенку мне пожаришь?

Наверное, подобные истории способны рассказать многие замужние женщины, но лично мне в тот день было так обидно, что никаких слов не хватит, чтобы описать свое состояние.

Кульминация в отношениях наступила, когда две наши семьи, купив новую квартиру, начали делать в ней ремонт. Выбрав кафель, мы с Томочкой позвонили мужьям и попросили их приехать в магазин, чтобы они высказали свое авторитетное мнение по поводу плитки.

Когда потный, красный Олег влетел в торговый зал, я сразу почуяла неладное.

— Смотри, — радостно завела Томуська, не заметившая признаков беды, — вот какой красивый рисунок! Нам очень понравился, другие можешь и не смотреть, тут больше нет ничего достойного. Мы с Вилкой выбрали.

— Ах, вы с Вилкой выбрали! — побагровел Олег. — Зачем меня тогда звали? Вот этот кафель? Дрянь, уродство, гадость! Вы, деревенщины, нашли самое омерзительное из всего! Если вам неинтересно мое мнение, то по какой причине с работы сорвали? Отрыли дерьмо! Смотреть стыдно! Пакость! Две дуры!!! Ухожу! Жить с тобой, Вилка, не желаю, ты меня не уважаешь, все делаешь по-своему, авторитарно, без совета мужа! Прощай, теперь можешь поступать всегда как хочешь! Ты свободна!

Стукнув кулаком по ни в чем не повинному образцу плитки, Олег, синий от ярости, кинулся к выходу.

Я испытала привычный ужас, хотела было броситься за ним, начать, как всегда, умолять, плакать, говорить, что виновата, но вдруг села на стоявший у стены стул и совершенно спокойно подумала: «Ну и пусть. Хочет уходить — до свидания. С какой стати мне терпеть эти истерики? И вообще, что я сделала плохого? Если я настолько дурна, зачем он со мной живет?»

В голову полезли совсем уж ненужные мысли. Минуточку, давайте разберемся в ситуации до конца. Я зарабатываю больше мужа, стараясь изо всех сил, веду домашнее хозяйство, хожу в магазины, стираю, глажу. Я не требую бриллиантов, шуб и «Мерседесов», не упрекаю супруга за безденежье и вечную занятость, уважаю его работу. Я не пью водку, не завожу любовников, не жалуюсь подругам на тяжести семейной жизни и не трачу кучу денег на наряды и косметику. Я старательно прикрываю Олега от бытовых неприятностей, не закатываю скандалов... Неужели он не понимает, каким сокровищем обладает? И потом, я в семейной жизни получила одни обязанности, прав и радостей у меня очень мало. В случае развода я обрету свободу, а вот что станется с избалованным мною Олегом? И если он сейчас собрался уходить, то скатертью дорога!

Думаете, Куприн уехал? А вот и нет. Увидев, что жена не бежит за ним, роняя тапки, Олег помялся и пошел назад.

— Ладно, — буркнул он, — покажите ваш кафель.

Я не сумела сразу подняться со стула. Однако все, оказывается, просто. Муж будет пинать тебя ровно столько, сколько ты ему позволяешь. Увы, Олег воспринял мою любовь к нему как слабость и распоясался. Значит, следует вести себя иначе.

— Давай еще раз обойдем весь магазин, пусть Олег посмотрит все. Начнем с самого первого стенда, с того, где кафель по пятьдесят евро за штуку! — тихо сказала Томуся.

— Туда не надо, — быстро ответил муж.

Я вздохнула и промолчала. Но тот момент стал в наших отношениях переломным. Олег так никогда и не узнал, что чуть было не потерял жену, а я теперь, как только он начинает заводить истерику, моментально отключаюсь и его не слышу.

Вот и сейчас я уставилась на Куприна и, подождав энное количество времени, сказала:

— Мне без разницы, в каком заведении пить кофе.

— Здесь я не хочу, — уперся муж.

— Тогда пошли туда, где тебе приятно.

— Вечно ты споришь!

— Нет, нет, я соглашаюсь!

— Но сначала спорила!

— Ладно, идем.

— Я уже не хочу, ты у меня всю охоту отбила, — зашипел Куприн, — в кои-то веки я пригласил жену, а она... Все! Ухожу!

Дверь хлопнула. Официантка, исподтишка наблюдавшая за нами, сочувственно спросила:

— Пьет?

— Да нет, — тихо ответила я, — только пиво. Пьяным его всего пару раз видела.

— Считай, тебе повезло, — вздохнула женщина, — а мой и орет, и квасит без продыху.

Я кивнула. Действительно, по сравнению со многими я кажусь счастливицей. Сколько теток променяло бы своего алкоголика на моего не умеющего себя нормально вести Олега!

— Не пойму никак, мы идем или нет? — всунулся в кафе муж.

Я вышла на улицу.

— Куда пойдем?

— Поворачивай за угол, — оживился Олег, — чудное местечко, мы с Витькой в него после работы заглядываем. Ты чего такая сердитая? С какой стати губы надула? Ну бабы! Вечно всем недовольны.

Я изобразила на лице улыбку.

— Все прекрасно, просто голову схватило, наверное, дождь пойдет!

— Сюда, — сообщил Олег и впихнул меня в тесно набитое людьми помещение. Кондиционера тут не было и в помине, под потолком висел сизый дым, пластиковые столики не покрыты скатертями, по залу шмыгали две официантки в мятых блузках. Картину довершали несколько лиц кавказской национальности, громко и бесцеремонно изъяснявшихся на своем родном наречии, абсолютно наплевав на то, что остальным посетителям нет никакой радости слышать гортанные вопли, начисто перекрывающие любые звуки.

— Здесь очень уютно, — сказал Олег, — садись. Так! Баранина на ребрах, суп-харчо, шашлык из свинины, что будешь?

— Я же не ем мясо. И вообще, я хотела кофе со сладким.

— У нас растворимый, — живо влезла в наш разговор подавальщица, — а из выпечки только булки с маком.

— Значит, ей кофе и плюшку, — быстро заявил Олег, — а мне...

Я сцепила пальцы в замок. Спокойно, Вилка. В конце концов, ты же хотела вытащить из мужа некие сведения, капуччино полакомишься потом, в одиночестве.

— И чего стряслось? — спросил Куприн, запуская ложку в жирный суп.

— Да вот, с книгой беда.

— Какой?

— Ну, которую сейчас пишу. Никак не сдвинусь с мертвой точки.

— Знаешь, — заботливо сказал Олег, — ты уж извини, но кто ж тебе, кроме меня, правду скажет? Ты — не Смолякова.

— Конечно, мой псевдоним Арина Виолова.

— Не в этом смысле. Тебе никогда не стать такой популярной.

— Почему? — тихо спросила я.

Олег быстро доел первое и схватил тарелку с шашлыком.

— По многим причинам. Нет таланта, работоспособности, ума, в конце концов. Знаешь, мне думается, что ты взялась не за свое дело! Вот хотя бы твой последний роман! Чистый бред! Ну с какой стати этот Леонов убил жену?

— Из любви, она ему изменила.

— Фу, глупости, — отмахнулся Куприн, — знаешь, как следовало построить фабулу, сейчас объясню!

— Скажи, — быстро перебила его я, — если в каком-нибудь ресторане или кафе драка происходит, что делает администрация?

Олег откусил огромный кусок свинины и насторожился.

— А тебе зачем?

— Ну в моей книге героиня устраивает скандал в кафе. Вот я и не знаю, она попадет в тюрьму?

— Причем в одиночную камеру и навсегда, — заржал Олег, — ведь я сказал только что: лучше забудь про писательство, ты в элементарных вещах путаешься!

— Именно поэтому, чтобы не выглядеть дурой, я пришла спросить у тебя совета.

Олег захихикал:

— В тюрьму не попадет. Скорей всего, администрация сей забегаловки сама разрулит скандал. А по какой причине она буянила?

— Ну... поймала мужа с другой.

— Урон сильный?

— Что?

— Много посуды поколотила? Занавески подожгла, мебель поломала, морду другим клиентам набила, мужу шею сломала?

— Думаю, нет, так, словами оскорбила.

— Ну, с этим местная охрана разберется.

— Полагаешь?

— Точно. Милицию в рестораны звать не любят.

— Это забегаловка.

— Тем более, туда точно патруль пригласят лишь в случае форс-мажора. Небось парочка сотрудников без регистрации работает.

— Ага, спасибо. А если все же правоохранительные органы подключают, то какие?

— Местное отделение милиции, — сообщил Куприн. — Хороший шашлычок! Давай, съешь порцию.

— Я не люблю мясо.

— Вот уж глупость.

— Может быть, но мне не нравится вкус говядины.

— Это свинина.

— Один черт.

— Вовсе нет, — возмутился Олег, — свинья и корова совершенно разные животные. Понимаешь теперь, почему ты никогда не попадешь в десятку лучших детективщиц? Сказать, что свинина и говядина — это одно и то же! И еще, следователь и оперативник разные специалисты, а ты частенько их путаешь.

— И какая между ними разница?

— Большая, — вздохнул Олег, — ох, зря ты ввязалась в криминальную литературу. Смолякова...

Внезапно вся кровь бросилась мне в голову, я встала и пошла к двери.

— Эй, Вилка, ты куда? — удивился Куприн.

— Работать, — бросила я, не оборачиваясь, — строчить никому не нужные книжонки.

Оказавшись на улице, я стала жадно вдыхать бензиновый смог, именуемый в Москве свежим воздухом.

— Ты белены объелась? — спросил выбежавший за мной муж. — Ушла, не расплатилась.

— Деньги в кафе платит мужчина, — прошептала я.

— Я кошелек на работе забыл.

— Кстати, я получаю за свои книги больше, чем ты за службу, — не удержалась я.

— Увы, — скривился Олег, — у нас пока не умеют правильно оценивать труд. За лабуду могут и миллион дать. Ум в нашей стране не ценится. Ладно, давай твое портмоне.

— Нет, — ответила я, — извини, конечно, но если ты такой умный, то отчего такой бедный? И кто позволил тебе унижать меня? Может, дело в элементарной зависти? Я сумела добиться пусть маленькой, но известности, и стабильного заработка. «Марко» не обманывает авторов. Да, я сдаю книги не так часто, как обожаемая тобой Смолякова, но, разреши напомнить, пару недель назад я принесла домой сумму, превышающую твой годовой заработок. Так-то. Мои плохие, дурацкие книги постоянно допечатывают, потому что люди их расхватывают!

Олег начал наливаться краской.

— Идиотов в этой стране много. Ты хочешь развода? А-а-а! Понятно! Муж тебе не нужен! Сказал один раз правду! И знаменитой писательнице не понравилось... Да я...

— Ты можешь поступать так, как считаешь нужным, — сказала я и ощутила внутри себя удивительное чувство свободы, словно внезапно лопнула веревка, связывавшая руки и ноги писательницы Арины Виоловой, — меня около тебя удерживали не материальные соображения. Если ты до сих пор не понял этого, то мне тебя жаль. И еще одно...

— Что? — вдруг растерянно спросил Олег.

— Если ты решишь развестись со мной, — вдруг неожиданно для себя самой улыбнулась я, — то будь готов к тому, что ярлык «бывший муж литераторши

Арины Виоловой» тебе носить до самой смерти. Да, я стану великой, очень популярной, дико богатой, и Смолякова сгрызет от зависти мраморные ступени нового здания, которое «Марко» отчасти построило с ее помощью. Да, там в коридоре будет и моя фотография. Да, я найду ожерелье! Да! Да! Да! И спасибо тебе!

— За что? — окончательно испугался Куприн.

— За урок, за правдивые слова, за то, что сейчас я стану работать с удесятеренной энергией, чтобы утереть вам нос, — рявкнула я и, не оглядываясь, ушла прочь.

В конце концов, если хозяин «Бутерброда наоборот» и обратился в районное отделение милиции, я сумею найти подход к ментам и без помощи Олега. Нам не надо милостей от природы, сами все возьмем и отроем.

Глава 21

В последнее время в Москве открылась целая куча кафе, таверн и ресторанов. Конкуренция в этом бизнесе очень высокая, поэтому хозяева трактиров изо всех сил пытаются выделиться из толпы, придумывая разные примочки, пускаются во все тяжкие, кто во что горазд. Владелец «Бутерброда наоборот» сделал ставку на посетителей с не самым тугим кошельком. Подают в кафе, как ясно из названия, всякие бутерброды: горячие и холодные. Вы можете заказать у официантки сандвич по собственному рецепту, это обойдется чуть дороже, или выбрать уже готовый из представленных в меню. В придачу к нему идут кофе, чай, минеральная вода и соки. Ни спиртного, ни пива тут не держат из принципа. Расположено заведение не в самом шум-

ном месте, и знают о нем, наверное, лишь абориге-
ны. Я набрела на «Бутерброд» случайно, бегала один
раз по городу и наткнулась на вывеску. Несмотря на
не слишком удобное расположение, кафешка отсутствием клиентов не страдает. Сюда охотно заглядывают студенты, школьники, влюбленные парочки.
Имея в кармане сто рублей, тут вполне возможно
наесться, а после восьми вечера появляется диджей
и начинает играть музыка. Но сейчас в приятном
местечке, скорей всего, затишье. Обеденный час завершился, а праздный вечер для большинства москвичей еще не начался.

Войдя в уютный зал, украшенный фотография-
ми самых диковинных бутербродов, я, с радостью
констатировав, что народу практически нет, села за
столик и, прежде чем начать работу, решила отвести
душу и попросила официантку, симпатичную девушку лет двадцати:

— Принесите мне, пожалуйста, сандвич с огур-
цами и латте, желательно без сахара.

— На каком хлебе сделать бутерброд? — улыбнулась подавальщица.

— Бородинский есть?

— Да, мы его сами печем, соблюдая рецепту-
ру, — сообщила девушка, поправляя скатерть, —
сначала брали у поставщиков, но потом поняли: фу,
такую «черняшку» посетителям предложить стыдно!

Я кивала в такт ее словам. Вот еще один жирный
плюс «Бутерброда». Сандвичи с огурцом в меню
самые дешевые, но милая официантка разговаривает со мной, как с самой любимой и дорогой в прямом и переносном слове клиенткой, которая собралась съесть бутербродик по спецзаказу, длиной, ши-
риной и высотой в метр.

Отлично подкрепившись, я решила действовать и подозвала официантку.

— Хотите повторить? — спросила девушка.

Я покосилась на бейджик, прикрепленный к ее белой футболке, и спросила:

— Вы Настя?

— Верно.

— Давно тут работаете?

— Два года.

— Хорошее место?

Настя кивнула:

— Очень. Я студентка, живу в общежитии, родители мне помочь не могут, на пенсию существуют. Вот и пристроилась сюда. Хозяин тут замечательный, зарплата нормальная, чаевых, правда, особых нет, но вот там через дорогу ресторан «Пупс», видите вывеску?

— Да, — кивнула я.

— Наша Алена из «Бутерброда» туда пристроилась, — вздохнула Настя, — сбили ее с толку, сказали, такие клиенты в «Пупс» приходят! Не нищета бутербродная, по сто баксов обслуге чаевых дают. И чем все кончилось? Первые дни она прибегала и перед нами хвасталась, прямо остановиться не могла, деньги показывала. А потом у них перестрелка случилась, бармена убили. Алену в ногу ранили. Нет уж, лучше я тут поработаю, тихо, спокойно. Сюда крутые не пойдут, западло им! А вы почему спрашиваете?

— Да вот, — вздохнула я, — без работы осталась!

— Послушай, — воскликнула Настя, — у нас место освободилось. Просто как по заказу вышло! Вчера Таня уволилась, ей муж скандал за скандалом закатывал, ну и ушла она, теперь дома сидеть станет. Пошли.

— Куда? — насторожилась я.

— Тебе работа нужна?

— Да.

— «Бутерброд» нравится?

— Очень.

— Тогда вставай, — воскликнула Настя, — как раз Лариска в кабинете, живо договоришься и прямо завтра с утра начнешь! Давай, давай, не тормози.

— Но нельзя же так, с бухты-барахты, — изобразила я сопротивление.

— А чего ждать? — прищурилась Настя. — Пошли скорей, а то кого другого возьмут.

Пришлось вылезать из-за столика и идти за Настей в глубь помещения, куда обычному посетителю вход заказан.

Дойдя до серой двери, Настя толкнула ее и воскликнула:

— Лар!

— Если опять испачкала форму, то возьми Люсину, — донеслось из комнаты, — прачка еще не приехала.

— Не, мы будем кого-нибудь вместо Таньки брать?

— А как же!

— Тут женщина пришла, работу ищет.

— Москвичка? Прописка постоянная?

Настя повернулась ко мне.

— Чего молчишь?

— Да, родилась в столице.

— Заходите.

— Вот видишь, — радостно зашептала Настя, подталкивая меня, — действуй!

Я вошла в крохотный кабинетик, увидела симпатичную блондинку лет сорока и тихо сказала:

— Добрый день, вернее, уже, наверное, вечер.

Лариса оторвала глаза от каких-то бумаг и вдруг сказала:

— Ой!

Я насторожилась. Может, пока я ела бутерброд, измазалась? И теперь на кончике моего носа висит кусок огурца?

— Вы хотите устроиться к нам? — недоуменно поинтересовалась Лариса.

Понимая, что деваться теперь некуда, я кивнула.

— Да.

— А зачем?

Вот дурацкий вопрос, совершенно неожиданный в устах управляющей кафе.

— Чтобы получать зарплату.

Лариса стала внимательно разглядывать меня. Ее глаза изучили мое лицо, ощупали фигуру, оглядели обувь...

— Паспорт с собой? — наконец спросила управляющая.

Дело явно принимало ненужный мне оборот. Я не собиралась начинать карьеру официантки, но что оставалось делать? Ответить: «Нет», повернуться и уйти? Очень глупо! И потом, я ведь хочу узнать данные особы, устроившей тут скандал. Ладно, придется играть в пьесе, написанной другим автором!

Я вытащила бордовую книжечку.

— Вот.

— Тараканова Виола Ленинидовна, — прочитала вслух Лариса, — у вас очень оригинальное имя, вряд ли найдется в столице еще одна жительница с подобными данными. Ой, надеюсь, мое замечание не показалось вам бестактным?

Я улыбнулась.

— Нет. Фамилия Тараканова и невероятное от-

чество достались мне от отца, а кто назвал меня
Виолой, не знаю. Скорее всего, мать.

— Ага, — кивнула Лариса, — тогда еще один вопрос. Значит, это правда? Честно говоря, я думала,
люди прибедняются. У нас в доме, во дворе, ну вот
если левее «Бутерброда» пройти, живет один очень
известный актер, часто в сериалах мелькает. Иногда
он сюда заходит и первым делом требует: «Скидку
на всю еду пятьдесят процентов». Я один раз вышла
и попыталась его усовестить, сказала: «У нас даже
студенты и пенсионеры за полную стоимость едят.
Цены-то более чем демократичные. А уж вам-то
стыдно должно быть, наверное, хорошо зарабаты-
ваете. Посмотрите меню, есть бутерброды по десять
рублей, неужели они вам не по карману? Ведь на
иномарке ездите, я очень хорошо знаю, потому что
частенько свое авто возле нашего служебного входа
паркуете». Знаете, что он ответил?

Я покачала головой.

— «Мерина» ему фирма, торгующая тачками, в
качестве рекламной акции выдала. А за сериалы
такие гроши платят, что и говорить стыдно! Не поверила я ему, конечно, но теперь смотрю на вас и
думаю: а может, зря мужику дисконт не выдала?
Вдруг, правда, у всенародного любимца на сандви-
чи-то не хватает!

— Интересно, отчего сей вопрос пришел вам в
голову при виде меня? — усмехнулась я. — Я не
имею никакого отношения к кинематографу.

— Неужто и писателям медные гроши платят?

— Кому? — подскочила я.

Лариса усмехнулась:

— Вы же Арина Виолова, мой самый любимый
автор среди детективщиков.

Тоненькая футболка моментально прилипла к

спине. Я села без приглашения на стул и решительно сказала:

— Нет. Вы ошибаетесь. Мы просто очень похожи, хотя ко мне иногда подходят люди и...

Лариса рассмеялась, потом открыла ящик письменного стола, вытащила оттуда пару моих замусоленных донельзя книг в бумажных переплетах и газету, бесплатное издание, которое многим москвичам распихивают по почтовым ящикам.

— Вот, — ткнула она пальцем в первую страницу, — интервью с вами, тут ясно сказано, где... ага, читаю: «Писательницу Арину Виолову на самом деле зовут Тараканова Виола Ленинидовна, она...»

— Хорошо, это я, просто...

Лариса быстро схватила книжку.

— Вот здесь поставьте автограф. Я вас обожаю! Вы лучше всех! Супер!

— Понимаете, мне...

— Да ясно, — отмахнулась Лариса, — не бегать же вам с подносом! Сейчас, сейчас соображу, чем можно помочь! В бухгалтерии вы не разбираетесь? Одна моя подруга, бизнес-вумен, ищет человека, оклад, поверьте, вполне достойный...

Я глубоко вздохнула:

— Лариса, простите!

— Что такое? — осеклась управляющая.

— Я обманула вас, не думала, что узнаете меня, я вовсе не столь популярна.

— Так работа вам не нужна?

— Нет, «Марко» очень хорошо платит авторам, конечно, я не отказалась бы и от бо́льших денег, но сама виновата, следует чаще сдавать книги.

— Зачем тогда пришли?

— Понимаете, я пишу новый детектив. Вообще-то, я не обладаю буйной фантазией, как Смолякова.

— И хорошо, — с жаром перебила меня Лариса, — Миладу читать не могу!

— Правда?

— Конечно! Вы намного лучше!

Я заулыбалась, словно кошка, увидевшая полную миску свежей вырезки.

— Спасибо.

— Это не комплимент, а правда, — воскликнула Лариса, — так чем могу помочь?

— Я создаю свои книги только на основании реальных дел, которые в большинстве случаев сама и раскрыла.

— Ага, — кивнула Лариса, указывая на газетенку, — тут так и написано.

— Так вот. Двадцать третьего декабря прошлого года в вашем кафе случилась драка.

Лариса взяла со стола толстую книгу и принялась перелистывать страницы.

— Точно! У нас, впрочем, хулиганство редкость, публика не та. Иногда бывает, что клиент убежит, не заплатив. Еще из туалета диспенсеры для мыла тырили.

Вот тут уже я пришла в удивление.

— Зачем?

Лариса пожала плечами.

— Наверное, дома у себя ставят. Не знаю. Мы емкость к стене намертво приклепали, вместо бутылочки теперь такой бачок. Вороватый в Москве народ. Еще скандалы из-за счета бывают, но драка!

— Можете рассказать подробности о том происшествии?

— А почему вас заинтересовал этот инцидент?

— Сейчас как раз я разматываю очередной клубок очень хитроумного преступления, нить привела к вам, вернее, к участникам потасовки.

Лариса ткнула пальцем в телефон.

— Да, — прохрипело из динамика.

— Вели Насте немедленно зайти.

— Йес, — каркнули в ответ.

Не прошло и минуты, как в комнату влетела уже знакомая мне официантка.

— Звали?

— Сядь, — велела Лариса.

Настя бухнулась на стул.

— Фу, ну и жара, — простонала она.

— Декабрь прошлого года помнишь? — резко спросила Лариса.

— Ага, — кивнула Настя, — холод стоял, бр! Во люди! Жарко — плохо, и холодно тоже не в кайф! Когда нам хорошо бывает?

— В день зарплаты, — улыбнулась я.

— Точно! — воскликнула Настя.

— Тетку помнишь, которая драку устроила?

— А то!

— Расскажи, как дело обстояло?

— Зачем? — округлила глаза девушка.

Лариса постучала пальцем по столу.

— У нас времени особо на пустую болтовню нет! Раз спросили, отвечай!

— Ну, — загундосила Настя, — мороз стоял! Ваще! Потому и народу набилась куча. Я прямо с ног сбилась...

Я внимательно, стараясь не упустить ни слова, слушала девушку.

В тот день посетители шли в «Бутерброд» косяком, и все, очевидно, из-за стужи, заказывали горячие сандвичи и обжигающие напитки. Настя чуть не надорвалась, таская тяжеленные подносы. Потом вдруг, к ее огромной радости, наступило затишье. Официантка свалилась на стул и простонала:

— Никого, не верю!

— Не расслабляйся, — велел бармен, — во, идут.

Настя повернула голову к двери и с тоской отметила, что короткое время отдыха закончено, в кафе ввалилась парочка, самая обычная, мужик и баба. Еле передвигая гудящие ноги, официантка подошла к посетителям и старательно заулыбалась:

— Что закажем?

— Горячий шоколад со взбитыми сливками, — быстро стала тараторить посетительница, — потом один, нет, два бутерброда, ваших фирменных, с семгой и ананасом, еще...

— Милая, — ласково прервал ее кавалер, — не советую брать семгу.

— Да? Почему? — удивилась спутница.

— Мы в простой забегаловке, тут можно нарваться на разные продукты. А рыба должна быть очень свежей. Лучше возьми безопасное для здоровья блюдо, вот, смотри, сандвичи с маслом и зеленым горошком.

Настя обозлилась. Ясное дело, мужик попросту скряга. Вон как хорошо одет, в фирму, около тарелки положил ключи от машины, а на угощенье жмотничает. Бутерброды с семгой самые дорогие в меню, а хлеб с зеленым горошком стоит сущие копейки. Впрочем, люди в харчевню заглядывают разные, и если сидящая сейчас за столиком женщина довольна своим кавалером, то флаг ей в руки. Не Настино это дело раскрывать посетителям друг на друга глаза, официантку сейчас обозлил тот факт, что скупердяй попытался оправдать свою скаредность, пороча кафе.

— У нас тщательно проверяют свежесть всех ингредиентов, — отрезала Настя, — семга отличная, поэтому и дорогая. Не из вакуумной упаковки берем, не впариваем людям еду многолетнего хранения.

— В Москве-реке семужку вылавливаете? — хохотнул дядька.

— Нет, конечно! Кстати, маслом тоже отравиться можно, — вскипела Настя, — нелогично выходит. Хорошую, дорогую рыбу не советуете, а дешевку предлагаете. Коли нас в нечестности заподозрили, то тогда и масло здесь плохое!

— Хорош трендеть, — обозлился мужчина, — неси заказ! Размахалась языком.

Окончательно обозлившись, Настя пошла на кухню. Когда бутерброды были готовы, девушка вынесла их в зал, медленно двинулась к ворковавшей парочке, и тут началось!

Глава 22

В зал влетела женщина. Сколько ей лет, Настя не разобрала, встречаются такие бабы, глянешь на нее слева — два десятка, кинешь взгляд справа — весь сороковник. Лицо новой посетительницы хмурилось, словно ноябрьское небо, губы плотно сжаты, глаза прищурены. Не успела Настя ахнуть, как бабенка, миновав все пустые столики, поднеслась к парочке и сказала:

— Ну привет!

Мужчина вздрогнул и произнес:

— Вася!

— Обрадовался? — голосом, не предвещающим ничего хорошего, протянула баба со странным для женщины имечком Вася.

— Э...

— Испугался?

— Миша, это кто? — ожила спутница дядьки.

— Я? — усмехнулась тетка. — Жена этого Миши, законная, единственная. А вот ты кем являешься?

— Немедленно заткнись, — дернулся Миша.

— Ты ко мне обращаешься? — взвилась Вася.

— Именно к тебе!

— Что происходит? — лепетала женщина за столиком. — Мишенька, ты разве женат?

— Нет, она врет, — быстро сказал Михаил.

Вася коротко рассмеялась.

— Дура ты, звать-то тебя как?

— Ника.

— Идиотка ты, Ника! Что про него знаешь?

Ника захлопала глазами.

— Убирайся вон, — рявкнул Миша, — или мы сами уйдем.

— Ну уж нет! — заорала Вася. — Сейчас всю правду ей расскажу! Знаешь...

— Заткнись!

— А! Испугался!

— Вали отсюда.

— Не собираюсь!

— Пшла вон!

Вася схватила Мишу за плечи.

— Это ты сейчас вон двинешь!

Настя, разинув рот, следила за происходящим. Миша со всего размаха отвесил той, что назвалась его женой, оплеуху. Вася покачнулась, но удержалась на ногах. Трясущейся рукой она схватила со столика железную салфетницу и швырнула в Нику. Спутница Миши взвизгнула и юркнула под столик. Миша выругался и попытался уцепить Васю за длинные, свисающие ниже плеч волосы. Супруга схватила с другого столика солонку с перечницей и бросила в изменщика. Металлические бомбошки долетели до бара и угодили в фужеры, на пол посыпались мелкие осколки.

— Сука! — завизжал Миша.

— Спасите! — вопила Ника, почти ползком добираясь до двери.

— Ща я тебя урою! — пообещал ласковый муж.

— Хрен тебе в нос! — заорала Вася, взяла стеклянную емкость, наполненную как раз хреном, и ловко метнула ее в гуляку-муженька.

Миша поднял над головой стул, но Вася опередила его, запустив в него круглой табуреткой. Женщина промахнулась, предмет мебели попал точно в центр круглого зеркала...

Только в этот момент бармен и Настя стряхнули с себя оцепенение. Парень ринулся к драчунам, а Настя за Ларисой и дворником, которого из экономии в «Бутерброд» приглашали в качестве вышибалы.

Когда управляющая прибежала в зал, военные действия были закончены, а бармен крепко держал рыдающую Васю. Лариса велела отвести хулиганку в свой кабинет и, оказавшись на рабочем месте, сурово спросила:

— Понимаете, что нанесли урон нашему предприятию?

— Да, простите, — пролепетала Вася, — извините, сама не знаю, как это вышло.

— Словами не отделаешься, — воскликнула Лариса, — фужеры переколочены, зеркало вдребезги, счет не оплачен. Все на статью тянет. Сейчас ментов позову.

Внезапно Вася сползла со стула и бухнулась на колени.

— Умоляю, не надо! Меня посадят!

Вообще-то Лариса и не собиралась обращаться в отделение, больно нужен ей геморрой с милиционерами. Сейчас припрутся, разведут бодягу с бумагами, заставят закрыть кафе, придется угощать их бутербродами. Пусть эта Вася оплатит ущерб и отваливает домой. Но то, что тетка бросится на колени и начнет, стуча лбом в пол, твердить: «Простите, простите, простите», Лариса не ожидала и растерялась.

— Вставай давай, — велела она, — договоримся. Заплатишь нам, и делу конец.

— Да, конечно, — залилась слезами Вася, — сколько?

— Сейчас выясним, — пообещала Лариса.

Когда управляющая вручила Васе счет, та вздрогнула.

— У меня с собой только двести долларов, я зарплату получила.

— Хорошо, — согласилась Лариса, — давай. Паспорт имеешь?

— Да, — кивнула Вася и сильно побледнела, — зачем он вам?

— Адрес записать, — ответила Лариса, — чтобы не удрала, и телефон давай.

Вася протянула управляющей документ. Лариса раскрыла книжечку. «Лапина Василиса Семеновна».

— Что ж ты перед мужиком унижаешься? — не выдержала Лариса.

Василиса тяжело вздохнула:

— Ужасно! Так стыдно.

— Он твой муж?

— Ну, в общем, да! На бумаге, вместе давно не живем!

— Тогда с какого ляду ты взбесилась, — удивилась Лариса, — если вы фактически разошлись?

Вася стала перебирать край рукава.

— Сама не пойму, — призналась она, — шла мимо, у меня тут неподалеку подруга живет. Смотрю в окно и вижу — сидит Мишка в кафе, с бабой, лыбится ей! Ну и понесло меня по кочкам, крышу капитально сорвало и в лес бросило. Извините, Христа ради. Я первый раз такое учудила!

— Ладно, уходи, — разрешила Лариса, пряча в сейф две зеленые бумажки, — с тебя еще пятьдесят баксов, не забудь.

— Я непременно отдам, — закивала Вася, — получу следующую зарплату и верну. Очень прошу, не сообщайте никуда.

Лариса кивнула, она сама, официально не разведясь с мужем, живет отдельно от него и очень хорошо поняла сейчас Васю. Наверное, та все же надеялась на воссоединение с мужем и, приметив его с соперницей, испытала приступ ревности.

— У вас остались координаты Васи? — быстро спросила я.

— Естественно, — кивнула Лариса.

— Можете мне их дать?

— Легко, пишите. Только имейте в виду, кажется, она обманщица.

— Почему? — напряглась я.

Лариса замялась, потом сказала:

— Через месяц после происшествия я позвонила сама по телефону, угадайте, что услышала?

— Здесь такая не живет?

— Да нет, абонент временно недоступен.

— И вы не поняли сразу, что вам всучили номер мобильного?

— Нет, — покачала головой управляющая, — не словила мышей. Телефон-то начинается с цифр 411, адрес у этой Васи — Марьино. Я никого в том районе не знаю, с компанией, которая раздает такие номера, до того момента не сталкивалась. Собственно говоря, это меня не оправдывает.

Трубка талдычила про недоступного абонента довольно долго, а потом неожиданно ответил мужчина.

— Какой Вася? Это моя мобила!

— Давно у вас эта сим-карта? — безнадежно поинтересовалась Лариса, уже хорошо зная, какой услышит ответ.

— Позавчера купил, — заявил дядька.

— Домой к ней не ездили? — поинтересовалась я. Лариса махнула рукой.

— Из-за пятидесяти баксов переть через всю Москву невесть куда? Бензина больше нажжешь, туда-сюда мотаясь! Да и, может, она опять меня надула? Прописана в одном месте, живет в другом, сплошь и рядом такое.

Я кивнула:

— Действительно, случается.

Жара на улице была немилосердная, в особенности это ощущалось после приятной кондиционированной прохлады кафе. Я села в «Жигули» и услышала звонок мобильного.

— Вилка, — бодро воскликнул Куприн, — ты где? Далеко от Садового кольца?

— В принципе, не очень, — радостно отозвалась я. Все-таки зря я злюсь на Олега, наверное, удушающая жара виновата в том, что мы сегодня поругались. Ну какая нервная система выдержит перепады температуры и давления, коими столь славно нынешнее лето? Куприн тоже понял, в чем дело, и сейчас хочет позвать меня в кино.

— Можешь подъехать?

— Могу.

— Тогда поторопись.

— Адрес скажи!

— Что у тебя с памятью! Уже забыла?

— Но ты ничего мне не говорил!

— Ох, Вилка, — укоризненно протянул муж, — есть у тебя одна неприятная особенность, вернее, их много, но самая отвратительная — это желание тут же свалить на меня свои ошибки. Дескать, не у тебя в голове дырка, из которой мигом вываливаются все сведения, а я, оказывается, клинический идиот, вызывающий жену на свидание и не сообщающий ей координаты места встречи.

— Но ты ведь...

— Запиши лучше, — перебил меня Олег, — и поторопись, а то уже Игоряха на подходе, значит, так... Эй, чего молчишь, говори, долго сюда тебе ехать?

Я посмотрела на блокнот, Куприн находится близко, только при чем тут Игорь Горелов, один из приятелей Олега? Раньше они служили в одном отделе, но потом Игорька ранил преступник, Горелов долго лечился, вернуться на работу не смог, его комиссовали по состоянию здоровья. Игорек, правда, недолго расстраивался. Он человек, способный принимать кардинальные решения, поэтому, не колеблясь, продал свое единственное богатство, «трешку», в которой жил с семьей, переселился на дачу, а на вырученные деньги открыл собственное дело. Теперь у Игоря вполне благополучный автосервис, а при нем мойка и небольшое кафе.

Искренне недоумевая, зачем Олегу понадобился еще и Горелов, я приехала в указанное место и увидела мужа, озабоченно оглядывавшего свою новую дешевую иномарку. До недавнего времени Куприн раскатывал на стареньких «Жигулях». Тачка постоянно ломалась и доставляла владельцу сплошные неприятности, подводила в самый неподходящий момент, глохла в жару, непостижимым образом закипала в мороз, одним словом, ясно давала понять, что Олег не является ее любимым человеком и она не собирается помогать ему, а вот мешать будет с огромным удовольствием.

Затем «Марко» вдруг резко повысило мне гонорар, а Куприн получил премию, не слишком, правда, большую, но мы сложили две суммы и купили майору иномарку, у которой оказался просто замечательный характер. Вредную «лошадь» мы продавать не стали по нескольним причинам. Во-первых, за нее нельзя было выручить хорошей суммы, если честно, то и плохую получить представлялось проблематичным. Во-вторых, я недавно получила права.

— Ну не покупать же небитую тачку мадаме, которая только-только села за руль, — бесцеремонно заявил Семен.

Я посмотрела на него и быстро возразила:

— В автошколе все были уверены, что я не учусь, а восстанавливаю забытые навыки. У меня, оказывается, талант водителя.

Семен и Олег переглянулись, хмыкнули, а потом мой супруг заявил:

— Ладно, добивай «жигулевич», а там подумаем. Если этот металлолом при парковке помнешь об ограждение, то и не жаль.

И вот что интересно! Оказавшись в моих руках, старенький, дышащий на ладан автомобильчик обрел вторую молодость. Он теперь не ломается и весьма бодро бегает по улицам. Может, потому, что я искренне люблю его и каждое утро прошу:

— Зайчик, давай сегодня поездим без проблем, иначе твоей хозяйке придется спускаться в метро. Я, конечно, не растопыриваю пальцы и пользоваться подземкой привыкла, только там очень душно и по большей части противно пахнет.

Услыхав мои слова, «Жигули» заводятся с пол-оборота и бегают потом безотказно. Оказывается, даже с механизмами можно подружиться, если проявить заботу. Вы с ними по-человечески, и они к вам с пониманием.

— Ну что ты так долго добиралась? — налетел на меня Олег.

— Пробка на Садовом кольце.

— Объехать можно было, бульварами.

— Там еще хуже!

— Вечно ты споришь.

— Ладно, извини, но к чему спешка?

Олег ткнул пальцем в свою иномарку.

— Вот! Сейчас Игорь приедет и заберет ее.

— А что случилось? — удивилась я, обозревая совершенно целый капот машины.

— Сзади глянь, — буркнул муж.

Я быстро обежала авто и ахнула. Правая фара разбита, и покорежена часть крыла.

— Ой, вот жалость! Как же это случилось?

— Идиоты, кретины, дуболомы...

— Кто?

— Сделали дурацкое ограждение! Никому и в голову не придет, что оно тут стоит, — завел Олег.

Я сочувственно закивала головой. Понятно, Куприн, как всегда, поторопился, поспешил пролезть в образовавшуюся дырку, слишком сильно газанул, и вот результат. Кстати, можно я скажу вам то, что никогда во избежание вселенского скандала не выскажу мужу? Понимаете, Олег, сидящий за рулем очень и очень давно, не умеет водить. Он не чувствует габариты машины и в нештатной ситуации мгновенно нажимает на тормоз, а этого ни в коем случае делать нельзя. Куприн находится за рулем в постоянном напряжении, он не получает удовольствия от процесса езды, а выполняет тяжелую, нудную работу, постоянно комментируя поведение остальных участников дорожного движения. Замечания типа: «Во идиот, кто же так тормозит?» — или: «Ну с какой стати эта баба прет в левом ряду?» — сыплются из него постоянно.

Еще Олег органически не переваривает владельцев дорогих иномарок. Если лимузин пристраивается сзади за его машиной и сначала моргает фарами, а потом принимается «крякать», требуя уступить дорогу, Олег вцепится в руль и сделает вид, что он ослеп и оглох.

Кстати, оказавшись сам в подобной ситуации, Куприн ведет себя, на мой взгляд, безобразно. Если его не пускает в левый ряд какая-нибудь «шестерка», муж мгновенно уходит вправо, обгоняет колымыгу запрещенным образом, становится перед вредным водителем, тормозит и тащится со скоростью двадцать километров в час. Увидав первый раз сей маневр, я пришла в ужас и воскликнула:

— Что ты делаешь! Это очень опасно.

— Дураков учить надо, — ответил супруг, — не вмешивайся, на дороге свои законы.

Я тогда притихла и вжалась в сиденье, но теперь, имея собственный автомобиль, очень хорошо понимаю: большей части мужчин не следовало никогда садиться за руль. И хоть мужики-шоферы частенько заявляют с презрительным смешком, указуя перстом на даму за баранкой: «Вон мартышка колесит», — я должна заметить, что женщины ездят аккуратней представителей сильного пола. Мы не используем дорогу в качестве° арены для выяснения уровня собственной крутости, просто едем по делам, одна на работу, другая в магазин, третья за ребенком в садик. Может, потому и доезжаем до места чаще всего целыми и невредимыми? Ну согласитесь, пьяная в лоскуты дама, с «косяком» в зубах, таранящая на скорости двести километров в час бетонный отбойник на МКАД, все же является редким явлением. И ведь что обидно! Парень, пойманный в момент подобного безумия, вызывает у сотрудников ДПС понимающие ухмылки. Дескать, идиот, но бывает, заотдыхался сердечный. А представляете, что они скажут обо мне в таких обстоятельствах?

Почему Олег сейчас разбил машину? Да очень просто! Ринулся со всех колес к освободившемуся парковочному месту. Я бы не стала суетиться, уступила его тому, кто подобрался к «дырке» первым, отъехала бы в переулок, спокойно встала там и не переживала бы сейчас, оглядывая разбитую фару и покореженное крыло.

Глава 23

Покричав несколько минут, Олег успокоился.

— Ладно, — заявил он, — слава богу, я застрахован по полной программе. Сейчас Игорь с эвакуатором приедет, хорошо иметь друга, владельца автосервиса.

— Ага, — кивнула я, — это верно, а меня зачем позвал?

Олег запыхтел.

— Слышь, Вилка, — наконец сообщил он, — сейчас еще и Юрка Репин прибудет, да вон он рулит!

Я уставилась на бело-синюю машину ДПС, которая, сердито «покрякивая», пробиралась между плотными рядами автомобилей. Понятно! Чтобы получить страховку, надо иметь соответствующую справку от ГАИ, и Олег ничтоже сумняшеся, чтобы не стоять на солнцепеке, ожидая патруль, позвонил еще одному своему приятелю, обладателю полосатого жезла и белых краг. Но я-то здесь при чем? Ясно лишь одно: ни в какое кино муженек жену звать не собирался! Зачем тогда оторвал от дел?

— Слышь, Вилка, давай скажем Юрке, что за рулем сидела ты, — вдруг попросил Олег.

— Я?

— Ага! Ты же внесена в страховку, деньги дадут без проблем.

— Господи, да зачем?

Олег скривился:

— Глупо вышло, я въехал в ограждение. И Юрка, и Игоряха потом меня задразнят.

Я вздохнула. Странные существа мужчины. Ну какой женщине придет в голову издеваться над подругой, помявшей случайно машину?

— Тебе трудно, да? — начал злиться Куприн. — Ни о чем попросить нельзя!

— Ладно, — кивнула я, — без проблем, мне, честно говоря, все равно.

— Привет! — заорал Юрка, еле вытаскивая толстое тело из служебной «десятки».

Вот еще один вопрос! Ну почему большинство сотрудников ГАИ имеют вес более ста килограммов? Их подбирают специально, или они начинают полнеть, уже устроившись на работу? Хотя второе предположение абсурдно. Служба у парней нервная, зарплата маленькая, с чего пухнуть? Только не надо говорить мне, что они все взяточники. Кстати, постовой, берущий деньги, — это подарок шоферу-нарушителю. Вот на задах бывшего ресторана «София», там, где можно, развернувшись над тоннелем, пересечь Садовое кольцо и ехать в сторону Петровки, всегда стоит гаишник Саша, высокий, худощавый, черноволосый симпатичный мужчина. Лично меня он ловил три раза, потому что я всегда нарушаю там правила. Память у Саши отменная, подходя к «Жигулям», он в последнюю нашу встречу рявкнул:

— Тараканова! Ну сколько можно!

Вот какой, даже фамилию запомнил. Я честно пыталась всучить ему сначала пятьдесят, потом сто, а затем аж двести целковых. И что? А ничего! Саша спокойно отвечает: «Взяток не беру», — и принимается долго, нудно, с соблюдением всех формальностей оформлять протокол.

В результате я теперь, оказываясь на том развороте, всегда включаю все, что надо включить, ползу в нужном ряду с предписанной скоростью, прикованная к сиденью ремнем, судорожно вспоминая, есть ли в багажнике аптечка, огнетушитель и знак аварийной остановки. Не далее как три дня тому назад я пробиралась мимо Саши, и тот, заметив знакомую машину, кивнул, а потом крикнул:

— Молодец, Тараканова! Ведь можешь, если захочешь!

— Вау, — воскликнул Юрка. — Ну и ну! Новая машина! Вот жалость.

— Угу, — кивнул Олег.

— Как же ты так? — укорил приятель.

— Это Вилка, — быстро соврал муж.

— Ну дела, — почесал в затылке Репин, — и зачем ты, дурочка, в мужнину машину села, а? Вроде свой металлолом имеешь!

Я потупилась.

— Да ладно, — махнул рукой Олег, — ну, захотелось перед подружками пофорсить, пусть уж!

— Добрый ты слишком, — завздыхал Юрка, — я бы свою убил! Вернее, и не дал бы ей никогда хорошую тачку. Ясно же, что бабы неспособные к вождению курицы, да еще вредные. Ведь чего она расшиблась? Лезла в дырку, торопилась кого-то опередить! Только дебилке такое в голову взбредет.

Олег порозовел, я прикусила нижнюю губу.

— Ну хватит, — пробубнил мой майор, — давай не будем очень уж на нее нападать.

— И ведь не в первый раз! — рявкнул Юрка.

Я подскочила на месте:

— Как это?

Юра нахмурился:

— Только не притворяйся, что забыла, не поверю. Кто неделю назад в тумбу афишную задом впендюрился? Хорошо, что только один фонарь раздолбасила, его поменять пара минут, и не заметно совсем.

Я хлопала глазами.

— Фонарь?

Юра повернулся к Олегу.

— Купи Вилке таблетки от маразма.

— Я ничего не била! — возмутилась я.

— Офигеть, — хлопнул себя по толстому животу Юра, — думаешь, если удрала и оставила Олега разбираться, так я ничего не узнал? Справку-то кто делал? Ох, бабы!

Качая головой, он пошел к своей машине. Я встряхнулась, словно собака после душа, и налетела на мужа:

— Значит, ты раскокал светильник!

— Фонарь!

— Не важно.

— Как это? Не люстру же, — пожал плечами Куприн.

— Вызвал Юрку и свалил вину на меня?

— Ну... понимаешь...

— А теперь подставил жену снова!

— Тебе трудно было выполнить мою просьбу?

Я набрала побольше воздуха в грудь, но тут, коротко всхлипнув сиреной, около нас остановился эвакуатор. Игорь спрыгнул на мостовую и зацокал языком:

— Ой, ой, ой! Ну и жалость!

— Это Вилка сделала, — мгновенно сдал меня муж.

Игорь подошел ко мне.

— Котик вздорный! Какого хрена ты в дырку поперла? Зачем торопилась, а? Ну и результат? Опять двадцать пять. Увы, это не фонарь, тут посложнее ситуация.

— А, — протянула я, — ты тоже про тумбу знаешь?!

— Котя, — заулыбался Игорь, — тебе достался не муж, а высокопробное золото. Он очень просил не поминать тебе ту глупость, и я бы смолчал, но, ей-богу, следует сначала поучиться, а потом лезть за руль.

— Ерунда! — воскликнул Куприн. — Не переживай, Вилка, страховая заплатит! Вон, видишь, мороженым торгуют, поди купи себе любимое, ванильное!

Я обозлилась до крайности. Мало того, что Олег выставил меня перед Юрой и Игорем окончательной и бесповоротной идиоткой, так еще и пытается изображать заботливого супруга, предлагая мне тот сорт лакомства, который я никогда не возьму в рот.

Если что терпеть не могу, так это ванильный пломбир, ем только плодово-ягодный или шоколадный. Ну, погоди! Сейчас...

В этот момент Куприн умоляюще посмотрел на меня, я поперхнулась невысказанными словами и сказала совсем не то, что собиралась:

— Дай денег на стаканчик.

Куприн похлопал себя по карманам.

— Вот черт! Кошелек на работе оставил. А у тебя что, у самой нет?

Я медленно пошла к будке с надписью «Вкусный лед». У меня-то все есть, но ведь мороженым угостить меня хотел Олег. Ну согласитесь, самой купить эскимо или получить его от супруга, это, как говорится, две большие разницы.

Благодаря Юре и Игорю ситуация быстро разрешилась. Машину подняли на платформу.

— Слышь, Олег, — велел Горелов, — садись в тачку и кати за мной, Юрка нас проводит. Чего стоишь?

Куприн пошел к «Жигулям».

— Эй! — возмутилась я. — Вообще-то, это моя машина!

Олег сел за руль и воскликнул:

— Ну с какой стати так придвигать сиденье!

— Оно сделано под мой рост, вылезай!

— Понимаешь, Вилка, — торжественно объявил муж, — мне придется поехать на этом металлоломе. Ведь Юрка и Игорь считают, что ты рассекала на моей тачке, так?

— Ну... да, конечно, так, — ответила я, плохо понимая, куда он клонит.

— Значит, я прибыл к месту аварии на «Жигулях», — вещал дальше муж, — ты помяла крыло, раздолбасила фару, расплакалась, разнервничалась...

— Я? Стала лить слезы на проспекте из-за такой ерунды?

— ...позвонила мне, — не останавливался Куприн, — я, естественно, бросил все дела и кинулся тебе помогать, позвал Юрку и Игоря. А раз приехал на «Жигулях», то на них мне и уезжать, логично?

— Логично, — как робот-автомат подтвердила я.

— Очень хорошо, что ты правильно оцениваешь ситуацию, — кивнул Олег, заводя мотор, — мне еще потом куча дел предстоит, а тебе на метро домой даже удобнее. В городе такие пробки! Я просто завидую тебе, понесешься под землей без всяких проблем, сядешь, станешь книжечку читать. Красота!

— Олег! — заорал Юрка. — Хватит жену утешать, еще брюлики ей за глупость купи!

— Все, стартуем, — отозвался муж и газанул.

Я осталась с раскрытым ртом в полном обалдении. Ну не дура ли! Решила, что муж поведет меня в кино, попытается таким образом извиниться за свое гадкое поведение в кафе. И что на самом деле?

Между прочим, я направлялась вовсе не домой, а в Марьино, туда, где прописана Василиса Лапина.

Нужная улица оказалась не в Марьине, а в Капотне. Серо-желтая пятиэтажка уютно расположилась среди не по-московски буйнозеленых деревьев. Я вошла в подъезд и обрадовалась, квартира Васи располагалась на первом этаже. Ткнув пальцем в кнопку, я неожиданно ощутила жуткую усталость. Как быстро, однако, человек привыкает к хорошему, ездила я всю жизнь на общественном транспорте, и ничего, потом пересела за руль и поняла, вновь временно оказавшись в подземке, какое же это утомительное занятие катить сначала в душном, переполненном народом вагоне, а потом на маршрутке.

— Вам кого? — прозвучало из-за створки.

— Лапину можно?

Загремел замок, на пороге появилась женщина лет шестидесяти.

— Ну я Лапина. А в чем дело?

— Мне нужна Василиса Семеновна, — сказала я и быстро добавила: — Наверное, она ваша сестра?

Мой совет, если встречаешь знакомую, с которой не виделась лет пятнадцать, а она, справившая пятидесятый юбилей, толкает перед собой коляску, смело говори: «Как на тебя дочка похожа!»

Ежу ясно, что младенец ее внучка, но ведь как приятно бабушке услышать подобное заявление. Поняв, что их считают молодыми, женщины делаются добрее и охотно идут на контакт.

Но Лапина даже не улыбнулась.

— Я Анна Сергеевна, а Василиса моя дочь, покойная. Что у вас за дело к умершему человеку?

— Василиса скончалась? — ужаснулась я. — Когда? По какой причине?

Анна Сергеевна перекрестилась.

— Тридцать первого декабря прошлого года, аккурат в праздник!

— Боже мой! Под машину попала?

— Нет, — покачала головой мать, — пошла на чердак белье развешивать, у нас там веревки, и упала из окна. Хотела раму отворить, встала на подоконник, ну и конец! А вы кто?

Я с трудом пыталась прийти в себя.

— Извините, бога ради...

— Господь простит.

— Я не знала...

— Все в руках божьих.

— Еще раз простите, а где ее муж, Михаил? Он случайно не тут живет?

Зрачки Анны Сергеевны стали узкими, как у кошки.

— Михаил... А! Зачем он вам?

— Ну... так! Очень нужен.

— Входи, — неожиданно пригласила Анна Сергеевна, — босоножки снимай, чисто у меня. Комната слева, сюда.

Я вошла в длинное прямоугольное помещение и невольно попятилась. Повсюду со стен смотрели иконы, их было очень много, светлых и темных, перед самыми большими теплились лампадки. Шторы на окнах задернуты, вокруг царил полумрак.

— Лоб не крестишь, потому что не воцерковлена или веры иной? — строго поинтересовалась Анна Сергеевна.

Я моментально неумело сложила пальцы щепотью и осенила себя крестным знамением. В нашей семье нет икон, мы с Томочкой истинные дети эпохи социализма, атеисты не по убеждению, а от вдолбленного с ясель постулата: «Бога нет, религия — опиум для народа».

— Я православная, — быстро сказала я, — растерялась просто.

— Это ничего, — кивнула Анна Сергеевна, — садись и послушай. Я очень хорошо понимаю, зачем ты пришла. Дочь моя, несчастная Василиса, пусть послужит тебе примером. Думаю, на самом деле она покончила с собой.

Я поднесла руки к лицу:

— Ой!

— Вот-вот, — кивнула Анна Сергеевна, — грех страшный. И двойной! Вот она что задумала. Решила себя извести и в царствие божье попасть. Пошла

вроде белье повесить и упала! Нет бы мне сразу сообразить, ну чего она тридцать первого стирку за-
теяла? Все рассчитала, даже я сначала милиции поверила. Часть белья на веревке, другая в тазу, окно
открыто... Люди решили, что она хотела его раство-
рить, влезла на подоконник, подергала запор, нава-
лилась на раму, а та возьми да распахнись. Вася и
ойкнуть не успела, как вниз рухнула.

— Может, так оно и было, — прошептала я, —
некоторые люди погибают случайно.

Анна Сергеевна согнулась и стала похожа на на-
хохлившуюся ворону.

— Нет, — отчеканила она, — Василиса сначала в
ду́ше помылась, в пять вечера-то, белье чистое на-
цепила, причесалась, даже губы намазала. Ну с чего
бы ей марафетиться, а потом за стирку браться? Все
продумала, потому как знала: самоубийц за оградой
кладбища хоронить положено. Себя жизни лишить
грех самый страшный, ни в одной религии такое не
разрешено, хоть кого спроси. Батюшка ее отпевать
не станет, да и я не позволю гроб в церковь вносить,
потом всю жизнь молиться за ее душу надо. Вот она
и надумала всех обмануть, обвела людей вокруг
пальца. Упокоили Василису по-божески, с молит-
вой, в освещенной могиле, а на девятый день мне
сон приснился. Идет дочь по лесу, темнее тучи, платье на ней рваное, башмаков нет, слезы по щекам
катятся, и воет: «Что же я наделала! Господа-то не
провести, все он видит, слышит и каждому по делам
его воздаст!»

Тут я и поняла, что произошло, да поздно. Теперь и на мне грех ужасный, успеть бы до своей по-
гребальной свечи отмолить!

— Василиса была верующей? — тихо спросила я.

Анна Сергеевна глубоко вздохнула:

— И, милая! Кто ж сейчас из молодых по-пра-вильному верит? Девушки в брюках, с намазанными глазами в церкви стоят. Маленькой Вася была, я ее на все службы брала, повзрослела она и взбрыкнула, не стала молиться. Сколько я слез пролила! И не счесть.

Я молча слушала Анну Сергеевну. Отчего этой фанатично настроенной женщине не пришла в го-лову простая мысль: если Василиса не была верую-щей, то ей наплевать на похороны за оградой клад-бища и отсутствие отпевания. Могла спокойно си-гануть из окошка, не устраивая спектакля. Значит, либо она на самом деле свалилась с чердака, либо не захотела доставлять своей матери боли и обставила самоубийство как несчастный случай. Почему Анна Сергеевна, божий человек, который должен любить близких, не сообразила, что Вася очень нежно отно-силась к ней?

Хотя есть еще одна вероятность. Василиса пошла на чердак с тазом выстиранного белья, встретила по дороге некоего человека, а он воспользовался тем, что женщина влезла на подоконник, толкнул ее и убежал незамеченным.

Глава 24

— И вот теперь, — не замечая моего состояния, вещала Анна Сергеевна, — я хочу тебя предосте-речь. Михаил — сатана! Прости, господи, что упо-мянула это имя к ночи. Из-за него Василисина жизнь порушилась, он горе ей принес. И тебе от не-го счастья не видать. Люцифер виноват! Да, зло хитро, принимает любые обличья, дьявол нас иску-шает, а мы должны настороже быть! Чего так на меня глядишь?

— Миша такой плохой, по вашему мнению?

— Чернее ночи.

— Почему же вы тогда позволили Василисе замуж за него выйти?

Анна Сергеевна скривилась.

— А то вы старших уважаете! Небось и твоя мать тебя предупреждала: не связывайся с ехидной. А толку-то! Не послушалась родительницу, теперь мечешься по Москве и плачешь, ищешь ирода юродивого. Ох, хитер сатана! Вначале он ангелом прикинулся!

— Простите, бога ради...

— Не поминай господа всуе!

— Хорошо, извините, но я ничегошеньки не понимаю, — взмолилась я, — объясните, пожалуйста, кто такой Люцифер? Если можно, скажите его имя, фамилию.

— Властитель ада, дьявол, тьфу-тьфу, сгинь, — принялась плевать по углам Анна Сергеевна.

— При чем тут Михаил?

Лапина сурово глянула на меня.

— Не читаете нужных книг, вот и не знаете ничего! Сатана-то хитер, по земле ходит, души себе покупает. А как ему по городу пройти? Как?

— Вы меня спрашиваете?

— Да, отвечай.

Я тяжело вздохнула, похоже, у хозяйки квартиры на почве религии начался сдвиг по фазе. Кстати, церковь не приветствует фанатизм мирян. Жить надо по вере, но расшибать лоб, стоя целыми днями у икон, нехорошо. У простого человека иное предназначение, а религия всего лишь его поводырь в бурном мире страстей.

— Ну, наверное, — принялась фантазировать я, — он появляется по ночам, прячет рога под шапку, хвост в брюки, копыта в ботинки и бродит по улицам, предлагает людям богатство и славу в обмен на душу. Кое-кто иногда соглашается!

Анна Сергеевна вдруг весело засмеялась:

— Ну и удивила ты меня! Нет, все иначе. Женится парень на девке. Та красивая, умная, дело свое имеет. Она парня в бараний рог скрутила, заставляла себе прислуживать, а тот и рад стараться, стелился ковром под ее ноги. А потом прошмандовка что-то там нахимичила с бумагами, налогов недоплатила, так мужа ее посадили, потому как по документам он виноват выходил. Во как! Он в тюрьме, она с ним развелась и небось нового нашла, живет в свое удовольствие, поняла?

— В общем, не особо оригинальная ситуация, — кивнула я, — но при чем тут дьявол?

Анна Сергеевна укоризненно покачала головой.

— Экая ты непонятливая. Девка и есть черное отродье. Это он сам, сатана, ее обличье принял, чтобы слабых духом искушать, ясно? Или вот во второй квартире у Мальковых собака живет, она тоже сатана. Хозяйка ее с ложечки кормит, в постель с собой укладывает. Ох, неладное дело, убить пса надо.

Я не на шутку перепугалась. Пора бежать отсюда, неровен час Анна Сергеевна и меня за посланницу ада примет. Как бы осторожно уйти? И тут, на мое счастье, в комнату вошла немолодая, коренастая женщина. Она положила на стол небольшой полиэтиленовый пакетик, удивленно сказала мне «добрый вечер» и, повернувшись к хозяйке, с укоризной воскликнула:

— Нюша! Опять дверь не заперла! Ну сколько раз тебе говорить: подъезд без охраны. Вдруг наркоман какой полезет, захочет денег на дозу взять! Ведь убьет ни за понюх табаку!

— Все в руках всевышнего, — монотонно ответила Анна Сергеевна, — как он решит, так и станется. Ежели мне уготовано от руки разбойника умереть, то и ладно. Приму смерть с радостью. Я, Нина, вовсе не дура, может, поначалу и не разберусь, что к чему, зато потом ясно понимаю. Видишь, девка сидит?

Кривой палец Анны Сергеевны указал в мою сторону. Нина кивнула:

— Как не заметить. Кто ж она такая? Знакомая твоя?

Хозяйка снова весело засмеялась:

— Мишку, сказала, ищет. Только я увидела сейчас, врет она! Дьявол явился, искушает меня. Изыди, чудище!

Я вжалась в кресло, Нина с сочувствием посмотрела на меня, потом вынула из пакетика шприц и пробормотала:

— Протягивай, Нюша, лапу да не дергайся.

Анна Сергеевна покорно дала себя уколоть. Нина повернулась ко мне.

— Ты из агентства небось? Проверяющая? Посиди чуток, сейчас ее в кровать уложу. Впрочем, ступай пока на кухню, чтобы время зря не терять, и составь опись продуктов в холодильнике.

— Записать, что лежит в холодильнике?

— Да, — кивнула Нина и увела Анну Сергеевну.

Я, изумленная до крайности, пошла выполнять приказ. В громоздком монстре белого цвета нашелся совсем неплохой запас продуктов. Кастрюлька с куриным супом, эмалированный горшочек, набитый гречневой кашей, граммов двести «Докторской» колбасы, десяток яиц, пара йогуртов, сыр, масло, сметана, немного овощей, фруктов и баночка маслин. Никаких изысков типа икры и семги тут не наблюдалось.

— Довольна? — спросила Нина, появляясь на пороге.

Не понимая, чего она от меня хочет, я кивнула.

— Хорошо, — улыбнулась Нина, — пошли в ванную. Вот мыло, зубная паста, туалетная бумага. Теперь аптечка. Все ее лекарства на месте, плюс витамины. Уколы я делаю регулярно, ты сама только что видела...

— Простите, — перебила я ее, — но зачем мне все эти подробности?

Нина вскинула брови.

— Как? Проверять тебя прислали, так смотри. Ну народ! Ладно я, со мной понятно, мы с Нюшей кучу лет дружим, а если посторонний кто придет? Надо ж все досконально изучить, до ниточки, еще и на подопечного полюбоваться, вдруг под платьями синяки?

— Меня зовут Виола Тараканова, — быстро сказала я, — вот паспорт. Я под именем Арины Виоловой пишу детективы, вы, наверное, криминальную литературу не читаете?

— Нет, — спокойно ответила Нина, — только про здоровье что-нибудь и по садоводству. Я приняла тебя за проверяющую из фирмы, они любят неожиданно нагрянуть, чтобы клиента врасплох застать, понимаешь?

— Вообще ничего не соображаю!

— Зачем же к Нюше заявилась?

— Мишу ищу, мужа Василисы.

— А-а-а! Она умерла.

— Я это только сейчас узнала, к ней самой направлялась, а налетела на Анну Сергеевну. Кстати, спасибо вам, я очень испугалась, когда хозяйка про

сатану разговор завела. Похоже, Лапина сумасшед-
шая.

— Есть немного, — согласилась Нина и очень тихо поинтересовалась: — А Миша-то тебе зачем?

День сегодня выдался жаркий, я очень устала и
практически ничего не ела, да еще к вечеру город
окутала не долгожданная прохлада, а липкая духота.
Воздух сгустился до такой степени, что его можно
раздвигать руками. Еще я очень обиделась на Олега,
обалдела от путешествия на общественном транспорте и сильно перенервничала, сообразив, что
имею дело с умалишенной женщиной. Поэтому не-
удивительно, что на вопрос Нины я совершенно
автоматически ответила:

— Он негодяй, обокравший мою подругу. Впрочем, я не собираюсь подавать заявление в милицию.
Пусть просто вернет ожерелье!

Нина потерла лоб ладонью, протяжно вздохнула
и предложила:

— Пошли ко мне, там и побалакаем.

Мы переместились в соседнюю квартиру, которая, в отличие от просторных хором Анны Сергеевны, оказалась однокомнатной, тесно заставленной
мебелью. В помещении, служащем жильцам и
спальней, и гостиной, и детской, и кабинетом одновременно, буквально некуда было ступить.

— Видишь, как живем? — невесело вздохнула
Нина. — Четверо нас тут — я, дочь, зять и внучка.
Ну просто ум за разум заходит. Это сейчас никого
нет, отпуск у детей, они на Волгу поехали, в дом отдыха. Меня, правда, с собой звали, только я отказалась. Пусть уж своей семьей побудут, без бабки.
Зять у меня золото, а не мужик, таких и не найти,

любит тещу, словно мать родную. Только я хорошо понимаю, мужу с женой охота иногда вдвоем остаться, а у нас как устроиться? Ночью они на тахте, я на раскладном кресле, Олечка в кроватке. Один кто повернется, остальные мигом просыпаются. Хотела в кухню перетащить свою лежанку, да она там не встанет, а в коридоре у нас гардероб. Собственно говоря, из-за этого я и решилась Нюшу опекать. А еще виноватой себя чувствую. Мишу-то я Васе привела! Ладно, по порядку все расскажу, пошли на кухню, чайку глотнем. Эх, похоже, я страшное дело сделала, но ведь хотела как лучше, ну кто ж знал, что так выйдет? Владимир Семенович, как мне тогда казалось, очень уж жестоко поступил. Вера так убивалась! Он на работу уйдет, она в слезах на кровать валится, при нем-то боялась, муж жене горевать запретил. Ну и решили мы их поменять...

Знакомые имена заставили насторожиться.

— Кто такие Владимир Семенович и Вера? — быстро перебила я Нину.

— А хозяева мои, Поповы, — пояснила женщина, — домработницей я у них долго прослужила, потом Вера велела: «Учись на медсестру, неужели хочешь всю жизнь с тряпкой по людям бегать? Приобретай профессию».

Я вцепилась пальцами в стол.

— Нина, простите, не знаю вашего отчества...

— Михайловна, только я к нему не приучена, — ответила хозяйка.

— Очень прошу вас, объясните все по порядку!

Нина заправила за ухо прядь волос.

— Чего уж теперь! Давно все покойники. Мишу и впрямь отыскать надо. Начудил выше крыши, наломал дров. Кашу мы с Верой заварили вместе, а разгребать придется мне одной. Может, еще тот и жив... И не знаю, что с ним... Ладно, попытаюсь спокойно растолковать.

Ниночка Резникова жила в подмосковной деревне сиротой. Родители ее допились до смерти, от них в наследство ей достался дом, хороший пятистенок, сарай с коровой и куры. Правда, хозяйство было запущенным, а буренка больной, но Нина работы не боялась. Она служила дояркой, была на хорошем счету и являлась любимицей не только председателя колхоза, но и, что намного важнее, его жены. Нина не пила, не курила, по мужикам не шлялась, к пяти утра исправно прибегала на ферму, и председательша помогала старательной девушке, приказывала мужу поощрять лучшую работницу, выписывать ей премии. Ниночка встала на ноги, а в благодарность успевала за длинный летний день обработать два огорода: свой и председателя. Только не надо думать, что Нина отрабатывала барщину. Нет, ей, с одной стороны, было в радость помочь пожилым, явно любившим ее людям, с другой, председательша чем могла содействовала Нине. В частности, она предложила ей:

— Пусти к себе дачников, дом-то большой. Тут меня начальство из области попросило людей в хорошее место поселить. Они семейные, с детьми, хотят малышей на свежий воздух вывезти.

Вообще-то, лишний заработок по советским временам не одобрялся. Но почти все жители подмосковных деревень открывали двери своих избушек на июнь, июль и август для замученных столичным шумом и грязью горожан. Съемщиков просили: станет кто с расспросами приставать, скажите, что вы родня, денег за постой не платите. Многие москвичи привыкали к своим деревенским «родственникам», жили у них годами, а потом начинали заботиться о хозяевах, когда те становились стариками. Порой дачники хоронили пенсионеров, устраивали им поминки, а потом с изумлением узнавали: богом данная бабка переписала на них избу.

Ниночке очень повезло. Судьба столкнула ее с Поповыми. Правда, сам хозяин, Владимир Семенович, оказался неразговорчивым и даже хмурым, но он появлялся лишь по воскресеньям, а Вера, его жена, была просто замечательной: веселая, бойкая, умеющая вкусно готовить и великолепно шить. Уложив детей спать, Вера брала кусок дешевого ситца самой простой расцветки и за вечер шила Ниночке такую юбку, что товарки на ферме немели от зависти.

В сентябре Вера уехала в город, а Нина осталась зимовать в деревне. Мороз в тот год ударил рано, снег лег на землю в середине октября, а к концу ноября сугробы намело почти до крыши. А еще постоянно отрубалось электричество, и Нина сидела при керосиновой лампе, в сотый раз читая старую подшивку журнала «Крестьянка». Если вы думаете, что в Подмосковье коренные жители черпают из реки молоко и закусывают кисельными берегами, то жестоко ошибаетесь. Даже сейчас, в XXI веке, стоит отъехать от столичной Кольцевой магистрали несколько километров, как вы наткнетесь на село, в котором нет ни водопровода, ни газа, ни канализации, а свет горит лишь в хорошую погоду, когда на дворе ни ветра, ни дождя, ни снега.

В конце декабря к Нине внезапно приехала Вера, ввалилась в избу и спросила:

— Тоска заела?

— Скучно без вас, — призналась Нина.

— Значит, так, — решительно заявила Вера, — мне нужна помощница по хозяйству. Пойдешь? Зиму станем в городе жить, на лето к тебе перебираться. Оплата хорошая, за еду и жилье вычитать не стану.

— Кто ж меня отпустит? — пригорюнилась Нина. — Сама небось знаешь, из колхоза непросто вырваться.

— Так ты согласна? — уточнила Вера.

— Конечно!

— Тогда собирайся, — велела Попова, — с председателем мы уже договорились!

Нина радостно бросилась к шкафу. Вот так она и оказалась москвичкой, стала домработницей. Ходила на рынок, убирала квартиру, готовила немудреные блюда, изредка приглядывала за ребятами. Но после тяжелой деревенской работы эта служба казалась ей слаще меда, теперь у Нины появилось свободное время. Вера была ей скорей подругой, чем хозяйкой, всегда отпускала погулять в город с наказом:

— Сегодня идешь в Третьяковскую галерею, вот адрес. Потом вернешься и опишешь, что видела.

А еще Вера заставляла Нину читать, библиотека у Поповых была огромная, и хозяйка приказывала:

— Бери «Анну Каренину» и ступай к себе. Сегодня задаю тебе тридцать страниц, перескажешь их мне близко к тексту.

Поначалу Нине было очень скучно продираться сквозь текст, но потом она привыкла и полюбила книги. Единственной каплей дегтя в бочке меда был Попов.

Хозяина Нина боялась, но Владимир, слава богу, целыми днями пропадал на работе. Никаких неприятностей он прислуге не доставлял, был корректен, всегда обращался к поломойке на «вы», но у Нины все равно каждый раз при виде Попова сердце проваливалось в пятки. Однако в целом жизнь была счастливой, сытой, даже изобильной. А потом вдруг случился ужас.

Глава 25

Нине в тот страшный день Вера дала выходной. Домработница получила зарплату и решила пойти по магазинам, поискать себе кое-какие обновки. В Москве в те годы найти нижнее белье, платье, туфли было огромной проблемой, и Нина вернулась назад около десяти вечера.

Дверь ей открыл милиционер.

— Ты кто? — бесцеремонно спросил он.

— Нина, — растерялась домработница.

— А, входи, — приказал парень.

Спустя некоторое время на голову Нины упал ком сведений, тяжелых, как скала. Аня убита, а Вера попала в больницу, и Ниночка должна крепко держать язык за зубами. Растерявшаяся домработница утроила старания, она и раньше-то чисто убирала, а теперь гонялась за каждой пылинкой, опасаясь невесть чего. Потом Юру увезли в неизвестном направлении, Вера вышла из клиники быстро, буквально через неделю после того, как забрали старшего сына. Взглянув на хозяйку, Нина едва не разрыдалась в голос. По коридору брела серая тень, старая тетка с потухшим взором и сгорбленной спиной. Ничего от веселой, всегда нарядной Верочки в ней не было.

Два месяца Попова молча шарахалась по комнатам. Нина по вечерам старательно молилась. «Отче наш» и «Богородица, дева, радуйся» она не знала, поэтому шептала придуманную самой молитву:

— Боженька, милый, пусть Верушка очнется и заплачет.

Нина очень хорошо знала, если баба от горя окаменела и молчит, жди беды. Коли воет и рвет на себе волосы, то скоро заулыбается. Поэтому домра-

ботница очень обрадовалась, увидев однажды, как
по щекам хозяйки катятся слезы.

Нина бросилась к Вере:

— Родная!

Хозяйка прижалась к домработнице и разрыдалась в голос.

— Ну, ну, — гладила ее по спине Нина, — отпус-
тило, слава богу, теперь выздоровеешь!

Вера проплакала день. Перед приходом мужа она
умылась, напудрила лицо и с невозмутимым видом
села ужинать. Впрочем, точно так же она повела себя и завтра, и через неделю, и спустя месяц. О Юре
и Ане она никогда не заговаривала, зато часто со-
крушалась по поводу Миши и Пети. Сначала Нина
согласилась с обожаемой хозяйкой. Мальчики и
впрямь получились непростые. Петя ни секунды не
сидел на месте, постоянно шумел, требовал неусып-
ного внимания и постоянной заботы. Он ухитрялся
забираться в самые невероятные места и хватать все,
что плохо лежит. К вечеру обалдевшей Нине казалось, будто у ребенка десять цепких ручонок со ста
егозливыми пальцами. А еще Петя не спал ни днем,
ни ночью, как-то раз он ухитрился стащить со стола
бутерброд, который Нина приготовила для себя.

— Просто наказанье, — вскрикивала Вера, — ну
за что это мне!

Миша тоже вызывал недовольство матери. Но
другим, полярным поведением. Малыш оказался на
редкость апатичным и отставал в физическом развитии, поздно заговорил. Вернее, он отделывался от
пристающих к нему людей некими возгласами. Если
мать спрашивала: «Миша, хочешь обедать?» — то
чаще всего в ответ слышала:

— М-м-м.

— Да или нет? — сердилась Вера.

— М-м-м.

— Скажи нормально, — требовала мать.

— Ага, — шептал Миша.

— «Ага» — это непонятно!

И тут Миша вообще замыкался. Стоило ему понять, что мама впадает в гнев, как у него мигом отрубалась речь. Став старше, Миша приобрел привычку сидеть один в полутемной комнате, свет зажигать он не разрешал. Петя рыдал, оставшись без ночника. Миша мычал, Петр болтал без умолку. Мишенька не играл, предпочитая тупо стоять около машинок, Петя устраивал гонки, гоняя по квартире на веревочке самосвалы и грузовики. Если бы мальчиков перемешать, потом снова слепить, то, вполне вероятно, на свет явилось бы два вполне нормальных пацаненка.

Одно время Нина сильно жалела Веру, и было за что. Дети у ее хозяйки получились неудачными, самым симпатичным, умным, развитым был Юра. Только вон что он учудил. А потом пришла весть, что Юра умер от дифтерита. Господь сам наказал малыша за убийство сестры.

Потом у Нины начали раскрываться глаза, и она вдруг ясно поняла: Вера не любит мальчиков. Мать корежит при виде сыновей, она орет на них, срывает на малышах злобу, раздает им исподтишка подзатыльники. Причем стоит на пороге появиться мужу, как жена моментально делается заботливой и ласковой мамашей. Она обманывала супруга. Владимир велел Вере заниматься с детьми по особым книгам. Два часа в день следовало посвящать Мише, два Пете. Мать уходила в так называемую «школьную» комнату и запирала дверь. Нина, полагавшая, что хозяйка то ли читает ребенку книгу, то ли лепит с

ним из пластилина, никогда не совалась в помещение, но один раз оттуда донесся такой отчаянный
детский крик, что Нина опрометью бросилась к
двери, распахнула ее и увидела Петю, крепко-на-
крепко привязанного к высокому стулу, на столике
перед ним лежала помятая, изорванная книга и длинный, скомканный кусок пластыря. Нина посмотрела на личико красного от плача малыша, перевела
взгляд на мирно спящую на диване Веру... и тут
домработницу осенило. Ничем ее хозяйка с детьми
не занимается. Просто сажает их в стульчик и укладывается на диван. Миша в силу характера спокойно сидит, уставившись на книжку, а Петю приходится привязывать и заклеивать ему рот, чтобы
егозливый мальчишка не орал благим матом.

Нина схватила Петю и прижала к себе.

— Эй, — спросила, садясь на диване, Вера, — с
какой стати ты сюда вошла?

— Петечка очень кричал, — ответила Нина.

— Вот ведь горе, — зевнула Вера, — просто унес-
ло меня, на секунду глаза закрыла.

Нина взяла в руки пластырь.

— Можно это выбросить?

Вера посмотрела на смятый комок липкой лен-
ты, перевела взгляд на Нину и зарыдала в голос.
Домработница бросилась к хозяйке.

— Что ты знаешь?! — стонала Вера. — Что?!.

Из ее рта полились бессвязные речи. Честно говоря, Нина плохо поняла, о чем толкует хозяйка, та
походила на безумную. Единственное, что Нина ус-
воила, было ужасно. Оказывается, Вера вовсе не хотела рожать столько детей. Беременности проходи-
ли тяжело, роды были кошмарными, грудное вскар-
мливание тягостным. С радостью Верочка родила
только первенца, Юру, больше иметь наследников

она не желала, но супруг заставил ее заводить еще детей, которые становились нелюбимыми прямо в утробе. Светом в окошке был лишь Юрочка, но его у нее отобрали, спрятали в больнице. Вере надо воспитывать этих уродов, которых просто убить хочется. Не может она полюбить ни Мишу, ни Петю, они отвратительные дети, а Владимир плохой муж. Вера точно знает, что Юра жив, он не умер, нет, он жив, жив... никакого дифтерита не было.

Нина, как могла, пыталась утешить хозяйку, но ту словно с цепи сорвало. Хорошо хоть в тот день Владимир укатил в командировку в Минск и женщины были одни.

Остаток дня и ночь Вера с Ниной пытались понять, что же делать.

— Все темно, — в конце концов воскликнула хозяйка, — никаких светлых перспектив. Одна радость, муж пока о наследниках не заговаривает. Юрочка, мальчик, любимый, единственный! Господи, скажи мне кто-нибудь, пусть Мишка с Петькой умрут, а ты Юрочку назад получишь, ни секунды бы не колебалась!!!

Нина отшатнулась от Веры, уж очень страстно хозяйка выкрикнула последнюю фразу. Но потом домработница вдруг тихо вымолвила:

— А давай их обменяем!

— Ты о чем? — насторожилась Вера.

— Знаешь, где Юра?

— Нет.

— А узнать можно? — не успокаивалась Нина, в голове у которой уже сложился хитроумный план.

— Думаю, да.

— Так вот. Надо взять Юру, а вместо него в клинику поместить Мишу.

— Мишу? — протянула Вера.

— Их с Юрочкой меньше года разделяет, — сказала Нина, — похожи они друг на друга, как близнецы. Если не очень близко с ребенком общаться, то и не понять ничего. Владимир детей от силы два раза в неделю видит, занят очень, а ребята быстро меняются. И потом, вы уж меня простите, но Миша-то... Сами знаете! Похоже, с головой у него непорядок. Сидит букой, молчит, учиться не может. Разве это нормально? Рано или поздно он в больнице окажется. Может, ему лучше в интернате будет или не знаю, где сейчас Юра, а? Я, например, Миши боюсь, он меня пугает. Вроде ничего плохого не делает, молчком ходит, а оторопь берет.

— Сама вижу, — прошептала Вера, — думаю, он ненормален. Но Владимир уверен: сын перерастет это и исправится. Очень глупая идея, да! Глупая! Но я не могу с мужем спорить. Ты, Нина, не все знаешь! Поверь! Не могу!

— Так обменяем больного на здорового! — буркнула Нина. — И вы рыдать перестанете, и Юра домой вернется, и психа в правильное место пристроим. Он опасным становится. Вон вчера я принесла ему чай и говорю: «Пей, Мишенька!» А он молча чашку взял и на пол чай вылил, мне на ногу попало. Я вскрикнула: «Больно же! Разве так можно!», а он к окну отвернулся и глядит туда молча, словно не на живого человека кипяток наплескал, а на деревяшку. Нет, он псих! Мы с ним еще намучаемся!

Вера несколько секунд смотрела на Нину, потом вдруг сползла со стула на пол, бросилась домработнице в ноги, обняла ее колени и закричала:

— Помоги! Помоги! Помоги!

Нина тоже шлепнулась на паркет и заголосила:

— Да, да, да!

У обеих женщин одновременно случился истерический припадок. Примчавшийся на шум Петя мгновенно заревел, даже Миша, всегда апатичный и невозмутимый, начал хныкать.

Нина первой пришла в себя. Она вытерла лицо рукавом, подняла Веру, принесла ей воды, дала детям конфет и пообещала хозяйке:

— Конечно, я все сделаю, только ты подскажи, как действовать!

Вера медленно подняла голову и прошептала:

— Я уже знаю! Враз отчего-то придумалось! Только спешить нельзя. Слушай.

Нина навострила уши. Чем дольше хозяйка говорила, тем больше удивлялась домработница. Надо же, какая у Веры голова. В один миг такое сообразить!

Подготовку к операции начали заранее. В тот год на дворе стояла необычно теплая для Москвы весна, в середине мая уже распустилась сирень, и Вера сказала Володе:

— Лучше сейчас переехать на дачу, ну какой смысл в такую погоду сидеть в городской квартире? Все равно учебный год вот-вот закончится, зачем ждать середины июня?

Муж согласился, и семья перебралась в деревню. Двадцать девятого числа Вера и Нина повезли мальчиков в поликлинику на прививку. В детских учреждениях возле кабинетов всегда клубится очередь, да еще мать решила воспользоваться случаем и показать мальчиков специалистам: окулисту, стоматологу.

В деревню вернулись поздно, заехав на городскую квартиру, где уложили детей днем поспать.

Зайдя в избу, Вера сразу не пошла в свою спальню, она побежала на кухню готовить ужин деткам, Нина стала греть воду для ванны. Короче говоря, в комнату Попова вошла совсем поздно вечером и поняла, что ее ограбили. Стекло было разбито, а из шкафа пропали ценности: деньги, которые Володя дал супруге на хозяйство, и украшения Веры. У Поповой было довольно много золотых безделушек, среди них попадались очень ценные вещи. Владимир не был жадным, получив очередную премию, он отдавал ее жене со словами:

— Купи себе что-нибудь по душе.

А Верочка очень любила цацки и понимала в них толк. Правда, в советских ювелирных магазинах не было ничего замечательного, уникального. Но в столице имелись так называемые скупки, куда несли последние, припрятанные на черный день крохи интеллигентные старушки, как тогда говорили, «из бывших». Порой бубушки за сущие копейки сдавали раритетные вещи. Верочка сумела подружиться с продавщицами из ювелирных комиссионок, и те «сигнализировали» щедрой покупательнице об интересных поступлениях. Домушник утащил, слава богу, не все нажитое, но все равно некоторое количество драгоценностей исчезло. Естественно, на место преступления была вызвана милиция, но дело превратилось в «висяк». Избушка Нины стояла у самого леса, забор можно было легко преодолеть, собаки во дворе не водилось, а разбитое окно без слов объясняло, каким образом лихой человек проник в помещение. Местные пьяницы, испуганные большим количеством дознавателей, прибывших в село, били себя в грудь, клялись:

— И близко туда не подходили, может, из Григорьева кто пошалил или из Беляевки.

И верно, деревень вокруг было несметное количество, а о том, как повезло Нинке, пристроившейся к богатым людям, судачило очень много народа.

Население нескольких окрестных поселков хорошо знало, что доярка теперь зимой живет в городе, а летом хозяева используют ее дом как дачу. Вот кто-то из местных и решил поживиться в избе.

Вера плакала в кабинете у следователя и постоянно восклицала:

— Муж меня ругать станет.

Но Владимир весьма равнодушно отнесся к потере золота с камнями, только спокойно обронил, услышав малоприятное известие:

— Ерунда, главное, все живы и здоровы.

Осенью Владимир Семенович уехал в командировку на десять дней. Когда он вернулся, дома был лишь Петя с Ниной. Миша невесть где подцепил скарлатину и был отправлен в больницу. Домой мальчик вернулся только в начале октября, инфекция дала осложнение.

Нина замолчала и посмотрела на меня.

— Поняла?

— Нет, — честно призналась я.

Старушка усмехнулась:

— Так я и думала. Драгоценности никто не крал. Стекло разбила я, чтобы посторонним стало понятно: в избе поработали воры. Дорогие украшения были отданы врачу, который «обменял» мальчиков. Уж как Вера обнаружила, где спрятан Юра, и как ей удалось договориться с теми, кто его там держал, не знаю. Тайну она унесла в могилу. Вот местонахождение клиники могу назвать — поселок Гопаково, это на границе с Тульской областью. Там больница, сумасшедший дом и психоневрологический интернат, скорбное место. Вера взяла Мишу, одела его, как сейчас помню, в темно-синюю куртку, такого же цвета шапочку и теплые штанишки. На ногах у малыша были ботинки со шнурками, черные. Нарядив сына, Попова уехала в Москву, Нина осталась с Петей. Когда домработница, взяв младшенького, пришла в местный магазинчик за спичками, продавщица удивилась:

— Чегой-то он один? Где ж его брательник? Они завсегда вместе.

— Мишу к ортопеду отправили, — пояснила Нина, — плоскостопие у него вроде нашли, надо специальные туфли заказать.

— А вы и в сентябре тут, — не успокаивалась торгашка, — обычно ж в конце августа съезжаете!

— Когда похолодает совсем, тогда и тронемся, — пообещала Нина, — хозяин в командировку укатил, а нам на воздухе с дитями лучше, ну пропустят в школе недельку, не беда, здоровье дороже.

Вечером Вера вернулась в село с малышом, одетым в темно-синюю куртку, такого же цвета шапочку, теплые штанишки и черные ботинки со шнурками. Только это уже был Юра.

Конечно, мать боялась, что ребенок не сумеет сохранить тайну, испугается при виде отца и проболтается. Но ведь другого выхода не было. Юра уже был достаточно взрослым, чтобы понять: мама сделала что-то нехорошее, незаконное, неправильное, но совершила она это ради того, чтобы воссоединиться с ним, любимым сыном. Нина не знала, что именно Вера сказала мальчику, как объяснила суть дела, только Юра, вернувшись домой, тихо прошел в детскую, а когда растерянная Нина крикнула:

— Мишенька, иди ужинать, — мгновенно прибежал на кухню.

Мальчик откликнулся на чужое имя, следовательно, он хорошо понимал, что к чему. Впрочем, это не удивительно. Юра с детства отличался умом, сообразительностью и актерскими способностями, мог изобразить любого человека так, что окружающие восхищались и твердили:

— Да ты просто талант! Тебе надо идти учиться в театральное.

Привезя мальчика, Вера не стала обсуждать ситуацию с Ниной, а домработница после того, как хитроумный план осуществился, испугалась. Да, Миша и Юра были очень похожи, но близко общавшийся с ними человек мгновенно увидит различия. У детей была разная осанка, разная речь, походка... Миша передвигался чуть боком, боязливо опустив голову и согнув спину, он вообще старался быть как можно более незаметным, Юра же всегда высоко поднимал подбородок, словно пытаясь внимательно разглядеть некий предмет, находящийся за горизонтом.

«Ох, неладное дело», — со страхом думала Нина, глядя, как Юра, до невероятности похожий на Мишу, но тем не менее совершенно иной, идет по коридору. Еще ее настораживало поведение Веры. Та постоянно подходила к сыну, гладила его по голове, обнимала, целовала и смотрела на ребенка безумно счастливым взором. А Владимир, хоть и приходил домой поздно и практически не общался с детьми, мог заметить все изменения. Попов был умным, наблюдательным человеком, и чем ближе становилась дата его возвращения из командировки, тем страшнее делалось Нине. Как поведет себя хозяин, узнав правду? Скорей всего, домработницу он выгонит вон, Юру вернет на место, а Веру накажет, но все получилось иначе.

Глава 26

Не было бы счастья, да несчастье помогло. Ох не зря русский народ придумал сию пословицу. Когда до прибытия отца остались сутки, у Юры внезапно сильно подскочила температура. Испуганная Вера моментально вызвала лечащего врача детей, профессора Марфу Ефимову. А та, быстро поставив диагноз, отправила ребенка в стационар. Скарлатина инфекционное заболевание, а в доме имелся еще Петя, поэтому старшего ребенка требовалось изолировать.

В больнице Юра пролежал долго, он заработал осложнение, сначала на уши, потом у мальчика заболели почки. К Пете встревоженный Владимир привел няню, Нина осталась на хозяйстве, Вера лежала вместе со старшим сыном. Отца в бокс не пускали. Взрослые тоже могут получить скарлатину, и протекает она у них очень тяжело, а Попов в свое время эту болезнь не перенес, вот медики и запретили ему общение с мальчиком.

Когда Юра наконец вернулся в отчий дом, Нина вздрогнула и перекрестилась. Мальчика было невозможно узнать. Он сильно похудел, вырос и был наголо обрит. Володя, обняв сына, ни на секунду не засомневался — перед ним Миша. Все изменения во внешности и поведении сына отец списал на скарлатину.

Потекла спокойная жизнь. Миша (чтобы не путаться, давайте звать теперь Юру этим именем) радовал успехами и папу, и маму. Было видно, что у мальчика хорошая голова, знания давались ему легко, к тому же ребенок моментально находил общий язык с любым человеком, был артистичен, улыбчив, обаятелен. Понимаете теперь, почему в школе его любили педагоги?

— Я был прав, — сказал один раз Попов жене, — помнишь, объяснял тебе, что Миша вырастет и изменится в лучшую сторону. Многие талантливые люди в детстве выглядели буками. Теперь твое дело, как матери, наметить наиболее правильное направление развития мальчика.

Судьба Нины тоже сделала неожиданный поворот. Через год после описанных событий, осенью, вернувшись с дачи, Вера сказала своей преданной домработнице:

— Вот что, Ниночка, Владимир Семенович очень хочет помочь тебе. Держи.

— Что это? — удивилась Нина, глядя на связку ключей.

— Я не говорила заранее, — засмеялась хозяйка, — боялась, вдруг не выйдет, но Володя расстарался изо всех сил, целый год пороги в исполкоме[1] обивал и добился успеха. На, радуйся, дали тебе однушку. Прописывайся и становись москвичкой.

Не успела Нина прийти в себя от радости, как Вера снова удивила домработницу.

— Знаешь, — сказала она молодой женщине, — я ведь тебя очень люблю.

— И я вас, — быстро ответила Нина.

— Я хорошо понимаю, — продолжала Вера, — что заедаю твою жизнь.

— Вот глупости! — подскочила Нина. — Мне с вами очень хорошо!

— Мне с тобой тоже, — кивнула Вера, — но

---

[1] Исполком — исполнительный комитет районного Совета народных депутатов, их в Москве имелось 32, и был еще городской исполком. Сотрудники занимались бытовыми проблемами, в частности, распределением квартир среди жителей своего района.

скажи на милость, какие у поломойки перспективы? С тряпкой бегать? Ступай учиться!

— Вы меня выгоняете? — испугалась Нина. — За что? Я не сделала ничего плохого.

— Дурочка, — усмехнулась Нина, — я добра тебе желаю. Договорилась с Марфой Ефимовой, она тебя в медицинское училище пристроит, станешь специалистом, уважаемым человеком, замуж выйдешь, детей родишь. Я тебя не брошу, помогу.

Так и вышло. Нина пошла учиться, жила она первое время по-прежнему у Поповых и помогала Вере. Потом Владимир Семенович подарил Нине крупную сумму денег и, нажав на какие-то рычаги, посодействовал, как тогда говорили, «достать» мебель. Ниночка переехала в свою квартиру, но по-прежнему продолжала прибегать к Вере. Затем общение стало не таким тесным, потому что бывшая домработница получила диплом и была устроена все тем же Поповым в очень престижное место, в поликлинику Четвертого управления, где на учете состояла элита тогдашнего советского общества: партийные функционеры всех мастей и приближенные к ним вассалы вроде писателей, актеров, художников, ученых.

Зарплата была отличной, квартира радовала глаз новой мебелью, да еще Ниночка нашла себе мужа, очень симпатичного, непьющего Валеру, мастера по всяким медицинским приборам. Вскоре у пары родилась дочь, появились и друзья. В частности, Ниночка начала тесно общаться со своей соседкой Анной Сергеевной Лапиной. Очень скоро обе женщины стали не разлей вода, дни рождения и другие праздники справляли вместе. Один раз Нина, спохватившись, сообразила, что целый месяц не заглядывала к Поповой, и, испытывая глубокое чувство стыда, понеслась к Вере.

Когда Нина оказалась на хорошо знакомой кухне, стыд стал еще сильнее. Похоже, в квартире давно не убирали. Оглядев беспорядок, Нина, несмотря на сопротивление Веры, схватила швабру и быстро привела апартаменты в надлежащий вид.

— Приболела я слегка, — стала оправдываться бывшая хозяйка, — сил на уборку не хватает. Надо, наверное, нанять кого-то, да пускать посторонних в дом не хочется. Единственный человек, с которым я могла вместе жить, как с родной, — это ты, но видишь, как получилось.

Только тут вдруг Нина поняла, отчего Владимир Семенович решил заняться ее квартирным вопросом. Вера сподвигла мужа на это, она постаралась избавиться от свидетельницы обмена детей, устроила Нину сначала в училище, а потом на хорошую работу. На первый взгляд поведение хозяйки объяснялось желанием отблагодарить верную служанку, но если задуматься над ситуацией, то становилось понятно: Вера просто красиво избавилась от Нины.

Посмотрев на произошедшее с этой стороны, Нина сначала расстроилась, но потом решила, что ей в голову пришла дурь, и по-прежнему продолжала приходить к Вере, только, увы, встречи их делались все реже и реже. Но ведь дружба не зависит от того, как часто вы видитесь с приятелем. Можно общаться с человеком ежеминутно и не испытывать к нему ни малейшей привязанности, а можно приходить лишь на день рождения и ощущать глубокую радость от осознания того, что имеешь близкого друга.

Бежали годы, Нина сделала карьеру, стала старшей медсестрой. Жила она по-прежнему в той самой однокомнатной квартире, так и не накопив средств на более просторное жилье.

У Веры дела шли не очень хорошо. Младший сын Петя получился не слишком удачным. Нина не была полностью в курсе дела, но знала, что он, став подростком, повел себя отвратительно, грубил родителям, не желал учиться, начал заниматься таким стыдным делом, как спекуляция, и в конце концов ушел из дома в неизвестном направлении. Миша (Нина всегда, даже про себя, называла мальчика этим именем) вроде, слава богу, вырос хорошим человеком. Хоть один ребенок радовал мать. Долгое время Нина пребывала в этом убеждении, но потом иллюзии рассыпались в пух и прах. О настоящем Мише Вера никогда не упоминала, словно его и не было на этом свете.

Потом умер Владимир, внезапно, прямо на работе. После его кончины Вера осталась без места. То ли ее уволили, то ли она сама ушла, Нина не знала. Она и до этого-то не понимала, чем занимается хозяйка. Вроде целыми днями сидит дома с детьми, а зарплату получает. Всегда открытая, даже болтливая, Вера никогда не упоминала о своей службе.

Еще не будучи дряхлой старушкой, Вера сильно заболела. У нее оказалось какое-то редкое заболевание крови, диагностировать которое на ранней стадии медицина не умеет. Кстати, за несколько лет до смерти Вера страдала от возникающих изредка фурункулов, и только когда не смогла ходить, врачи сообразили, что гнойники и были симптомом смертельной болезни. Прозрение, увы, пришло слишком поздно. Веру, конечно, положили в больницу, а Нина стала преданно ухаживать за хозяйкой. Ее немного смущало, что Миша не навещает Веру, но, в конце концов, юноша, вполне вероятно, приходил к маме вечером, после учебы, когда Ниночка уже уходила домой, вот поэтому они и не встречались.

Несмотря на старания медиков и верной Ниночки, самочувствие Веры делалось все хуже и хуже, и опытной медсестре стало понятно: конец близок.

23 августа Нина, как всегда, к девяти утра прикатила в клинику, надела халат, домашнюю обувь, подошла к палате, толкнула дверь и вздрогнула. У открытого настежь окна, спиной ко входу, стояла полная женщина. Веры не было, койка оказалась пуста. Бугристый матрас и скомканная подушка, лишенные постельного белья, без слов сказали опытной медсестре, что произошло в палате этой ночью.

Внезапно женщина повернулась, и Нина узнала детского врача Марфу Ефимову.

— Чуть-чуть она тебя не дождалась, — глухо сказала педиатр, — уходила в полном сознании, велела передать: спасибо, помоги Мишеньке.

— Кому? — пробормотала Нина, сглатывая слезы.

Марфа посмотрела на медсестру.

— Сыну Веры, тому Мише, который жил с ней. Ты понимаешь, о ком речь?

— Ну да, — кивнула Нина, — конечно. Один у нее остался Миша, Петя-то неизвестно где.

Марфа отошла от подоконника.

— Вот что, — сказала она, — здесь рядом кафе есть, пошли выпьем чаю. Вера, правда, уверяла меня, будто никто, кроме нас, не в курсе дела, что ты дурочка, которую обвести вокруг пальца словно чихнуть, только, думается, она меня обманула, и ты ей помогала. Ведь так?

Нина кивнула.

— Чего уж там, — со вздохом сказала она, — теперь все покойники, и Владимир Семенович, и Верочка. Значит, вы тоже про обмен знали?

Марфа горько усмехнулась:

— Я — главное лицо всей затеи, не только Юру тогда из клиники добывала, но и долгие годы слежу за ним, корректирую его поведение. Уж сколько раз жалела, что в ту историю влезла, до сих пор ругаю себя за совершенную глупость и проявленную слабость. Но сейчас такое положение сложилось, что нам с тобой самим придется кашу расхлебывать. Ладно, пошли, не здесь же разговаривать.

Усевшись за столик, Марфа внезапно спросила:
— Вроде у тебя дочь есть?
— Да, — ответила Нина, не понимая, куда клонит педиатр, — вот замуж ее выдала.
— Досадно, — цокнула языком Марфа, — чего так поторопилась? У нас Миша в женихах. Квартира большая, сама знаешь, мальчик из хорошей семьи.

Нина вздрогнула, меньше всего ей хотелось видеть в зятьях старшего сына Поповых, но вслух она правды не сказала, а воскликнула:
— Разве ж теперь молодые родителей слушают? Дочь закричала: люблю его, жить без Коли не могу, вот и сыграли свадьбу, прямо ребенком замуж бросилась.

Марфа побарабанила пальцами по столу.
— Значит, так, Мишу надо срочно женить.
— Почему? — удивилась Нина.
— По медицинским показаниям, — загадочно ответила Ефимова.
— Это какие же болячки штампом в паспорте лечатся? — не успокаивалась Нина, мысленно радуясь, что ее девочка уже пристроена.

Вон что придумала Марфа, решила, что доченька Нины должна послужить «таблеткой» неизвестно от какой инфекции, подхваченной Мишей.
— Долго разъяснять, — протянула Ефимова, —

да и не сумею я правильно растолковать суть дела. Только тебе все равно придется мне помочь. Мишу надо срочно, буквально завтра, женить на приличной девушке, желательно без сексуального опыта. Вокруг меня подобных молодок нет. Честно говоря, я рассчитывала на твою дочь, но видишь, как получилось. Может, побеседуешь с девочкой, пусть кого-то из подружек порекомендует? Только надо соблюсти несколько условий. Первое — кандидатка в супруги должна быть девственницей, второе — огромное значение имеет семья. Мише не нужна девица из социальных низов, ковыряющая в носу вилкой и любящая приложиться к бутылке. С другой стороны, особа из богатой семьи, с мамой и папой, которые станут опекать чадушко и после венца, объясняя ее мужу, кто в доме хозяин, тоже начисто отпадает. Мише требуется самый простой вариант: милая, не слишком обремененная размышлениями девица, с родителями, которые не особо пекутся о дочери и считают: сдали девочку мужу, и слава богу, пусть теперь он о ней заботится, а они могут спокойно заниматься собой. Но при этом невесте надлежит быть тихой, скромной, не скандальной, не алкоголичкой, не занудой, не матерщинницей. Мишина жена должна уметь прощать чужие ошибки, уважать мужа и всегда ему подчиняться, хорошо и экономно вести хозяйство, не требовать суперзаработков, не устраивать скандалов на тему: «Хочу шуб и бриллиантов», не ревновать, принимать супруга таким, каков он есть, поменьше болтать, не заводить подруг и не рожать детей, потому что Миша категорически настроен против них и не желает никогда обзаводиться собственными.

Нина уставилась на Марфу.

— Вы это всерьез?

Врач кивнула:

— Конечно.

Медсестра улыбнулась:

— Предположим, что такая девушка отыщется. Как же заставить ее полюбить парня?

Марфа хмыкнула:

— Миша способен вскружить голову любой. К тому же он жених с квартирой, отличной жилплощадью в центре, в наше время это большой капитал.

— Ладно, — согласилась Нина, — пусть так, но почему Миша сам не найдет себе девушку?

— Ему все неподходящие встречаются, — сухо сказала Марфа, — не те, неправильные. Тянет его на совсем иной тип, чем тот, который ему нужен.

— А если так, то на найденный мною алмаз он и не взглянет, — вздохнула Нина.

— У тебя есть кандидатура? — напряглась Марфа.

Нине оставалось лишь удивляться проницательности Марфы, та мгновенно чувствовала собеседника.

— Не поверите, — ответила медсестра, — но у моей соседки и подруги Ани именно такая дочка, Василиса. Анечка после кончины супруга ударилась в религию, посты соблюдает истово, лоб перед иконами расшибает и страшно сердится на Васю за то, что та не желает идти в монастырь, чтобы замаливать какие-то семейные грехи. С дочерью у нее отношения натянутые, живут они вместе, потому что Василисе некуда деваться. Аня квартиру разменивать не хочет, дочери жить отдельно не позволяет. Никаких кавалеров у Васи нет, она, несмотря ни на что, очень любит мать. Но монашкой становиться отказалась.

— Прекрасный вариант, — радостно воскликнула Марфа, — ты можешь их познакомить?

— Легко, только...

— Что?

— Василиса не понравится Мише.

— Отчего ты пришла к такому выводу? — сердито поинтересовалась Марфа.

— Она не слишком красивая, — стала загибать пальцы Нина, — косметикой не пользуется, одевается плохо. У Ани денег немного, Вася тоже мало зарабатывает. Ничего в ней яркого, запоминающегося нет.

— Такая стопроцентно нам подходит, — перебила педиатр медсестру. — Миша ей мгновенно понравится, я абсолютно уверена в этом.

— Может, и верно, — кивнула Нина, — за Васей никто отродясь не ухаживал, а ей хочется любви, она мигом на крючок попадется. Только Миша на нее даже не взглянет, на кой ему серая мышь? Вокруг столько ярких бабочек.

— Нет, — отрезала Марфа.

— Вы ошибаетесь.

— Нет.

— Зря только свидание устроим.

— Я велю Михаилу, и дело с концом, — рявкнула врач.

— Так он вас и послушается, — не выдержав, засмеялась Нина, — пошлет на три известные буквы, скажет: «Вали, тетя, не мешайся под ногами, сам себе жену найду, коли понадобится!»

Глаза Марфы превратились в узкие щелочки, губы сжались в нитку, ноздри тонкого носа заходили ходуном.

— Это ты ничего не знаешь, — буркнула она, — Миша без меня жить не может. Я ему больше чем мать, его стоп-барьер, поводырь и провожатый. Если на него накатывать начинает, к кому он несется?

Ясное дело, ко мне. Как я ему скажу, так и будет. Завтра же их познакомим.

— Но Веру хоронить надо, — попыталась образумить Марфу Нина, — кто же свадьбы у гроба устраивает? Надо хоть полгода ради приличия подождать.

Марфа стукнула кулаком по столу.

— Молчи. Вера, узнай она, как обстоит дело, сама бы заявила: «Девочки, закопайте меня по-тихому и живо Мишу в загс тащите». Ты, дурочка, не в курсе дела. А я-то хорошо знаю проблему.

Глава 27

— И вы свели Мишу с Василисой? — воскликнула я.

Нина мрачно кивнула:

— Ага, теперь вот сна лишилась. Устроила девке судьбу! Говорить страшно! Такую жизнь и врагу не пожелаешь.

— Миша оказался таким отвратительным супругом? — спросила я.

Нина махнула рукой.

— Сначала-то все очень хорошо шло. Он сумел даже Анне понравиться. Я только удивлялась, экий актер! И очень умный! Правильное слово в нужный момент сказал, и Аня совсем другие песни запела, дескать, господь велел плодиться, никакого греха тут нет, молиться можно и дома. Одним словом, сыграли они свадьбу.

После бракосочетания Вася переехала к мужу, и Нина перестала с ней общаться. Кстати, Миша никогда не звонил Нине, которая с малолетства воспитывала его, не поздравлял с праздниками, просто вычеркнул ее из своей жизни.

Ну а потом начался кавардак. Василиса стала приезжать к матери, и пару раз Нина сталкивалась с ней у лифта.

— Здрассти, — буркала Вася, низко опустив голову.

— Как живешь, деточка? — восклицала Нина.

— Отлично, — отвечала соседка и ужом проскальзывала в свою квартиру, не поднимая лица.

Потом вдруг Аня заявилась к Нине. Последняя подумала, что соседке понадобились соль, сахар или луковица, уж больно неурочным был час визита — одиннадцать утра. В такое время женщины хлопочут по хозяйству, а Аня вообще до обеда толклась в церкви.

Не успела Нина открыть дверь, как соседка с порога налетела на нее с криком. Ошарашенная медсестра попятилась. Обычно Аня вела себя степенно, разговаривала тихо, нарочито демонстрируя свою набожность, а тут такой взрыв эмоций и вопль.

Правда, спустя некоторое время Анна слегка успокоилась и выложила Нине свои беды. Оказывается, Миша издевался над женой как мог. Он не работал, денег ей не давал, наоборот, требовал, чтобы супруга добывала рубли. Еще он считал, что в семье все должно распределяться по справедливости. Ему — права, Васе — обязанности. Бедная женщина, не особо избалованная мамой, выросшая буквально в ежовых рукавицах и не имевшая подруг, не выдержала и пожаловалась Анне:

— Михаил может по два-три дня домой не являться, а потом придет, ударит меня, заберет деньги на хозяйство и снова исчезнет.

Анна не хотела верить дочери, зять казался ей милым человеком, поэтому она просто ответила:

— Нечего на зеркало пенять, коли рожа крива.

Небось споришь много, а что в Писании сказано? Жена да убоится мужа своего. Бьет — значит, любит.

Анне и в голову не приходило, что семейная жизнь дочери течет не так, как надо. Василиса ходила с синяками и кровоподтеками, а один раз приехала к матери с выбитым зубом. Любая другая женщина мигом бы вызвала зятя на разговор и попыталась приструнить его, но Анна Сергеевна смотрела на мир сквозь кривые стекла религиозного фанатизма и поэтому помогать Васе не стала.

К Нине прибежать ею подвигло категоричное заявление Василисы:

— Все! Больше к мужу не вернусь! Остаюсь дома.

Анна считала подобное поведение грехом. Супруги обязаны делить один кров, так господь велел. Но Вася, мягкая, тихая, податливая, словно с цепи сорвалась. Время, проведенное с Мишей, не лучшим образом сказалось на характере молодой женщины. В ней появилась жесткость, образно говоря, мямля Василиса научилась кусаться, причем моментами очень и очень больно. Сейчас, например, она заявила матери:

— Я прописана в этой квартире с детства. Ты не имеешь никакого права меня выгонять.

— И что мне теперь делать? — кричала Аня.

— Твое Писание велит не только почитать родителей, но и любить своих детей, — напомнила Нина.

Аня осеклась.

— Да, — пробормотала она, — верно.

После этого разговора Анна Сергеевна стала изредка жаловаться Нине на Васю. Бедная медсестра только вздыхала, чувствуя себя виноватой, ведь это она свела Василису с Михаилом. Хотела как лучше, и что получилось? Спустя некоторое время Вася окончательно разбежалась с Мишей и вернулась к матери. Нина не знала, оформила пара развод или так разъехалась, просто разорвав отношения. Ну а затем Вася погибла.

Вот после того страшного дня, когда Васю, упавшую на асфальт, увезли в морг, Нину просто съела совесть. Аня сильно заболела, переживала не столько из-за безвременной кончины дочери, сколько из-за того, что та, совершив грех, станет гореть в аду. Нина преданно ухаживала за соседкой, таскала ей продукты, делала уколы и не ждала за свою доброту никакой награды. Но внезапно Аня, еще сохранившая в то время какой-то разум, предложила:

— Вот что, подруга. Давай обменяемся жилплощадью. Я поеду в твою квартирку, а ты в мою.

Нина, ютящаяся с семьей дочери в однокомнатной конуре, сначала пришла в восторг, она поняла, что зять, мечтающий о втором ребенке, будет счастлив. Но через секунду, осознав все до конца, Нина воскликнула:

— Что ты, разве мы можем принять такой подарок!

Аня грустно улыбнулась:

— Худо мне совсем, забываю все. Вон вчера спать легла и газ не закрыла, сняла кастрюлю, а огонь не загасила. Хорошо, пожара не случилось. А сегодня в булочную пошла, купила батон, на улицу выползла и стою, глазами хлопаю. Куда идти? Налево, направо или прямо? Потом припомнила дорогу, но ведь нехорошо-то как. Да и трудно мне одной, стирать тяжело, приготовить суп невмоготу. Живу в одной комнате, две другие пылью забились. Давай оформим обмен, а ты за это меня на свое обеспечение возьмешь, кормить, поить, лечить станешь.

— Боязно мне, — призналась Нина.

Аня вдруг улыбнулась:

— Понимаю. Не ровен час, умру скоро, а соседи шептаться начнут.

— Ну... вроде того, — откровенно ответила медсестра, — со свету ведь сживут, в особенности Катька, домоуправ. Ко всем носом лезет, о любом всю подноготную вызнает.

Анна Сергеевна кивнула:

— Я долго думала о том же и теперь знаю, как умные люди поступают. Мы-то с тобой сколько лет дружим?

Нина пожала плечами:

— Очень долго.

— Верно, друг другу доверяем. Но бывает, что одинокий человек находит себе, скажем так, опекуна. Отписывает ему жилплощадь и получает пожизненную заботу. Так вот, есть фирма, приглядывающая, как опекун выполняет свои обязанности, присылает внезапно проверяющего, а тот и в холодильник заглянет, и в ванную, да и старушку осмотрит, чтобы синяков на ней не оказалось. Потом отчет в трех экземплярах составляет. Один в фирме хранится, второй у опекуна, а третий в ЖЭК сдается. Стоит услуга недорого, мы ее оплатить сумеем. Зато после моей смерти вас никто и словом не упрекнет, и милиция беспокоить не станет. Всем хорошо будет: вы комнаты получите, я заботу. А иначе отойдет моя жилплощадь Михаилу.

— Кому? — подскочила Нина.

— Вася с ним развод не оформила, — мрачно сказала Анна Сергеевна, — и он наследник всего, что я имею, других родственников-то у меня нет. Я просто дар речи теряю, когда представляю, как он эту квартиру продает, денежки большие получает и живет на них счастливо.

Нина вздохнула и согласилась. Соседки-подруги

оформили сначала обмен, а потом обратились в фирму, надзирающую за опекунами. Переезд, правда, пока не осуществили, сначала дочь и зять Нины решили съездить в санаторий, а уж потом с новыми силами приняться за муторное, но очень радостное дело: перетаскивание скарба и мебели из одной квартиры в другую.

— Вы знаете, где живет сейчас Миша? — в нетерпении воскликнула я.

Нина пожала плечами.

— Очень давно его не видела. Скорей всего, в родительской квартире.

— Он ее сдал, а сам съехал. Можете предположить куда?

Нина наморщила нос.

— Понятия не имею, не общалась с ним совсем. Последний раз и не помню когда встречались.

Я ощутила полнейшую безнадежность. Ну вот, опять облом!

Внезапно в голове молнией мелькнула мысль, я встряхнулась и сказала:

— Телефон Марфы Ефимовой вы знаете?

— Она мне его давала, если подождешь, пороюсь по старым записным книжкам, — ответила Нина.

Я кивнула, хозяйка ушла в комнату. Я стала медленно оглядывать крохотную кухоньку. Каждый миллиметр пространства тут был использован для дела, некоторые шкафчики имели такую странную причудливо изогнутую форму, что становилось понятно, их специально смастерили, чтобы использовать угол или выемку. Сейчас-то мы с Томочкой живем в большой квартире, но долгие годы провели в крошечной «двушке», и я очень хорошо помню, в какую головную боль превращались самые элементарные проблемы. Ну, допустим, где хранить грязное белье? Сразу запихивать в стиральную машину? Тогда возникает следующий вопрос: а где разместить «прачку»? Ванная у нас походила на щель, там даже не нашлось места для раковины, а на крошечной кухне едва встали шкафчики для кастрюль и посуды. Куда сложить зимние вещи, тяжелые пальто и сапоги на меху? А запас туалетной бумаги, стирального порошка и прочей хозяйственной ерунды? Однако все вышеперечисленные проблемы меркли перед одной, совершенно неразрешимой. У нормальных людей, как правило, имеются пылесос, швабра и ведро с тряпкой, их куда пристроить? В крохотулечной прихожей висела на крючках одежда и стояла обувь, ванную и кухню я уже описала, в туалет еле-еле вместился унитаз, садясь на него, вы упирались лбом в дверь, коридор отсутствовал, а держать поломойные инструменты в комнатах совсем не хотелось. И если смириться с отсутствием гладильной доски я еще могла, то лишиться пылесоса была не готова. Даже самый крохотный балкончик мог решить задачу, но у нас не было ничего подобного. Поэтому пылесос стоял за занавеской в большой комнате, ведро под столом в кухне, а швабра лежала у меня под кроватью. От всей души желаю людям, решившим, что их соотечественникам хватает для полного счастья жилья размером со спичечный коробок, самим переселиться в подобные хибары без права переезда оттуда. Только отчего-то мне кажется, что те, кто поселил москвичей в «хрущобы»[1], сами не находились в них и часа, потому что имели просторные квартиры или дома.

---

[1] Хрущобы — блочные пятиэтажки стали строить в столице во времена правления Н.С.Хрущева. Ехидные москвичи мигом окрестили плохое и тесное жилье «хрущобами» по аналогии со словом «трущобы». (*Прим. авт.*)

— Нашла, — сказала Нина, входя на кухню, — хотя и не знаю, там она сейчас или нет, может, уж и умерла.

Я вздохнула. Довольно большое количество женщин доживает до преклонного возраста. Господи, сделай так, чтобы Марфа еще ходила по земле. Ведь многие участники тех давних событий здравствуют и поныне.

Я позвонила по полученному от Нины номеру, едва успев выйти во двор.

— Алло, — ответил звонкий голос.

— Позовите, пожалуйста, Ефимову.

— Это я, — радостно сообщил ребенок.

— Мне нужна Марфа.

— Бабушки нет.

— Она жива? — задала я абсолютно бестактный вопрос.

— Ага.

— А когда дома будет?

— Не знаю. Спросите у мамы.

— Позови ее, сделай одолжение.

— Мамочка на работе, скоро приедет, — сказала девочка и швырнула трубку.

Я посмотрела на бумажку, где Нина крупными, аккуратными буквами написала еще и адрес. Если телефон правильный, значит, Марфа, слава богу, жива и вполне деятельна. Стрелки часов сообщают, что пришел вечер, а бабуся где-то носится. Вполне вероятно, что она до сих пор работает. Хороший детский врач, как коньяк, от возраста делается еще лучше, если, конечно, не впадает в маразм и не начинает путать перелом ноги со свинкой.

Еще раз посмотрев на часы, я решила ехать к Марфе. Учитывая вечерние пробки, на дорогу пона-

добится довольно много времени. Оглядевшись по
сторонам, я не нашла своей машины и только тогда
вспомнила, что временно лишилась верной лошадки, ее отобрал муж, разбивший свою иномарку.
Самое странное, что я не ощутила никакого прили-
ва злости, просто вздохнула и побрела к остановке
автобуса. Значит, придется катить на общественном
транспорте. Впрочем, во всем плохом есть и свое
хорошее. За рулем, например, не почитаешь книгу,
да и пробки противная вещь, тащишься черепа-
шьим шагом, задыхаясь от смога. Сейчас же я выбе-
ру на лотке что-нибудь интересное, например,
новую Путинову. Татьяна оказалась таким милым
человеком, что теперь я с особой радостью стану
«глотать» ее детективы.

Но у «офени»[1] не оказалось ничего достойного.

— Где новая Путинова? — налетела я на него. —
Я очень хорошо знаю, что ее книга вчера появилась!

— Вот вчера бы и покупала, — зевнул торговец, — коли такая умная. Разве ж Путинова станет
лежать? Раскупили всю!

— А Полякова?

— Нету.

— Давай Маринину!

Лоточник вздохнул:

— Ну ты даешь! Закрываться мне скоро! Народ
все расхватал, охота людям вечерок со смаком ско-
ротать. Завтра затарюсь!

— И что же мне почитать? — растерянно спросила я. — Все вышедшее ранее любимых авторов я уже
по два раза изучила. Может, Смолякова есть?

---

[1] О ф е н я — в прежние времена бродячий торговец товарами с
лотка, в том числе и книгами. Офеня ездил по деревням и продавал
крестьянам печатную продукцию типа «Сказка про Бову-королеви-
ча», «Приключение милорда», лубочные издания и др.

Парень засмеялся:

— Ее ваще под корень смели! Сериал по СТС идет, честно говоря, они смоляковские книги малец переделали, у Милады круче было. Она тут интервью давала, ну и сказанула: «Фильм замечательный, актеры супер, но это вариант на тему моих детективов. Я интереснее написала». Вот народ и ринулся, так сказать, первоисточник хватать. Хочешь, возьми вот эту.

Я повертела в руках серо-зеленое издание.

— О чем книжка?

Торговец прищурил хитрые глаза.

— Говорят, интересно. Мужчина по имени Андрей Браскуткин описал страдания женщины, умирающей от рака в клинике. Философская вещь, у меня до нее руки не дошли. Да ты полистай!

Я покосилась на ценник, приклеенный к обложке, — 250 руб. Дорого очень, но, наверное, это великое произведение, нельзя же читать одни детективы, следует порой и о душе позаботиться. Я раскрыла роскошно изданный том, глаза побежали по строчкам. Буквы на фоне дорогой снежно-белой бумаги казались особенно яркими.

«Окутанная черным сумраком Ольга, опершись на подоконник, смотрела в окно. За спиной маялась от боли умирающая соседка. Ее хрипло-натужное дыхание со свистом рассекало воздух, изредка Надя издавала протяжный стон. Когда он перешел в крик, Ольга вышла в коридор и попросила сестру:

— Уколите ей обезболивающее.

— Больше нельзя, — последовал быстрый ответ, — иначе почки сядут!

Ольга опустилась в кресло. Почки! Да нужны ли они женщине, которая не проживет и недели! Смерть уже ходит кругами у палаты, она не сегодня-завтра заберет Надю. А потом и Веру из седьмой, и Катю из пятой, и ее, Олю.

Всех скосит, все умрут. Впрочем, через сто лет на Земле не останется никого, ни их, больных, ни этой здоровой и от этого равнодушной к чужим страданиям медсестрички. Все уйдут! А зачем приходили? К чему мы на этой земле? Кто назначил нам срок жизни? Как страшно умирать, за что это ей, Оле? Все останутся, а она должна уйти, рано, так и не пожив. Впрочем, скончаться суждено всем, и от этой мысли делается легче».

Я отшвырнула книгу.

— Спасибо. Замечательное произведение с оригинальной мыслью о том, что человечество смертно. Дайте мне лучше вон тот глянцевый журнал, желательно самый глупый, где речь идет только о косметике и тряпках. В моей жизни и так полно стрессов и всяких неприятностей. И вообще, может, я, конечно, дура, но мне совершенно не хочется загодя готовиться к неминуемой кончине, намного приятней думать о грядущем бессмертии.

Глава 28

Дверь квартиры Марфы открыла женщина лет сорока. Под глазами у нее чернели круги, а кожа лица была нездорового бледного цвета.

— Ну что еще? — безнадежно спросила она. — Моя машина теперь на платной автостоянке, если кто опять вход в вашу фирму загородил, то...

— Мне нужна Ефимова, — заулыбалась я.

— Слушаю, — по-прежнему мрачно буркнула дама.

— Вы, наверное, не Марфа? — осторожно продолжила я.

Конечно, наука шагнула далеко вперед, пластические хурурги здорово набили руки на чужих мордах, но навряд ли очень пожилая дама выглядит в два раза моложе своего паспортного возраста.

— Я не она! — рявкнула женщина.

— Конечно, конечно, но мне очень надо поговорить с вашей мамой!

Ефимова усмехнулась:

— Вот и езжайте в Екатеринбург.

— Зачем? — удивилась я.

— Она там живет.

— Марфа уехала из Москвы? — испугалась я.

— При чем тут Марфа? — обозлилась баба.

— Ну, вы сами сказали, что мама в Екатеринбурге.

— Мама да, — кивнула Ефимова, — только Марфа моя свекровь.

Я продолжала натужно улыбаться. Встречаются вот такие противные тетки, ни слова в простоте не скажут. Вроде ничего обидного она мне не сделала, а поиздевалась от души. Ну почему бы спокойно не ответить: «Сейчас позову свекровь». Так нет, устроила целое представление!

— Можно поговорить с Марфой? — спросила я.

— Беседуйте, — последовал равнодушный ответ.

— Позовите ее, пожалуйста, — я старалась не замечать хамства бабенки.

— Не могу, — с вызовом сообщила та.

— Ее нету дома?

— Именно.

— А когда она придет?

— Надеюсь, не скоро.

Услыхав последнюю фразу, я растерялась и брякнула:

— Но почему вы так говорите о свекрови?

Тетка оперлась о косяк.

— Тебе бы такую жабу домой! Все ей не так, зудела целыми днями, пилила, ни мне, ни внучке жить не давала. До того всех занудством допекла, что сын ей так и заявил: «Мама, выбирай, либо ты затыкаешься, либо мы разъезжаемся». Знаете, что она выкинула?

— Нет, — ответила я.

Женщина хрипло рассмеялась:

— Дура она и есть дура, небось решила нас проучить. Мы на выходные на дачу уехали, вернулись в воскресенье вечером, на столе записка: «Прощайте, я отправилась навсегда жить в Гопаково. Выгнали мать вон, не надейтесь, что вернусь». Во цирк! Нам же лучше! У Ленки теперь своя комната есть.

— Гопаково... — растерянно повторила я. — Вроде слышала от кого-то про это местечко, где же оно?

— А у Звенигорода, — объяснила тетка, — там психушка!

— Марфа в сумасшедшем доме! — ужаснулась я.

Хозяйка захихикала:

— Самое место для Марфуты! Нет, там еще есть дом престарелых, в нем она и живет. Вот змея! Муж-то мой совестью мучиться начал и к мамаше рванул. Печенья накупил, конфет, соку и всякого вкусного, решил перед жабой повиниться. Во я испугалась! А ну как он ее назад привезет, будет беда! Только зря я тряслась. Марфа к нему не вышла, передачу вернула со словами: «Нет у меня сына!» Муж сначала расстроился ужасно, даже плакал. А потом махнул рукой и заявил: «Не хочет мириться, и не надо, пусть в одиночестве умирает».

Женщина на секунду захлопнула рот, а потом быстро спросила:

— И зачем тебе Марфа?

— Просто поговорить.

— Ну и езжай в Гопаково.

— Адрес дома престарелых не подскажете?

— Не знаю и знать не хочу! — заявила дама и попыталась закрыть дверь.

Я вцепилась в створку.

— Послушайте, я хорошо понимаю, что ваши отношения со свекровью не сложились, такое случается часто. Но ведь я вам не сделала ничего плохого!

— Ну и что? — равнодушно спросила женщина.

— Мне очень надо найти Марфу!

— Ищи.

— Подскажите ее адрес.

— Сказала уже — Гопаково.

— А улица, номер дома?

— Понятия не имею.

— Может, у мужа спросите?

— Да пошла ты, — буркнула баба и с грохотом захлопнула дверь перед моим носом.

Я пошла по лестнице вниз, забыв воспользоваться лифтом. Что ж, завтра поеду в это неведомое Гопаково, наверное, в местечке один приют для престарелых.

Дома весь народ собрался в кухне-столовой: эти два помещения у нас объединены в одно.

— Привет, — обрадовалась Томочка, — ужинать будешь?

Я кивнула и упала на стул. Ноги словно налились свинцом. Быстро же человек привыкает к хорошему, еще недавно я носилась по городу на своих двоих, не ощущая усталости.

— Что с машиной? — спросила я у Олега, надеясь услышать, что его иномарка уже в полном порядке.

— Чинят, — ответил муж.

Я пригорюнилась. Значит, нечего рассчитывать, что поеду в неведомое Гопаково на личных колесах, придется переть на электричке, а потом на автобусе или маршрутном такси. Сильно сомневаюсь, что интернат, где доживают свой век никому не нужные старики, находится прямо на привокзальной площади, да и само Гопаково небось расположено вдали от железной дороги и большого шоссе.

— Завтра в десять обещали отдать, — продолжил Олег.

— Так я могу утром взять свою машину?

— Нет.

— Но почему?

— А на чем я в сервис покачу?

— Ну... на метро. И потом, если ты отправишься на моей, то как ее назад доставить? Ты же уедешь на своей иномарке.

— И что теперь? — набычился Олег.

— Моя машина останется в сервисе, кто ее к дому пригонит?

— Ты.

— Я?

— Ну да! Сядешь на метро и...

У меня потемнело в глазах.

— Как тебе не стыдно!

Олег швырнул вилку на стол.

— Опять! Только не начинай скандал! Иногда мне хочется оказаться в таком месте, где я еще ни разу не бывал, и заняться тем, чем никогда не занимался! Уехать бы далеко-далеко и не слышать твоих воплей!

Томочка сидела, опустив голову. Семен, крякнув, встал и, пробормотав:

— Совсем забыл, мне же надо позвонить, — быстро вышел из столовой.

Я пыталась справиться с некстати подступившими слезами, Олег же, не замечая ничего вокруг, продолжал громко вещать, как ему надоело все вокруг.

— В принципе, — вдруг сказала Кристина, отодвигая тарелку с недоеденной котлетой, — тебе можно легко помочь.

Олег с удивлением воззрился на девочку.

— Ты о чем?

Кристя моргнула раз, другой, потом протянула:

— Вот только что ты говорил: хочу оказаться там, где ни разу не бывал, и заняться тем, чего никогда до сих пор не делал, верно?

— Да, — кивнул Куприн, — на необитаемом острове, к примеру.

— Ну зачем же на край земли катить, — безмятежно заявила Кристина, — есть более простой способ осуществления твоих заветных желаний. Собери со стола посуду, отнеси ее на кухню и помой спокойно, а мы, женщины, в это время телик посмотрим. Сразу двух зайцев убьешь: окажешься в помещении, которое почти не посещаешь, и сделаешь дело, которым никогда не занимался. Ей-богу, чистить сковородки нудно, но не трудно, ты сообразишь, что к чему.

Томочка опустила голову почти в тарелку, я, чтобы не захохотать во весь голос, прикусила нижнюю губу. Олег посидел пару секунд молча, потом встал и, не говоря ни слова, вышел. Кристя вскочила на ноги.

— Вилка, ты дура! Почему позволяешь себя унижать! Значит, он не может на метро до сервиса добраться, а ты плюхай в вагоне! Не смей ему машину давать.

— Кристя! — покачала головой Томочка. — Нельзя так, мужа надо беречь!

— Зачем? — спросила девочка.

— Ну... — хором вякнули мы с Томуськой, — ну...

— Может, наоборот, а? — топнула ногой Кристя. — Это они обязаны нас лелеять. Вам, клушам, такое и в голову не приходило? Одна целый день по хозяйству убивается, другая деньги зарабатывает.

— Мне только недавно хорошо платить стали, — напомнила я.

— А я вообще не работаю, — добавила Тома, — с Никитой сижу!

— Ты сына сама себе пальцем сделала? — налетела Кристина на мать.

— Нет, — растерянно ответила та.

— Значит, Никита еще и папин?

— Конечно.

— Ну-ка посчитай, — уперла руки в бока Кристя. — Домработница теперь как минимум триста баксов в месяц стоит, и нянька не меньше. Повар, думаю, на такую же сумму потянет, еще ты папу стрижешь, следовательно, он на этом экономит. Выгодное дело, однако, жену иметь. Ну-ка, прикинь на минуту, что ты с отцом разошлась. Придется ему кучу народа для собственного обслуживания нанимать да еще секс-услуги оплачивать!

— Кристя, — покраснела Томочка, — что ты несешь!

Но девочка совершенно не смутилась.

— Я-то все правильно говорю, — отрезала она, — и если мне когда-нибудь придет в голову пойти в загс, то в моей семье дело будет обставлено по-иному. Это за мной станут ухаживать и обо мне заботиться! Я вовсе не собираюсь жить как вы, две чмы!

— Слово «чмо» не изменяется по падежам, — машинально поправила я разбушевавшегося подростка.

Кристя скорчила гримасу.

— Может, я и безграмотная дура, но в обиду себя не дам!

Взметнув коротенькую юбчонку, девочка унеслась в коридор. Мы с Томочкой молча уставились друг на друга.

— Ты бы могла так разговаривать с мамой? — прошептала Томуська. — Ну, про секс-услуги и прочее.

— Не знаю, я не имела матери.

— Да, конечно, а с Раисой?

Я вздрогнула.

— Мачеха живо схватила бы скалку и отходила меня до синяков. Но Кристина, слава богу, родилась уже в иной стране, она никого не боится и на самом деле не позволит себя унижать. Даже от любимого мужа ничего терпеть не станет, наподдает ему по башке и уйдет.

— Считаешь, это хорошо? — протянула Томуська. — И я не должна наказать ее?

— Думаю, нет. Во-первых, поздно, Кристя выросла и имеет твердое мнение по каждому вопросу. Во-вторых, она права, хоть я не одобряю ее выражансов и гнева. Лично я, послушав Кристину, сделала выводы и сейчас, немедля, спрячу ключи от тачки. Сама поеду завтра на своей машине по делам, а Олег потащится на метро.

— У него в подземке всегда кружится голова, — напомнила незлобивая Томочка.

Я хорошо знаю: мою лучшую подругу отливали в той же форме, что и мать Терезу, но почему-то сейчас ее интеллигентность и нескандальность стали меня злить.

— А я в метро кашляю, — сообщила я, — на то Олег и сильный пол, чтобы уступать слабому. Коли Куприну нехорошо под землей, пусть возьмет бомбиста.

— Мне просто не хочется, чтобы утром разгорелся скандал, — тихо сказала Томуся.

Я улыбнулась:

— Не волнуйся, все будет хорошо.

Утром я умчалась из дома полседьмого. Путь предстоял не ближний, и потом, я не люблю носиться по шоссе, словно угорелая, а до Звенигорода мне добираться долго. Не испытывая никаких угрызений совести, я схватила ключи от своей тачки. Олег еще спит. Он не увидит, как жена села в машину, а когда поймет, что ему предстоит воспользоваться общественным транспортом, я окажусь уже далеко, скандал Олегу устраивать будет некому.

В Гопакове я очутилась около десяти, высунулась из окошка и спросила у тетки, торговавшей газетами:

— Где тут у вас дом престарелых?

— Ехай по главной улице, — миролюбиво отозвалась баба, — до конца, от водокачки налево, и увидишь три дома, тама дурка, уроды и старики, просекла?

Я кивнула, конечно, понятно. На одном пятачке стоят психиатрическая лечебница, психоневрологический интернат и дом престарелых.

Ехать пришлось пять минут. Гопаково кончилось, на окраине высилась здоровенная круглая башня из темно-красного кирпича, левее, среди деревьев, ярко выделялись три здания, выкрашенные когда-то в невероятные цвета: сочно-бирюзовый, ядовито-розовый и лимонно-желтый. Краска облупилась, оконные рамы были разномастными, крыши, похоже, не перекрывались заново со времен царя Гороха, а латались, словно лоскутное одеяло.

Нужное мне здание оказалось самым крайним, выкрашенным в цвет взбесившейся канарейки. Я с трудом открыла огромную деревянную дверь, вошла в пустой, чисто вымытый холл и почувствовала, как сжалось сердце. Господи, сделай так, чтобы мне никогда не пришлось доживать век в подобном месте! Хотя тут довольно аккуратно, пол покрыт красно-белой плиткой, стены выкрашены темно-синей краской, лестница с широкими серыми ступенями покрыта вытертой ковровой дорожкой. Отчего же меня охватила тоска? Может, из-за запаха? В здании витал аромат хлорки, переваренной капусты и дешевой пудры. На секунду мне показалось, что это особые духи под названием «Нищета», а может, «Горе»...

— Вы к кому? — спросил тоненький голосок.

Я повернула голову и увидела старушку в темно-синем халате. Опершись на швабру, она глядела на меня блеклыми глазами.

— Мне нужна Марфа Ефимова.

— А вы ей кто? — бдительно поинтересовалась уборщица. — Родня? Внутрь только своих пускают.

— В общем, да, — быстро ответила я, думая, что сейчас бабуся разрешит мне пройти.

Но она вдруг строго сказала:

— Постой-ка тута, на тряпке. Пойду узнаю. Не ходи по вестибюлю, я помыла его.

Я покорно умостилась на куске застиранной мешковины и застыла в ожидании. Кряхтя и охая, старушонка пошла по лестнице вверх и исчезла.

Время тянулось как резиновое, в здании стояла ужасающая, прямо-таки гробовая тишина, у меня заломило спину.

— Эй, — донеслось сверху.

Я задрала голову и увидела бабусю, перегнувшуюся через перила на втором этаже.

— Ты ей невестка? — спросила старушка и, не дожидаясь моего ответа, продолжила: — Марфа не хочет тебя видеть.

— Но...

— Уходи подобру-поздорову, — пригрозила уборщица, — я санитарок позову, мало не покажется.

— Я не невестка Ефимовой.

— А кто?

— Родня с другой стороны.

— С какой? — не успокаивалась бабка. — Говори живо, мне некогда лясы точить, полкорпуса не мыто.

— Скажите Марфе, меня прислала Вера Попова, — вырвалось у меня.

— Погоди, — ответила уборщица и исчезла.

Я снова затосковала на тряпке.

— Эй, топай сюда, — донеслось сверху, — ноги вытри, пошмурыгай получше.

Обрадовавшись, я поелозила ступнями по рядну, в которое превратилось от долгого использования тряпка, и понеслась по ступенькам.

— Здорова ты бегать, — констатировала старуха, — меня чуть не сшибла. Вона, дуй по коридору, ейная последняя комната. Вот молодежь, ну и...

Не слушая старухины причитания, я побежала вперед мимо совершенно одинаковых, высоких, когда-то белых, а теперь ободранных дверей. Нужная створка оказалась слегка приоткрытой, я толкнула ее ногой и влетела в маленькую, едва ли пятиметровую комнату, обставленную с простотой, которая понравилась бы самому придирчивому спартанцу: железная кровать, выкрашенная белой краской, тумбочка и один стул, притулившийся у окна. Занавески тут были сшиты из кусков простыней, а кровать застелена синим, вылинявшим одеялом. Полная старуха, одетая в ситцевый халат, лежала на койке.

— Это ты мне привет от Веры Поповой принесла? — неожиданно молодым голосом спросила она.

Я кивнула.

— Остается только поинтересоваться, на каком транспорте ты прибыла из ада, — хмыкнула Марфа и села.

В ту же минуту на пенсионерку накатил кашель. Я поискала глазами стакан и бутылку с водой и не нашла ни того, ни другого, на тумбочке было пусто.

— Не бойся, — прохрипела Марфа, — это не зараза. Сердечный кашель.

— Такой бывает? — удивилась я.

Врач кивнула.

— Лучше тебе не знать, что еще с человеком приключиться может. Так кто ты? Зачем пожаловала? С какой стати Веру-покойницу припомнила? Говори! Вон на стул садись и излагай.

Я покорно устроилась на неудобном жестком сиденье, открыла рот, но тут Марфа предостерегающе произнесла:

— Лучше тебе не врать! Я моментально ложь чувствую. Пойму, что обманываешь, и санитарок позову. Я им приплачиваю, они за меня горой встанут, выкинут тебя вон, и чихнуть не успеешь, ясно?

Отчего-то мне сразу стало понятно: Марфа не собирается пугать незнакомую посетительницу.

— Меня зовут Виола Тараканова, — медленно начала я, — под псевдонимом Арина Виолова я пишу детективные романы. Дружу со многими людьми, в частности, с Кирой Нифонтовой. Некоторое время тому назад Кира пришла ко мне...

Марфа прикрыла глаза, издали могло показаться, что старуха спит, но по тому, как побелели ее стиснутые в кулаки пальцы, стало понятно: она очень напряженно внимает моим словам.

Глава 29

Я говорила долго, в горле пересохло, но воды в комнате не было. В конце концов рассказ подошел к концу. Марфа молчала. Я воззрилась на нее.

— И что вы думаете по этому поводу?

Марфа кашлянула.

— Похоже, кто-то услышал мои молитвы.

— Вы о чем? — удивилась я.

— В бога я не верю, — спокойно сообщила старуха, — попов терпеть не могу, подруг не имею. Была, впрочем, одна, так она давно покойница. Лежу тут часами, гнию на одеяле и вспоминаю свою жизнь. Чем больше думаю, тем сильней пугаюсь: вот умру со дня на день, и что?

— Вы выглядите совершенно здоровой, — быстро сказала я, — еще лет двадцать протянете.

— Типун тебе на язык! — в сердцах вскричала Марфа. — Надеюсь не сегодня-завтра убраться. Одна беда, рассказать о лаборатории некому. Уж думала воспоминания написать, только их после моей смерти на помойку вышвырнут. А тут ты появилась, словно... словно...

— Добрый ангел, — подсказала я.

Марфа скривилась.

— Виола, я врач. Сколько раз на вскрытии была, смерть видела часто. Нет души. Печень, легкие, почки, это да, все на месте. А вот бессмертной субстанции я не встречала, ничего похожего не обнаруживается. Вранье все про тот свет. Ничего от нас не остается, кроме памяти. Повезло тому, кто что-то большое делал. Вот ты книги оставишь.

— Думаю, они никому не будут нужны, — вырвалось у меня.

Марфа покачала головой.

— Нам не дано предугадать, как слово наше отзовется. Во всяком случае, некоторое время люди будут тебя поминать, кто добрым, а кто злым словом. Слышала слова Метерлинка? В его пьесе «Синяя птица» сказано: «Мертвые живы до тех пор, пока мы о них говорим». И это верно. А кто и что скажет про меня? А?

Я слегка растерялась.

— Ну... ваш сын, внучка...

Марфа тяжело вздохнула:

— Они умерли.

— Как? Я только вчера...

— Они умерли!!!

— Да, я все поняла, хорошо.

Ефимова улыбнулась:

— Молодец! Похоже, мы с тобой договоримся. Значит, ты пишешь книги лишь о реальных событиях?

— Да.

— Тогда слушай, расскажу тебе такое, что никому никогда выдумать не удастся, — воскликнула Марфа. — Правда, она похлеще любого вымысла. Думаю, ты сумеешь Михаила отыскать, я предполагаю, где он спрятался, и, скорей всего, не ошибаюсь. Уж я-то его как облупленного знаю. Вопрос, сохранилось ли ожерелье? Михаил любит красивую жизнь и вполне мог его продать, а деньги прокутить. Но он способен и спрятать ценность. Все зависит от фазы, в какой он сейчас находится.

— От фазы?

— Да, не перебивай. Расскажу все, но с одним условием. Ты напишешь книгу и посвятишь ее мне, так и укажешь на первой странице: «Это произведение появилось благодаря Марфе Ефимовой, главной участнице всех описываемых событий». Понимаешь, я хочу, чтобы меня не забыли. Обещаешь выполнить просьбу?

— Да, — кивнула я.

— Ну так слушай, — сказала старуха и подпихнула себе под спину подушку, — ты вообще-то много чего узнала. Значит, коротенько повторим известное: Демьян вместе с соратниками сделали себе прививки, потом у исследователей родились дети, которые моментально получили свою дозу. Лаборатория работала вовсю, эксперименты шли в основном на мышах и свиньях. Все очень хорошо понимали, что максимально, на что можно рассчитывать, это увидеть внуков. Но потом началась Великая Отечественная война, и сотрудники лаборатории пошли добровольцами на фронт. Демьян и его сын Семен погибли, отец Паши Смайкина тоже, но остались матери, такие же фанатичные ученые, как их мужья. До начала пятидесятых годов дожил и отец Коли Малины. В общем, исследователи изо всех сил старались воспитывать детей в нужном русле, и большинство родителей сделало все, чтобы отпрыски пошли в медицинские вузы, продолжили их дело. Владимир Попов, Паша Смайкин, Николай Малина, Елена Иванова и Игорь Ласкин с подростковых лет знали: они не такие, как все. И вот что интересно! Война разметала их родителей по горо-

дам и весям, один Попов, внук Демьяна, остался в
Москве. После того как большая часть исследователей погибла на войне, лаборатория прекратила свое
существование. Те, кто выжил, осели в разных горо-
дах и пытались работать в одиночку, но сделать
нужную вакцину у них не получалось, потому что
основной архив, самые нужные документы остались
у Попова. Но, повторюсь, детям своим они внушали с
пеленок: вам предстоит идти только в медицину. А когда
подростки поступили в нужные вузы, они узнали
правду о касте бессмертных.

Володя Попов еще третьекурсником понял,
какие ценные бумаги хранятся дома. Защитив диплом, он сумел заинтересовать проблемой определенные службы, и было принято решение о воссо-
здании научного подразделения. Разбросанных по
всей стране потомков исследователей собрали вместе, подобрали им жен, и эксперимент был продолжен.

Молодые ученые пытались улучшить вакцину,
наука шагнула вперед, и состав, предложенный Демьяном, уже не казался таким хорошим.

Марфа попала в проект после того, как на свет
появилось новое поколение, уже третье из получивших дозы, кроме Володи Попова, у него было чет-
вертое поколение. Ефимова была отличным детским врачом, и ее привлекли к работе с малышами.

Узнав, чем занимается Попов с приятелями,
Марфа пришла в восторг. Время было на дворе ро-
мантическое. Советские люди полетели в космос,
собирались поворачивать реки Сибири вспять, вы-
саживать на Марсе яблони... Отчего бы и не заняться бессмертием человечества?

Но уже через некоторое время у Марфы сползли
с носа розовые очки и она поняла, что не все в груп-

пе разделяют энтузиазм Попова и Смайкина, готовых дневать и ночевать в лаборатории.

Малина, например, работал тяп-ляп, мог опоздать на службу или вообще, сказавшись больным, не выйти на работу. Один раз Марфа случайно стала свидетельницей разговора между Николаем и Игорем Ласкиным. Мужчины сидели в полутемной курилке, а Марфа шла по коридору, услышала голоса, притормозила, хотела тоже зайти побаловать себя сигареткой, но потом передумала и притаилась, слушая мужиков. А те, думая, что они одни, не стеснялись.

— Дурью маемся, — вздыхал Игорь, — бредятиной занимаемся.

— Не скажи, — пробасил Колька, — это полезная штука.

— Глупости все.

— Ты меня не понял, нам полезная.

— Чем?

— Из захолустья нас в Москву привезли, — засмеялся Николай, — жилплощадь дали, зарплата хорошая, чего еще надо? А? Молчишь? То-то!

— Так мы ерундой занимаемся. Ежу понятно — пустое это дело.

Коля снова захихикал:

— И чего? Живи и радуйся.

— Не могу.

— Почему?

— Стыдно. Можно же в нормальное место пойти работать, — сказал Игорь, — и пользу приносить. А тут чушь собачья! Каста бессмертных. Как ты думаешь, Володька и Пашка притворяются?

— Они идиоты, — заявил Николай, — а мы нет. Лучше молчи о своем желании приносить пользу. Мигом в Зажопинск назад отправят, понял?

— Угу, — кивнул Игорь.

Потом Малину в конце концов уволили за пьянку, а Игоря вышибли за лень и прогулы. Детей у Ласкина не было, и Попов посчитал Игоря балластом для лаборатории. Впрочем, никто его из Москвы не выгнал, комнаты не лишил и никаких репрессивных мер к нему не применил.

А вот у Малины был мальчик Эдик, и Марфе велели за ним присматривать, как, впрочем, и за остальными детками. Педиатр регулярно сообщала о своих исследованиях Попову, на каждого ребенка она завела специальную карту. Про Эдика в ней было написано: очень возбудим, плохо обучаем. В дальнейшем прибавились и другие характеристики: не умеет управлять собой, подвержен припадкам гнева, психически нестабилен.

Такой человек, как Эдик Малина, явно не мог считаться прародителем касты бессмертных людей.

Но Попов не унывал.

— Что ж, — сказал он один раз Марфе, — в эксперименте случается всякое, бывает и брак. Зато у нас есть другой, замечательный материал, вот, к примеру, мой Юра!

Ну а потом случилось несчастье с Аней. Марфа, узнав о произошедшем, растерялась. До сих пор она, хороший специалист, ни разу не сталкивалась с детьми-убийцами. Юру поместили в специальную клинику, где за него взялись психиатры и психологи, Марфа также была допущена к мальчику, но ее роль в его лечении была не главной.

Спустя некоторое время бригада врачей пришла к выводу: ребенок здоров психически. Ужасный поступок он совершил лишь из желания вернуть себе утраченное внимание мамы. И потом, в силу малолетства Юра просто не понимал, что смерть — это навсегда. Маленькие мальчики ведь любят играть в войну, «стреляют» из деревянных пистолетов, кричат: «Убит». Но ведь противник потом, после «кончины», спокойно встает, отряхивается и идет домой. Примерно так и думал Юра, убивая сестру, ну не оценивал он события реально. Следует забыть эту историю и воспитывать мальчика так, словно ничего не стряслось, чтобы не нанести ему травму. Юре нужно вернуться домой.

Узнав о заключении врачей, Владимир решительно сказал:

— Нет.

— Ты о чем? — удивилась Марфа.

— Юра не годится для эксперимента, — мрачно заявил Попов, — дефектная наследственность, рано или поздно она вновь даст о себе знать. Юрий должен быть помещен в интернат и воспитан так, чтобы он не знал, кто его родители и где они живут. Мы отказываемся от мальчика, нам такой не нужен. Есть другие дети, хоть я и не молод, да вполне дееспособен, Вера же младше меня, ей только рожать и рожать.

Марфа пришла в ужас и попыталась уговорить Попова, но тот с каменным лицом заявил:

— Вопрос решен.

— Но Юра же знает свою фамилию и адрес, — попыталась образумить сумасшедшего ученого Марфа, — ему все-таки семь лет.

— Но и не пятнадцать лет, — парировал Владимир, — в надлежащих условиях забудет!

Марфа вздрогнула.

— Что ты имеешь в виду?

— В детдоме, — холодно ответил Попов, — он уже переправлен в спецзаведение под другой фамилией. Более мы о Юре не беседуем, эта тема закрыта.

Марфа кивнула, а что ей оставалось делать? Юра был не ее ребенком, Владимир являлся начальником Ефимовой. Педиатру пришлось подчиниться. Но ситуация с мальчиком никак не выходила у Марфы из головы, и еще ее удивила жестокость отца, преспокойно отбросившего неудачного сына прочь, словно смятый фантик от съеденной конфеты. Вот Вера вела себя по-иному. Каждый раз, приходя к ней, чтобы осмотреть Мишу и Петю, Марфа пугалась. Ей казалось, что от жены Попова осталась лишь внешняя оболочка, пустое тело с потухшими глазами. Вера передвигалась по квартире словно зомби, натыкаясь на мебель. Один раз Марфа не выдержала и сказала:

— Вы ведь можете и изменить свое решение.

— Какое? — прошептала Вера.

— Ну то, о помещении Юры в детдом, напишите заявление и заберите мальчика.

Вера отшатнулась.

— Владимир запретил мне даже думать о Юре.

— Так это муж решил все за вас двоих! — воскликнула Марфа. — Вы могли бы взять мальчика назад?

— Конечно, — прошептала Вера, — господи, как я измучилась, хоть весточку от него получить, хоть рисунок какой-то. Только Володя скала! Его ничего, кроме эксперимента, не волнует, теперь он возложил основные надежды на Мишу и Петю. Говорит, Юра может и их прирезать. Марфа, ты веришь в успех дела? Вакцина и впрямь сработает?

Врач сделала вид, что не услышала вопроса. Последнее время и ее одолевали сомнения. Очередное поколение мышей получилось весьма странным, с неадекватным поведением, но Попов уверял, что это совершенно правильный эффект.

— Если ты дашь честное слово, что никому ничего не скажешь, я попробую найти Юру, — пообещала она Вере.

Попова заплакала и убежала.

Осуществить задуманное оказалось не так уж сложно. Спустя некоторое время Марфа обнаружила интернат, в который поместили ребенка, и сообщила Вере:

— С твоим сыном все нормально.

— Я могу его увидеть? — с надеждой воскликнула та.

— Нет, — испугалась Марфа, — ты же обещала мне, что никому даже взглядом не дашь понять, что знаешь правду.

— Да, — кивнула Вера.

Месяца через три Попова вызвала Марфу к себе домой.

— У Миши сильный насморк, — сказала она.

Приехавшая врач обнаружила здорового ребенка, без всяких признаков простуды и, очень удивившись, спросила:

— В чем дело?

Вера бросилась на колени.

— Помоги.

Марфа перепугалась.

— Что случилось?

— Володя сегодня утром сообщил о смерти Юры.

Педиатр ойкнула.

— Он заболел дифтеритом и умер, — зарыдала мать, — найди мне его могилу, умоляю.

Ефимова навела справки и пришла в полнейшее негодование. Мальчик оказался жив и здоров, он вовсе не собирался покидать этот мир. Очевидно,

Владимир решил раз и навсегда избавиться от сына и объявил его скончавшимся. Это было очень жестоко по отношению к Вере, мерзко, подло. Поэтому Марфа совершенно не испытала мук совести, разоблачая Попова.

— Спасибо, — кивнула Вера, — ты спасла меня. Вот пройдет еще несколько лет, и я разведусь с Владимиром, заберу Юру и уеду с ним куда глаза глядят.

— А Миша с Петей? — удивилась Марфа.

— Эти пусть с отцом остаются, — равнодушно бросила Вера, — один дебил, другой хулиган.

Марфа только вздохнула. Конечно, Вера высказалась резко, но доля истины в ее словах была. Петя рос плохо управляемым ребенком, способным на самые отчаянные шалости. Но, в конце концов, такими бывает большинство мальчиков. Здоровый пацаненок — это живчик с буйной фантазией и фонтанирующими идеями. Если вы имеете дома очень тихого, апатичного, безразличного к шумным играм, ничего не сломавшего, не имеющего ватаги приятелей мальчика, то не надо радоваться, что вы получили беспроблемного сына. Нужно немедленно бежать к врачам, а если те заявят о физическом здоровье наследника, следует быстро обратиться к психиатрам, вполне вероятно, что у ребенка есть некие отклонения, часть из которых может быть откорректирована.

Хулиган Петя не волновал Марфу, мальчику попросту следовало прописать витамины Р и У, то есть: ремень и стояние в углу. А вот вялый Миша вызывал у нее тревогу. Вначале его поведение нельзя было со стопроцентной уверенностью назвать аутичным, но с каждым месяцем ситуация усугублялась, и в конце концов Марфа сказала Вере:

— Мишу следует положить в стационар, исследовать у психологов и психиатров. Я уже не чувствую в себе способностей справиться с его непростым поведением.

— Нет! — закричала Вера.

Марфа удивилась, надо же, Попова, оказывается, любит Мишу, до этого момента педиатр считала, что Вера будет только рада избавиться от лишней докуки.

— Не говори Володе, — взмолилась Вера, — он мигом скажет: «Миша не годится для эксперимента» и запрет мальчика в психушке. Я вижу, что он не в себе, но ведь тихий, никому не мешает. Давай попробуем сами справиться с ситуацией.

У Марфы был сын, горячо любимый ребенок, поэтому она, хорошо понимая Веру, согласилась.

— Ладно, еще не вечер. Составлю особую программу.

И тут Вера добавила:

— Если Володя отнимет у меня Мишу...

Марфа сочувственно вздохнула, но Попова внезапно закончила фразу:

— ...он заставит меня еще раз родить. Ей-богу, я не способна на этот подвиг. Володя сказал, что двух детей хватит для эксперимента. Но одного мало. Ужасно! Я умру! Не вынесу ни беременности, ни родов, не хочу! Поэтому пусть Миша как можно дольше сидит дома. Я ведь старею и скоро стану непригодной в качестве родильной машины.

Марфа вздрогнула. Значит, Вере наплевать на Мишу, мать волнует не судьба ребенка, которому следует наблюдаться у психиатра, а собственное спокойствие.

Глава 30

Поняв мотивы, которыми руководствовалась Вера, Марфа стала колебаться: как же ей поступить? Попытаться самостоятельно корректировать поведение Миши или, наплевав на мольбы Веры, привлечь психиатра? Вроде бы пока ситуация не была угрожающей.

Но тут в семье у самой Марфы случилось несчастье, и она временно забыла обо всем, кроме здоровья сына, у которого нашли рак. Мальчик начал чахнуть на глазах. Марфа подняла на ноги всех знакомых и выяснила: в СССР такое не лечат, но в Германии весьма успешно справляются с данной формой заболевания. Только никто ее за границу не выпустит. Марфа сначала пала духом, но потом забрезжила слабая надежда. Один из приятелей Ефимовой брался ей помочь, он мог привести из Бонна все необходимые для курса лечения препараты, но их следовало оплатить. Немецкая сторона шла навстречу, цена на ампулы была назначена ниже некуда, но все равно сумма казалась устрашающей, и Марфа поседела от горя. Это было ужасно: знать, что сына можно спасти, и видеть, как он угасает из-за отсутствия у матери нужных средств.

И тут к ней приехала Вера.

— Я знаю, что тебе нужны деньги, — с порога заявила она, — так вот, я имею уникальные, антикварные драгоценности. Каким образом можно протащить их через границу, не знаю, но в Германии за эти комплекты отвалят огромную сумму.

— Я не могу принять такой подарок, — прошептала Марфа.

— Это плата за работу.

— Какую? — испугалась Марфа.

И тут Вера спокойно сказала:

— Слушай. Ты поменяешь Юру на Мишу.

Сначала Марфа пришла в ужас, но потом в ее голове начал складываться план, который женщины и осуществили. Ими двигала самая действенная сила: любовь к детям. Вера мечтала получить Юру, Марфа хотела спасти сына.

Драгоценности были «украдены», Юра обменен на Мишу, а потом положен в больницу со скарлатиной. Марфа расстаралась изо всех сил. Она и в самом деле заразила мальчика, чтобы отец отнес все внешние изменения на счет болезни. Операция удалась на редкость легко. Двум сотрудницам детдома, привлеченным к мероприятию, было заплачено сверх меры. Апатичный Миша равнодушно осел в интернате. Он, явно больной психически, не выказывал ни удивления, ни негодования, не задавал никаких вопросов. А очень скоро перестал общаться с кем-либо, прекратил разговаривать и был препровожден в другое заведение, где содержались дети с серьезными отклонениями.

Юра же оказался настоящим артистом, а в придачу к таланту лицедея он обладал умом и сообразительностью. Он был развит не по годам, время, проведенное в интернате, никак не сказалось на развитии ребенка. Он очень хорошо понимал, что сделали мама и Марфа, боялся снова оказаться в детдоме и изо всех сил старался хорошо играть свою роль.

Марфа получила лекарство и вылечила сына. Педиатру не очень хотелось встречаться с Верой, охотнее всего Ефимова забыла бы про аферу, но Попова один раз взяла врача за руку и сказала:

— Даже не думай уволиться. Будешь вести Юру-Мишу, наблюдать за ним. Иначе я расскажу, как ты перебрасывала драгоценности за рубеж и меняла их на валюту. Тебе мало не покажется, в тюрьму посадят. А уж если и про обмен детей сообщу, так точно диплом врача отберут.

Марфа растерянно моргнула.

— Но ведь и тебе это с рук не сойдет, — только и сумела сказать она.

— Верно, — согласилась Вера, — поэтому нам с тобой нужно рука об руку идти, мы связаны одной цепью. Молчать станем — уцелеем.

— И вы не знали, что домработница Веры, Нина, в курсе произошедшего? — спросила я.

— Нет, — ответила Марфа, — до самой смерти Поповой я считала, что только мы двое замешаны в истории, ну еще тетки из детдома, только те рты крепко заперли, уж не буду тебе рассказывать, что порой персонал в детдомах творит. Вера мне лишь перед смертью правду открыла. Очень уж она за Юру боялась.

— Почему?

Марфа поправила подушку.

— Ты дальше послушай.

Первое время все шло просто замечательно. Но потом на Поповых снова посыпались неприятности, на этот раз чудить начал Петя, и в конце концов мальчик ушел из дома. Владимир был расстроен, его эксперимент разваливался. Но Вера радовалась, наконец-то она с любимым сыном осталась вдвоем.

— Ой, я поняла! — воскликнула я. — Вот почему Юра не пустил домой больного Петю, протянул ему рубль и захлопнул дверь. Он не хотел, чтобы брат вернулся! Вот почему он еще раньше «стучал» на него родителям, рассказывал о фарцовке!

Марфа кивнула.

— Верно, но это были цветочки, ягодки созрели позднее, и они оказались хуже волчьих.

Однажды Юра пришел к Марфе домой, вечером, без предварительной договоренности.

— Что случилось? — испугалась Марфа, глядя на красное лицо подопечного и его лихорадочно блестевшие глаза.

— Я это смог! — заявил Юра и, хохоча, упал на диван.

Окончательно перепугавшись, Марфа втолкнула парня в свою комнату, заперла ее изнутри и велела:

— Быстро говори, что произошло.

И Юра начал выплескивать все помои со дна души. Он достаточно хорошо знает Эдика Малину, сына умершего пьяницы Николая, можно сказать, дружит с ним. Эдик веселый, бесшабашный, постоянно устраивает гулянки. Последней по времени была вечеринка, посвященная его уходу в армию. Юра опоздал к началу гульбища, пришел, когда все уже сильно набрались, и стал свидетелем убийства. Жена Эдика стала орать на мужа, и тут Малина схватил ее за шею, дотащил до подоконника, перегнул через него и заорал:

— Ща вниз брошу!

Любой трезвый человек на месте Юры мигом кинулся бы на помощь девушке, но Попов даже не шелохнулся. Он испытал огромное, физиологическое удовольствие, слушая вопли девицы.

Эдик пнул жену, и та рухнула вниз. Тяжело дыша, Малина упал на диван, его мигом свалил сон. А Юра тихо ушел, он понял, что через какое-то время приедет милиция и не стоит оставаться в комнате.

В отделение его все же вызвали и спросили:

— Вы были у Малины?

— Нет, — равнодушно ответил Юра, — хотел зайти, да не сумел.

— А вот хозяин говорит, что видел вас, — нахмурился следователь, — кое-кто из гостей утверждает то же самое.

Попов пожал плечами.

— Думаю, они там все перепились, вот и напутали. Я с компанией днем столкнулся, в магазине, где они водкой затаривались. Эдька спросил: «Придешь?», я ответил: «Постараюсь», ну а остальные загалдели: «Тогда с собой ханку принеси». Мы только в винном отделе виделись, а потом в их пьяных мозгах все перемешалось.

— Понятно, — кивнул следователь.

Он поверил Юре, потому что участники попойки путались в показаниях, нервничали, а Попов был спокоен и уверенно отвечал на вопросы, сообщив под конец:

— Да вы у продавщицы поинтересуйтесь, она нас, наверное, запомнила. Эдик одну из бутылок на прилавке разбил, то-то лаю было!

— Хорошо, идите домой, — велел милиционер.

— А что с Эдькой будет? — поинтересовался Юра.

— Ничего хорошего, — ответил следователь, — девочка одна, Рита Семина, знаете такую?..

— Да, — кивнул Юра.

— Вот она дала показания, что видела, как Малина убивал жену. Похоже, этому Эдуарду теперь и сам черт не помощник.

Юра вышел из кабинета в приподнятом настроении. Последняя фраза милиционера словно напитала его силой. Значит, сам черт не помощник?

А он, Юра, выходит, сильнее дьявола. Ну-ка, сумеет ли Попов переломить хребет ситуации?

Нечто сродни опьянению охватило Юру, откуда ни возьмись у него появилась невероятная энергия, а еще парню стало интересно, сумеет ли он выступить в роли господа бога и помочь Эдику. Поймите правильно, на Малину Юре было наплевать, хотелось закрепить на практике полученную от мамы информацию о своей исключительности. Это простые, тупые людишки дрожат от страха в своих квартиренках, а он, Юра, сверхчеловек, ему дозволено все.

Двое суток ушло у красавца Юры на то, чтобы влюбить в себя романтическую дурочку Семину и заставить ее побежать в милицию с заявлением о лжесвидетельстве.

— Дорогая, — сладко улыбался обладавший недюжинными актерскими способностями Юра, — мы же хотим пожениться и поехать в свадебное путешествие. А тебя не отпустят, следствие и суд долгое дело.

И Рита понеслась менять показания. Не будем обсуждать умственные способности девушки, важен факт: Семина, рыдая от страха, наврала следователю, озвучила написанный для нее Юрой текст.

Милиционер принял ее рыдания за слезы глубочайшего раскаяния и, отчитав как следует «ревнивицу», отпустил ее. Дело в отношении дурочки он открывать не стал. С одной стороны, пожалел глупышку, с другой, не захотел себе лишних хлопот.

Через неделю после описываемых событий вечно клубящаяся на станции метро «Белорусская-кольцевая» толпа снесла Риту под колеса прибывающего поезда. Никто не усмотрел в трагедии криминала.

И вот сейчас Юра, задыхаясь от восторга, рассказывал Марфе, как он незаметно толкнул Семину, как ловно смешался с пассажирами и спокойно ушел.

— Я сделал это! Сделал! — чуть не кричал Попов. — О-о-о! Какое наслаждение! Сначала планировать преступление, а потом его выполнить! Ничего нет на свете острее.

— Зачем ты мне все это рассказываешь? — в полуобмороке поинтересовалась Марфа.

Юра с удивлением посмотрел на нее.

— Но ведь должен же кто-то знать о том, какой я ловкий, умный и гениальный. Ты меня не выдашь, потому что связана таким понятием, как врачебная тайна. Я выложил тебе правду как врачу. Знаешь, я еще в тот день, когда Аньку зарезал, понял, какой это кайф.

— Убивать? — в изнеможении прошептала Марфа.

— Это ерунда, — отмахнулся Юра, — убийство просто логическое завершение процесса. Ну нельзя же, тщательно все спланировав разместив по полочкам, оставить намеченную жертву в живых. Согласись, это проявление ненужной слабости, расписка в собственной трусости. С Анькой нелепо вышло, я маленький был, вот и попался. И с Риткой я поторопился, быстро удовольствия лишился. Теперь стану кайф растягивать на месяцы, а то и годы.

— Тебе надо срочно обратиться к психиатру, — воскликнула Марфа, — начать принимать соответствующие препараты.

Юра засмеялся:

— Я не псих. Здоров абсолютно! Только попробуй кому-нибудь сообщить! Сына имеешь, думаешь, я не сумею с ним расправиться?

— Юра, — заломила руки Марфа, — очень тебя прошу, если в голову придет что-то криминальное, иди быстро ко мне, вместе ситуацию обсуждать станем.

— Хорошо, — улыбнулся Юра, — это еще лучше! Сначала поговорим, потом я все тщательно распланирую и осуществлю.

Испуганная Марфа перерыла горы специальной литературы и нашла описания поведения, подобного Юриному, такие случаи встречались, но все они уже относились к области большой психиатрии, а не к психологии.

Оставалось только гадать, это вакцина сделала детей такими или они сами по себе получились дефектными.

Эдик Малина пил и обладал необузданно-гневливым характером. Миша был помещен в психоневрологический интернат в Гопакове. Марфа навещала изредка парня и каждый раз уходила от него с камнем на сердце. Тихому, бессловесному Мише суждено было мести двор да убирать мусор. Кстати, медперсонал в Гопакове любил парня за услужливость и незлобивость. Мише даже выделили отдельную каморку, где он проводил свободное время. Санитарки часто угощали паренька домашней едой, но надежд на его возвращение к нормальной жизни не было вовсе.

Петя исчез в неизвестном направлении. У Лены Ивановой старшая девочка погибла, а к младшей она Марфу не допускала. Кибеллу лечила другой педиатр, пожилая Екатерина Михайловна. Но Марфа все равно знала: Кибелла очень слабенькая, болезненная, подхватывает все инфекции. Как врач и как исследователь Марфа хорошо понимала: эксперимент провалился полностью. Его участники заплатили за романтические бредни Демьяна Попова непомерную цену. Они вмешались в биохимию человеческих организмов и получили либо душевно, либо физически больных детей. Лучше было бы их наследникам остаться бесплодными.

Впрочем, в умных книжках Марфа начиталась еще и всяких советов. Один из них гласил: мужчину, подобного Юрию, следует женить на тихой, во всем ему покорной женщине, которая не станет протестовать против побоев и пинков. Очень часто агрессия супруга выливается лишь на вторую половину, злоба оказывается внутри семьи, не выплескивается наружу.

И Марфа отважилась поговорить с уже тяжело больной Верой.

Попова мигом воскликнула:

— Надо найти Юрочке девку! Вот я выздоровею и займусь этим!

Марфа только вздохнула, она-то понимала, что Вере осталось немного, и от нее сейчас требовалось лишь одно: заставить сына согласиться на брак.

Еще Марфа знала: Юра ее крест до конца дней. Ефимова считалась отличным детским врачом, ее ценили и на работе, и частная клиентура. У Марфы имелся сын. Юноша переборол тяжелое заболевание и был слаб здоровьем, его следовало хорошо кормить, покупать дорогие витамины. А деньги Ефимова в основном получала от частных больных, и их количество напрямую зависело от репутации Марфы. А теперь представьте, что история с обменом детей выплывет наружу! Ну и скандал разгорится вокруг Ефимовой, педиатра сразу обвинят во всех грехах, объявят ее не соответствующей статусу врача, могут лишить диплома, выгонят с работы. Ясное дело, Марфе нужно молчать и старательно приглядывать, чтобы Юра не слишком распоясался.

Вера умерла, так и не увидев невестку. А Марфа встретила домработницу Нину, и дело неожиданно завершилось к обоюдному удовольствию. Юра женился на Василисе.

Марфа вздохнула с облегчением, умные книги не врали. Юра с упоением принялся мучить жену. Он нигде не работал, существовал за счет Васи и старательно доводил ту до нервного срыва. Его возбуждал вид рыдающей супруги, Юре нравилось пинать жену ногами. Но вот парадокс! Стоило Василисе показать зубы, как Юра начисто терял кайф. Ему доставляло удовольствие видеть униженно плачущую Василису, Юра хотел довести ее до самоубийства и испытывал невероятную радость и душевный подъем, наблюдая страдания жены. Но вдруг все пошло наперекосяк.

Вася неожиданно подняла голову, дала мужу отпор и превратилась в личность. Юра мгновенно потерял всякий интерес к супруге, а та нашла в себе силы уйти от него назад к матери. Развод оформлять не стали.

С тех пор утекло много воды. Юра не работал, жил мошенничеством, и Марфа понимала — тут ничего сделать нельзя. Попов в полном восторге от подобного образа жизни. Юра выстраивал целые спектакли, он оказался, похоже, гениальным режиссером. Главным для него было понять, что он сильно обидел или унизил человека. Убивать он больше не пробовал, научился радоваться процессу «игры», и, кстати, иногда зарабатывал деньги.

В частности, прочитав в журнале об успехах

Пети, Юра моментально решил наказать ненавистного брата и начал очередной спектакль. Уж как он веселился, когда глупый Петька сначала водрузил на могиле родителей монумент, а потом устроил Юру к себе на работу, известно лишь ему одному. К тому же в бутике мгновенно нашлась глупая Ника, и Юра получил двойной кайф: он надувал брата и вертел дурой.

Кстати, именно благодаря Нике он испытал одно из острейших удовольствий. В харчевню, куда Юра и Ника пришли попить кофе, вломилась Василиса и устроила скандал. Юра чуть не умер от счастья, глядя, как беснуется всегда тихая жена. Значит, он все-таки сумел довести Васю до нужной кондиции. Следовало закрепить успех. Спустя некоторое время после произошедшего Юра позвонил по хорошо известному телефону, трубку сняла теща.

— Анна Сергеевна, — ласково прочирикал мерзавец, — Васеньку позовите.

— Дьявол ты, — неожиданно ответила женщина, — сатана! Страшный грех дочь моя совершила, из окошка выпрыгнула. Гореть ей теперь в аду.

Юра прижал трубку посильней к уху.

— Боже, какой ужас! Вася умерла?

— Да.

— Покончила с собой?

— Да.

— Давно?

— Тридцать первого декабря, — сообщила теща и отсоединилась.

Юра остался стоять. Радость от услышанного портила крохотная деталька. Попов в точности не знал, отчего Вася решилась на отчаянный шаг, но очень надеялся, что именно та встреча в кафе «Бутерброд наоборот» и послужила детонатором взрыва.

Глава 31

— Вы уверены, что Юра не убивал Василису? — спросила я.

Марфа кивнула:

— Абсолютно. Он иногда приезжает сюда и исповедуется. Человеку с такой патологией, как у Юры, необходим преданный слушатель. Хоть раз в год да надо рассказать, какой он молодец-удалец, ловкий, хитрый. Кстати, именно из-за потребности к душевному раздеванию большинство этих больных людей попадает в поле зрения правоохранительных органов. Но Юра очень хитер и умен, в нем пропал великий артист. Начнешь с ним разговаривать — ни за что не догадаешься, с какой личностью имеешь дело. С людьми Попов бывает, как правило, очень мил. А когда намечает очередную жертву, и вовсе превращается в принца. На самом же деле Юра страшный человек. Сейчас он не испытывает материальных затруднений, сдал огромную родительскую квартиру, сам переехал в маленькую «однушку» и занимается новым «делом». Кстати, приезжал он сюда не так давно, послушала я его внимательно и обрадовалась.

— Чему же? — удивилась я.

— Похоже, на этот раз плохо ему придется, — скривилась Марфа, — накажет его заказчик, ох устроит он ему полет шмеля над костром.

— Заказчик?

Марфа кивнула:

— Да. Юра ведь обычно мерзости ради собственного удовольствия устраивал. А тут...

Ефимова зябко дернула плечами, потом медленно встала с кровати, стащила байковое покрывало, закуталась в него, села и затряслась.

— Судьба решила поиздеваться над Юрой, вот и свела его с таким же субъектом, как он сам, хитрым, злым, очень расчетливым, но умело притворяющимся хорошим человеком. Мужику этому хотелось избавиться от Киры Нифонтовой.

Я разинула рот.

— Правда?

— Да, — кивнула Марфа.

— А почему?

Марфа прищурилась.

— Давай по порядку. Кто он и что ему сделала Кира, я объясню позже. Кстати, что ты знаешь о Кире?

Я захлопала глазами.

— Многое, мы дружим со школы.

— Родителей ее видела?

Я улыбнулась:

— Конечно. Моя мачеха Раиса работала у Елены Семеновны, матери Кирки, домработницей. Потом случилась неприятная история, у генеральши пропало ожерелье, и она со скандалом выперла мачеху вон.

— А дальше? — с неподдельным интересом воскликнула Марфа.

— Елена Семеновна наняла другую прислугу, та случайно нашла драгоценность, генеральша прибежала извиняться, позвала Раису назад, — вспоминала я дела давно минувших дней, — но мачеха отказалась. Тогда Елена Семеновна позвала меня к ним на дачу пожить лето, вот там мы и подружились с Кирой, с тех пор не расстаемся. Елена Семеновна была хорошей женщиной, очень любила Киру. Вот отца ее, Григория Петровича, я практически не встречала, он служил генералом, дома редко бывал, да и умер рано. А Елена Семеновна много лет прожила, она скончалась недавно от сердечного приступа.

Внезапно Марфа снова стала кашлять. Тело старой докторши сотряслось, и мне на секунду стало страшно.

— Может, врача позвать?

Марфа, с огромным трудом справившись с приступом, покачала головой.

— Ерунда, это у меня давно, я уже привыкла. Правда, в последние дни хуже стало, но ничего, я справлюсь. Теперь мне все понятно.

— Что? — насторожилась я.

— Не очень-то он богат на фантазию, использовал уже готовую ситуацию.

— Кто? — окончательно растерялась я. — Юра-Миша?

— На всякого шакала есть свой лев, — ухмыльнулась Марфа, — Юра-то себя считал супергероем, а вышло, что им будто пешкой двигали. Нашелся другой, более умный и хитрый, но такой же мерзкий. Нет, эта вакцина сильно людей меняла, всех детей перекорежила, и ведь проявился эффект у кого через поколение с особой яркостью, а у кого моментально.

— Извините, я не очень хорошо понимаю, о чем речь, — призналась я. — Кто нанял Юру? Зачем? Какое отношение ко всему имеет Кира?

Марфа сильней закуталась в одеяло. Несмотря на жару за окном, доктора колотил озноб.

— Ты паспорт Киры видела? — вдруг спросила она.

— Нет, — растерянно ответила я, — а зачем мне в него заглядывать?

— Как имя Нифонтовой?

— Кира.

— Это сокращенно. А полностью?

— Понятия не имею, — призналась я, — а разве Кира — это ласкательно-уменьшительное? Я всегда считала, что Кира она и есть Кира.

— Только не в случае с Нифонтовой, — кашлянула Марфа, — ее зовут Кибелла. Елена Семеновна увлекалась древними сказаниями, поэтому первую дочь нарекла Кирстанаидой, а вторую Кибеллой, то еще имечко! Старшую дома называли Станей, младшую — Кирой. Григорию не слишком нравились вычурные имена, но с женой он спорить боялся.

— Погодите, — забормотала я, — Кира...

— Младшая дочь Елены Ивановой, болезненная девочка Кибелла, которой тоже была сделана в детстве серия уколов, — пояснила Марфа. — Похоже, твоей подруге повезло больше всех. Инъекции ударили ее не по голове, а по телу. Все-таки лучше иметь проблемы с физикой, чем с психикой. Ох, не зря я уверена: эксперимент был ужасен, сколько людей покорежил.

— Но Кира же — Нифонтова, — пыталась я въехать в ситуацию.

— И что?

— А Лена — Иванова!

— Экая ты! — укорила Марфа. — Все правильно. Иванова Лена, дочь экспериментаторов, сама получившая нужную порцию вакцины, была фанатично предана делу. Она, пожалуй, переплюнула даже Володю Попова, тот в конце концов понял, что занимается чем-то не тем, только признаваться не хотел, а Лена тупо шла к цели. Она любила одного мужчину, тоже сотрудника лаборатории, Романа Свапова.

— Припоминаю это имя, — кивнула я, — кто-то мне про него говорил.

— Ничего собой не представляющий мужик, — отмахнулась Марфа, — фанфарон, надутый индюк, без особого ума, его не посвятили в суть исследований, он за мышами следил. Свапов считал, что лаборатория разрабатывает лекарства. Вообще, о расе бессмертных знал только узкий круг, непосредственно участники и врачи, их тоже было наперечет. Свапов к ним не принадлежал. Но парень был хорош собой, и Лена полюбила его. Но замуж она вышла за Григория Нифонтова, потому что Иванова знала: военный лучше всего годится в отцы ее будущих детей. Свапов женился. Лена и Роман работали бок о бок, и я видела, что Иванова просто меняется в лице, когда видит Свапова, она его обожала. Кстати, Лена тоже нравилась парню, и он, наверное, был бы не прочь закрутить с ней романчик. Но Иванова — кремень, эксперимент для нее был превыше всего, поэтому никаких интрижек она с Романом не заводила. А Кира, естественно, получила фамилию отца, стала Нифонтовой.

— Офигеть, — прошептала я, — я даже и не предполагала такого!

— Ты дальше слушай, — тряслась, как под током, Марфа, — приехал ко мне Юра, рассказывает...

Я вцепилась пальцами в жесткое сиденье стула. Ну и ну! Боюсь, Олеся Константиновна, прочитав мою новую рукопись, воскликнет: «Эк вас занесло, Виола Ленинидовна! Ну и фантазия!»

Только с выдумкой у меня плохо, да и жизнь порой бывает покруче любого романа.

Юра примчался к Марфе в ином настроении, чем всегда. Обычно он, потирая руки от радости, сообщал, какую гадость сделал, не забывая восклицать: «Я все могу, потому что самый умный и хитрый и стану бессмертным».

Но на этот раз все было по-другому. Сев на стул, Юра сказал:

— Черт! Я влип!

— Что случилось? — напряглась Марфа.

— Встретил я человечка, — быстро стал рассказывать Попов, — знал его по детству и юности, потом дорожки наши разбежались. Ну увиделись, обрадовались, пошли в ресторан, выпили, закусили. Хорошо дела у человечка идут, зарабатывает он отлично, все путем. Одна беда — счастья нет, мешает ему баба — Кира Нифонтова.

— Господи, да что Кирка этому индивидууму сделала?

Марфа хитро взглянула на меня.

— Интересно? Так вот, на этот самый, похоже, главный вопрос я отвечу в последнюю очередь. Слушай, не перебивай.

Человек жаловался и в конце концов бросил фразу:

— Любую сумму отдам, чтобы Киру убрать. Можно было бы киллера нанять, только, боюсь, найдут меня.

Тут Юра, почувствовав, как всегда перед началом очередного спектакля, необыкновенное возбуждение, сказал:

— Могу тебе помочь!

План у парочки сложился сразу. Юра должен влюбить в себя Киру, взять у нее дорогое ожерелье и исчезнуть. Нифонтова впадет в панику, ясное дело, она никогда не посмеет рассказать мужу про любовника. И что останется ей делать? Только покончить с собой, дабы избежать позора. А даже если она сама не примет такого решения, то Юра убьет ее, а все кругом посчитают, что Кира сама ушла из жизни. Заказчик и Юра позаботятся, чтобы ситуация с ожерельем мгновенно стала достоянием всех. Кира будет мертва, а ее имя покрыто позором.

— Ну дальше идет та часть истории, которую ты сумела раскопать.

Юра едет к Эдику Малине и говорит:

— Дай мне на время твой паспорт.

— Зачем? — удивляется друг детства.

Попов ухмыляется. Естественно, он не собирается говорить потерявшему от запойного пьянства остатки не столь острого и раньше ума Эдику правду: я хочу прикинуться тобой, потому что не желаю затевать игру с Кирой под собственным именем.

— Он ему наврал про телевизор и кредит! — воскликнула я.

Марфа кивнула.

— Да, Юра хорошо знает Эдика, понимает, что тот, вероятнее всего, забудет, куда дел документ. Впрочем, если даже случится невероятное и некто начнет искать Юру, то он придет к Малине. И что тот скажет, а? Где живет друг детства, он не знает и никаких сведений о нем не сообщит.

Ну а дальше все идет без сучка без задоринки. Юра портит машину Киры... сама знаешь, как было!

Я медленно кивнула:

— Да.

— Юра получает колоссальное удовольствие от ситуации и изо всех сил растягивает кайф.

— Стой! — крикнула я.

Марфа кашлянула.

— Что?

— Почему же Кира не узнала Юру?

— Она его никогда не видела, — пожала плечами Марфа.

— Но как же! Ведь Юра-Миша и она были детьми сотрудников лаборатории. Попов, например, отлично знал Малину.

Марфа кивнула:

— Верно. Они ходили в один класс. Ты учти, что Кира младше парней, в детстве она с ними не сталкивалась. А потом Лена была категорически против контактов своей дочери с остальными участниками эксперимента, ее девочка обучалась в другом месте. И еще одно. Правду детям об инъекциях и расе бессмертных не рассказывали. Владимир строго-настрого приказал хранить тайну, открыть ее следовало лишь после того, как юноши и девушка окончат институты, желательно медицинские. Только тогда им должны были сообщить правду и объединить в лаборатории для продолжения работы. Но вышло-то по-иному. Эдик Малина истины так и не узнал. Его пьяный папа, правда, пытался просветить сына, да тот его алкоголический бред слушать не стал. Света Малина, простая баба, не знала подробностей о работе мужа. Лена тоже ничего не раскрыла Кире, она поняла, что девочка сишком слаба духом и телом, чтобы спокойно воспринять ошеломляющую информацию. Лена решила пойти иным путем, но об этом чуть позже. Вот Юре Вера очень рано, в детстве, втайне от мужа сообщила все, оттого мальчик и вырос уверенным в собственной исключительности. Ясно?

— Ясно, — эхом отозвалась я.

— Юра, как всегда, старался получить от ситуации максимум удовольствия, — продолжала Марфа, — с Кирой он познакомился в декабре, ожерелье попросил не сразу. Впрочем, и человечек, заказавший спектакль, не торопился, хотел, чтобы ситуация медленно затягивала Киру. Ну и все у них в результате получилось. Только человечек не знал, с кем связался. Конечно, Юра был рад растоптать несчастную Нифонтову, именно от таких ситуаций он и получал удовольствие. Но еще больше ему хотелось напакостить человечку.

— Почему?!

— Имей терпение, все по порядку! — ответила Марфа. — Спешка хороша лишь при ловле блох. Юра взял ожерелье и... исчез. Он должен был передать эту дорогую вещь человечку, но не выполнил обещание. Понимал, что заказчик, жадный субъект, просто изойдет на мыло, кусая локти от досады. Человечек и помыслить не мог, что Попов его надует, он-то считал себя самым умным, но жизнь свела парня с Юрой, который был о себе, родном, того же мнения. Юра просто пришел в восторг, сообразив, какие перспективы для него открывает создавшееся положение. Вот это игра! Сплошной адреналин!

Попов переехал на другую съемную квартиру, выбросил сим-карту из мобильного и спрятал ожерелье. Юра был абсолютно уверен, что его найти невозможно, он затерялся в огромном мегаполисе, лег на дно, затаился. Следующим этапом должна была стать продажа родительской квартиры. Знаешь, сколько она стоит?

— Понятия не имею!

— Около миллиона долларов.

— Не может быть!

— Почему? — засмеялась Марфа. — Юра мне четко объяснил: в апартаментах чуть больше двухсот квадратных метров, расположены они в историческом центре Москвы. Да еще Вера, большая любительница старины, набила комнаты антикварной мебелью. В те годы, когда Поповы получили хоромы, советские граждане активно освобождались от «бабкиных» столов, стульев и шкафов, покупали современные диваны на «паучьих» ножках, вешали на стены картины с изображением из колес и квадратов. А Вера навела контакты во всех комиссионках и тащила в дом старину. И сейчас Юра спокойно мог получить за квартиру со всем содержимым бешеные деньги. Так что, если сложить вместе куш за жилплощадь, прибавить к нему немаленькие доллары, заплаченные наивными людьми, снявшими квартиру сразу на несколько лет, и присоединить к образовавшейся денежной горе раритетное ожерелье, то получалось, что Юра преспокойно мог уехать из Москвы в любом направлении и начинать жизнь с нуля где угодно. Поняв расклад, Юра несколько недель переживал радостное возбуждение, которое всегда охватывало его после очередной удачно провернутой аферы. Но потом вдруг случилась неприятность. Юра приобрел себе новый мобильный аппарат, и буквально через день после покупки сотовый затрезвонил. Попов сначала удивился, этот номер не знал никто, да и Юрий не собирался его никому давать, хотел использовать трубку в одностороннем порядке, поэтому он сначала насторожился, но затем, решив, что кто-то ошибся, спокойно ответил:

— Да.

И тут в его ухе раздался голос того самого обманутого им человечка.

— Алло! Миша! Отдай ожерелье!

Юра лишился дара речи, а человечек спокойно вещал:

— Облапошить меня решил? Не выйдет. Я тебя из-под земли достану. Немедленно привези камушки с золотишком по указанному адресу! Да имей в виду, я тебя найду непременно, не так уж это трудно.

Попов мгновенно выбросил сим-карту вместе с трубкой. Он хорошо знал о существовании специальных приборов, которые могут запеленговать местонахождение человека, говорящего по телефону. Потом он бросился домой, покидал в чемодан ценные вещи и примчался к Марфе.

— О том, что я бываю у тебя в Гопакове, не знает никто, — сказал он, — спрячь у себя в комнате захоронку.

И снова Марфа не смогла сказать Юре «нет». Ей было элементарно страшно. Попов понял, какие чувства обуревают Ефимову, и хмыкнул:

— Порядок! Я тебя не трону.

— Что же будет, когда тебя найдут? — спросила Марфа.

Юра скривился:

— Я все продумал, великолепно спрячусь.

— Где? — подскочила Марфа.

Попов усмехнулся.

— Не понимаешь?

— Нет, — ответила Ефимова.

Юра широко улыбнулся:

— Я же Миша, верно?

— Да.

— А Юра умер в детстве от дифтерита. Во всяком случае, именно это сообщил Владимир Попов окружающим. Так?

Марфа кивнула, у нее от ужаса перехватило горло.

— Но никакого дифтерита не было, — спокойно продолжал Юра, — а в Гопакове живет под лестницей в каморке идиот, убирает двор, пускает слюни и счастлив. Кстати, я знаю, почему ты тоже оказалась в Гопакове. Ездила навещать дурака, испытывала невесть отчего уколы совести, таскала ему конфеты и приглядела местечко для себя, когда с родными полаялась. Экая ты кретинка! Мишка безмозглое полено, он на своем месте находится. Только по документам парень кто?

— Юрий Попов, — прошептала Марфа.

— Кто об обмене знал, те умерли, верно?

— Да.

— Ну и вернем все назад. Я снова стану Юрой.

Марфа отшатнулась.

— Что же случится с Мишей?

Юра засмеялся:

— Поедет жить в другое место. Я уже нашел людишек, которые помогут провернуть операцию. Не даром, конечно, очень даже не даром, но дело того стоит. А дальше поглядим. Во всяком случае, в интернате меня искать не станут, потому что никто о той давней истории не знает, все умерли, кроме тебя. Да! Ты-то жива! Единственная свидетельница!

— Еще есть Нина, бывшая домработница Веры, — воскликнула я.

Марфа снова стала кашлять.

— Юра о ней забыл, — прошептала она, справившись с приступом. — Он считает, что про обмен знали лишь я и Вера, Нине ничего не грозит. А мне он сказал: «Не бойся, я тебя не трону. Сама скоро на тот свет уйдешь». И ведь правильно рассчитал мерзавец! Я на улицу не выхожу, телефона не имею, да и кто мне поверит? Это с одной стороны. А с другой, получается, что я его сообщница, ведь он мне обо всех преступлениях рассказывал. Обо всех...

— Надо было сразу идти в милицию! — воскликнула я. — Еще тогда, давно!

— Деточка, — хмуро сказала Марфа, — меня бы посадили, а мой сын? Его куда? В детдом? Я воспитывала мальчика одна, отдала ему всю душу, а он вырос, женился, поменял дневную кукушку на ночную и забыл про мать. Я ведь давно не сплю по ночам, все думаю, ну кому бы рассказать, покаяться. Только сейчас поняла, зачем церковь исповедь придумала. Человеку нужно душу чистить, только мы так устроены, что в одиночку себя не пропылесосишь, нам слушатель нужен. И хоть в бога я не верю, но тебя мне господь послал. Спасибо, что спокойно со мной поговорила, теперь и умереть могу.

— Значит, ожерелье у Юры?

— Да. У меня, правда, стоит его чемодан, но самое ценное Попов с собой забрал.

— А он сам в интернате живет?

— Полагаю, что так.

— И окружающие ни о чем не догадываются?

— Думаю, нет. Юра отличный актер, он всю жизнь успешно примеряет на себя разные роли. Сейчас небось получает огромное удовольствие от того, что изображает бедного душевнобольного.

— Он настолько талантлив?

Марфа кивнула:

— Да. И потом, у людей с нарушенной психикой нестабильное поведение. Медперсонал не удивляется ничему, он нацелен на погашение агрессии, вот если больной начинает устраивать истерики, то тут мгновенно применяют всякие средства, а если контингент тихий, то к нему, в особенности если парень, как Попов, почти всю жизнь в клинике находится, особо и не присматриваются.

Я вскочила на ноги.

— А где же сейчас настоящий Миша? Бедный больной?

Марфа еще сильней закуталась в одеяло.

— Ну, — прошептала она, — ну... думаю, его Юра увез в хорошее место, на квартиру, где за братом смотрят, кормят, поют, лечат...

Чем больше Марфа лепетала чушь, тем яснее делалось мне: она великолепно понимает, как на самом деле Юра поступил с братом и на какой «хорошей квартире» сейчас проживает Миша.

Глава 32

Выйдя из дома престарелых, я добрела до машины и рухнула на сиденье. И что делать дальше? Юра в двух шагах от меня, ожерелье у него. Но самой к парню идти нельзя, он убийца, хладнокровный маньяк. Значит, надо обратиться в милицию, но я не могу этого сделать, потому что тогда история о том, как Кира изменила Борису, выплывет наружу. Куда деваться? Думай, Вилка, думай!

Внезапный звонок мобильного заставил меня подскочить.

— Виола Ленинидовна, — прозвучал, как всегда, бесстрастно-спокойный голос Олеси Константиновны, — вы можете сейчас приехать?

— Нет, — пробормотала я.

— Это очень важно.

— Никак не получится, я не в Москве.

— А где?

— В Гопакове.

— Где же такое место? — удивилась Олеся Константиновна.

— Возле Звенигорода.

— К пяти вечера доедете до «Марко»?

— В принципе, могу, но зачем? Книгу мне еще сдавать не скоро, а с предыдущей вроде все вопросы решены.

— С вами хочет срочно поговорить Боков.

— Кто? — пролепетала я.

— Игорь Владиславович Боков, — ответила Олеся Константиновна.

Я почти лишилась чувств. Боков! Всесильный и всемогущий, самый главный редактор «Марко», великий и ужасный Игорь Владиславович, человек, который вершит судьбы писателей. Меня ни разу не водили в его кабинет, да и понятно почему, госпожа Виолова, сиречь Тараканова, всего лишь маленькая дворняжка детективного жанра, а Боков работает только со звездами уровня Смоляковой.

— З-зачем я понадобилась Бокову? — еле-еле пролепетала я.

Олеся Константиновна помолчала, а затем тоном распорядительницы похорон, которым сотрудницы крематория возвещают: «А теперь попрощайтесь с покойным», произнесла:

— Он сам объявит вам о решении, приезжайте к пяти, это очень важно!

Я не помню, как добралась до «Марко», и не знаю, каким образом ухитрилась дорулить до нового фешенебельного здания издательства. Я очень хорошо понимала, зачем понадобилась Бокову. Сейчас мне торжественно объявят: «Марко» более в ваших услугах не нуждается».

Олеся Константиновна никогда еще не велела мне явиться с такой настойчивостью, и ни разу она не говорила со мной столь мрачным тоном.

Бросив «Жигули» на стоянке, я, словно зомби, побрела по асфальту. Что ж, жизнь закончилась, вокруг одна сплошная чернота. Сейчас меня пинком вышвырнут из «Марко». Ожерелье Кире вернуть я пока не могу, Юра запросто смоется в неизвестном направлении, пока я буду соображать, как поступить. Борис разведется с Кирой, отберет у нее детей, и моя подруга зачахнет от горя. Да еще с Олегом я постоянно ругаюсь... Что ждет меня впереди? Развод, работа поломойки, похороны Киры и муки совести на всю оставшуюся жизнь.

Еле-еле сдерживая слезы, я добралась до кабинета Олеси Константиновны. Увы, я плохо могу вспомнить, что происходило дальше. Перед глазами будто постоянно тряслось черное марлевое покрывало, звук долетал до ушей плохо, так, словно на голове сидела шапка-ушанка. Олеся Константиновна что-то бубнила, вталкивая меня в кабинет к Бокову, но я не воспринимала ее речь.

Высокий мужчина с крупным, добродушным лицом указал на кресло.

— Очень рад с вами познакомиться, Виола Ленинидовна, садитесь, пожалуйста.

Ноги подломились в коленях, пот потек по спине, волосы прилипли к затылку, ладони похолодели, и чья-то рука безжалостными, железными пальцами схватила за сердце.

Боков насторожился.

— Вам плохо? Что-то вы побледнели!

— Нет, — услышала я со стороны свой голос, — говорите скорей, не тяните!

Олеся Константиновна, сидевшая по другую сторону стола, удивленно моргнула, Боков кашлянул.

— Действительно. Начнем. Виола Ленинидовна, вы перспективный автор, поэтому мы решили издавать вашу собственную серию. Ориентировочное название: «Детектив без слова лжи». Есть, впрочем, одна сложность. Вы не всегда вовремя сдаете рукописи, а для серии придется работать интенсивнее... Эй, что с вами! Олеся, воды, валокордин, коньяк...

По моим щекам потекли слезы, я спросила:

— Меня не выгонят! Да? Нет?

— Да, — растерянно ответил Игорь Владиславович, — то есть нет, или да! Господи, вы меня запутали! С какой стати нам прекращать с вами совместную работу? Сейчас начнем серию, вы только пишите активней.

Олеся протянула мне стаканчик с едко пахнущей жидкостью, я опрокинула в себя лекарство и зарыдала в голос.

— Но как активней? Не получается! Вот послушайте, во что я сейчас влипла! Кира Нифонтова...

Боков и Олеся вцепились в меня глазами. Я же, потеряв всякий контроль над собой, размахивая руками, вываливала события последних дней. В какой-то момент Боков схватил трубку и рявкнул:

— Берняка ко мне скорей!

Спустя пару минут в кабинет вошел огромный человек, начальник службы безопасности «Марко» Сергей Берняк.

— Вот, — хором закричали Боков и Олеся, — ты только послушай! Виола, начинай заново!

Не просите меня описывать, что происходило дальше. Смутно помню, как в кабинете отчего-то появились мой муж и пара неизвестных парней. Меня стало тошнить. Чьи-то руки уложили госпожу Тараканову на широкий диван и прикрыли пледом, под головой оказалась пахнущая табаком подушка. Откуда ни возьмись материализовались тетки в белых халатах, острая боль пронзила руку. На секунду тошнота, озноб и глухота покинули меня, к глазам вернулась зоркость, я увидела Бокова и Олега.

— Так она и в самом деле влезает во все эти жут-

кие истории? — растерянно спросил Игорь Владиславович. — Я думал, наш пиар-отдел поработал,
Федька имидж придумал.

Олег махнул рукой.

— Если бы так было, я не волновался бы. Вы ее
хоть бегемотихой из Африки назовите, если вам кажется, что от этого ее дурацкие романы интереснее
станут. Но ведь самый ужас состоит в том, что она
не врет! Я живу как на гранате с выдернутой чекой!
Вилка неуправляема!

«Сам хорош», — хотела воскликнуть я, но тут неожиданно кому-то в голову пришло погасить весь
свет в помещении и выключить звук.

До носа долетел незнакомый, слишком резкий
запах одеколона. Я чихнула, села, раскрыла глаза,
увидела Олега, стоящего у шкафа, и возмущенно
сказала:

— Что за дрянью ты надушился?

Куприн рассмеялся.

— Ничего веселого, — обозлилась я, — знаешь
ведь, что у меня повышенная чувствительность к за-
пахам, и облился отвратительным парфюмом, который...

— Мне его подарила на день рождения любимая
жена, — закончил Олег.

Я на секунду примолкла, но потом быстро сказала:
— Никто ведь не предполагал, что ты станешь
выливать на себя весь флакон целиком.

Олег сел на кровать.

— Очень рад, что стрессовая ситуация прошла
для вас, мадам, без следа. Когда профессор Рябов,
которого наняло «Марко», чтобы исцелить своего
автора, сказал, что тебе поможет лечебный сон и ты
через две недели вскочишь здоровой, я ему, честно

говоря, не поверил. Но теперь вижу, доктор не зря получает гонорар. Вилка воскресла и мигом стала свариться с мужем. Слава богу, а то, когда ты плачешь и жалуешься, я пугаюсь до одури и думаю, что дело плохо!

Я вытаращила глаза.

— Две недели? Ты хочешь сказать, что...

— Ага, — кивнул Олег, — из «Марко» я привез тебя на машине домой. Потом прибыл Рябов, с ним медсестра. В спальне установили пост. Профессор сказал, что в твоем случае процедуру лучше проводить дома, и я был согласен. Мало ли что могло случиться в больнице, учитывая дело, в которое ты самозабвенно влезла. В общем, ты спала, а люди вокруг на ушах стояли. Медсестра и сейчас здесь, чай пьет на кухне. Милая такая, вообще-то, девушек трое, они меняются.

Я вцепилась в мужа.

— Кира!!!

— Она пришла в себя.

— Боже, Борис все узнал! А Юра? Его поймали?

Куприн кивнул:

— Да уж, народ вертелся, словно ошпаренный. Хорошо, что успели Марфу допросить.

— Она умерла!

— Да.

— Ее убил Юра!

— Нет, сама скончалась от сердечного приступа, — пояснил Олег, — но успела все изложить нашим сотрудникам. Юра в следственном изоляторе.

— А Миша?

Куприн кашлянул.

— Он мертв.

— Это Юра его, да?

— В общем, да, — мрачно подтвердил Куприн, —

хотя практически он скончался сам. Юрий вывез безумного брата без документов в Москву и посадил на Ленинградском вокзале. Миша провел там сутки и умер от стресса. Не забудь, он был болен психически, почти всю жизнь провел в закрытом пространстве интерната, встречаясь с одними и теми же людьми. В такой ситуации он адаптировался и вел себя нормально. Но резкая смена обстановки, огромная бурлящая толпа — все это для душевнобольного человека стало смертельным испытанием. Он сидел в ступоре на скамейке, а потом его сердце не выдержало.

— Юра убил брата!

Олег вытащил сигареты.

— Сейчас он утверждает, что не имел желания лишать его жизни. Дескать, думал, Михаила заметит патруль, поймет, что имеет дело с психически ненормальным человеком без документов, и сдаст его в соответствующее заведение. Только лично я Юрию не верю. Сотрудники интерната, помогавшие Попову совершить обмен, тоже арестованы. Сейчас в Гопакове идет проверка за проверкой.

— Господи, — прошептала я, — что же будет с Кирой!

Олег нахмурился.

— Да, ей судьба приготовила тяжелое испытание. Впрочем, учитывая ее слабое здоровье и состояние после перенесенного, слава богу, неудачного самоубийства, ей пока никто правды не сообщил. Более того, мы сделали все, чтобы Нифонтова быстрее пошла на поправку. Твоя подруга Лиза, ее лечащий врач, передала Кире ожерелье, сказала, что ты нашла его и беспокоиться не о чем. Кира обрадовалась и сразу стала выздоравливать.

Я подпрыгнула от негодования.

— Драгоценность нашлась?

— Ну да, Юра держал очень дорогую вещь при себе.

— Но вы же могли не сообщать Борису правду о том, что случилось! — заорала я. — Олег, ты просто гад! Трудно было сказать Боре, что его жена, когда ее забирали в больницу, прихватила ценность с собой или спрятала куда-нибудь! Глядишь, он бы и не узнал ничего, и Кира сохранила семью. Какой ты жестокий! Я столько сделала, чтобы помочь подруге, а...

Олег стал чернее грозовой тучи.

— Вилка, — строго спросил он, — как фамилия Киры?

— Нифонтова.

— А по мужу?

— Она ее не меняла.

— Ладно, назови фамилию Бори.

Я напряглась.

— Не знаю, вернее, не помню. Я Киру Нифонтовой зову, мне Борины данные ни к чему. Честно говоря, я мало что о нем знаю, даже отчество не вспомню. Впрочем, ничего страшного нет, обращалась к нему по имени, да и общались с ним раз в год.

— Он Свапов. Борис Романович Свапов. Теперь дошло?

В моей голове медленно заворочались ржавые колеса памяти.

— Борис Романович Свапов... Погоди, он что, сын того Романа Свапова, в которого была влюблена Лена Иванова, мать Киры?

— Да, — кивнул Олег.

— Ничего не понимаю!

Куприн взял меня за руку.

— Елена Иванова была самой фанатичной из всех, кто участвовал в эксперименте. Она не любила Григория Нифонтова, но ради науки родила от него дочь; Лена обожала Романа, но соединить с ним судьбу не могла, опять же из-за эксперимента, но она сообщила Роману правду о касте бессмертных и сделала ему укол. Потом Свапов женился, у него родился сын Боря, которому Лена тоже втайне от всех сделала инъекцию. Она уже тогда задумала все. Боря рос обычным мальчиком, а поскольку все сотрудники лаборатории жили в одном, так сказать, околотке, кто попроще — в коммуналках, кто позначимей — в отдельных квартирах, то Боря ходил в ту же школу, что и Эдик Малина, и сыновья Попова. Мальчики общались, одно время даже дружили, только потом жизнь раскидала их по разным местам. Тебе пока понятно?

Я кивнула:

— Да.

— Помнишь, ты мне рассказывала, что Елена Семеновна постоянно контролировала дочь, а потом привела ей сама жениха.

— Да.

— Так вот. Лена задумала поженить двух детей, которые получили инъекции, этот брак должен был принести наследников. Ни Кира, ни Боря не знали ничего о лаборатории. Нифонтова привыкла слушаться маму и спокойно пошла в загс.

— Она чувствовала себя вполне счастливой, — протянула я.

— Охотно верю в такое, — согласился Олег, — а Боря, не слишком-то обеспеченный юноша, без больших денег, но с огромными запросами, был расчетлив. Елена Семеновна объяснила будущему зятю, что тот, женившись на Кире, будет богат, у генеральши было много чего припрятано: драгоценности, картины. Григорий, хоть и мужлан и не умел правильно есть рыбу, очень хорошо зарабатывал и имел возможность приобретать раритетные вещи. Борис мгновенно понял, сколь выгодна для него женитьба на Кире. И еще, Елена Семеновна обожала зятя. Он был очень похож на своего покойного отца, Романа Свапова. Поэтому теща баловала парня и всегда во всех конфликтах становилась на его сторону. Она не слишком уважала свою дочь, считала ту мямлей и дурой, а вот в Боречке души не чаяла и все, что имела, завещала зятю. Кира, впрочем, не придала значения последней воле матери, посчитала ее чистой формальностью. В конце концов, какая разница, кто владелец дачи и квартиры? Она или Боря? Все равно они одна семья.

Только у Бори возникло другое мнение на сей счет. Он-то давно имел любовницу, порвать отношения с надоевшей ему Кирой не мог. Финансовые вожжи были в руках у Елены Семеновны. Ее смерть развязала Борису руки, он стал богат. А еще генеральша оставила своему обожаемому зятю письмо, из которого он узнал, что в одном из банков арендована ячейка, где Елена Семеновна держала самое дорогое. Ключик и разрешение на вскрытие сейфа прилагались.

Боря помчался в хранилище и нашел там настоящее богатство, в том числе ожерелье баснословной цены с буквой К. В свое время Григорий заказал его для жены в благодарность за рождение первой девочки, Кирстанаиды, той, что трагично погибла под колесами машины.

— Значит, он не заказал его для Киры? Соврал, когда дарил? — возмутилась я.

— Ага, — кивнул Олег.

— Вот мерзавец!

— Больший, чем ты думаешь, — криво улыбнулся Куприн. — В голове у Бориса после получения состояния занозой сидела мысль, как убить Киру.

— Господи! Нельзя, что ли, развестись?

Олег скривился.

— При распаде брака половина имущества отходит жене, а Борис не хотел делиться. Свапова раздирали противоречивые чувства. С одной стороны, Кира надоела ему до зубовного скрежета, с другой, он не хотел с ней делиться, с третьей — боялся убивать жену. И тут судьба улыбнулась подлецу. Как-то раз вечером Кира долго болтала по телефону. Муж, который теперь использовал любой случай, чтобы наорать на жену, возмутился.

— С кем треплешься?

— С Вилкой, — ответила Кира.

— Все твои подруги — дуры, в особенности эта, возомнившая себя писательницей, — вскипел Борис. — Где ты только с ней познакомилась.

Кира улыбнулась.

— Неужели я тебе никогда не рассказывала? Моя мама когда-то выгнала ее мачеху за кражу ожерелья...

Боря молча выслушал семейную историю и ушел спать. Но на следующий день он совершенно случайно столкнулся с Юрой. Друзья детства узнали друг друга и пошли в ресторан. Свапов, крепко выпив, неожиданно с пьяных глаз выложил все Юре и оставил тому свой телефон.

Утром Юра позвонил Свапову и сказал:

— Давай встретимся, есть интересное предложение.

План уничтожения Киры придумал вспомнивший историю про украденное ожерелье Боря. Юра внес свои коррективы. Киру следовало довести до самоубийства, загнать ее в угол при помощи страха, отчаянья и стыда.

Торопиться парочка не стала, дело не требовало спешки. Боря торжественно подарил жене ожерелье. Кира увидела букву К и пришла в восторг.

— Она не знала, что было у матери в сейфе?

— Нет, — ответил Олег, — Лена не уважала дочь и, в конечном итоге, не слишком любила ее, добрые чувства Ивановой были направлены на Борю, сына обожаемого Ромы, а не на Киру, рожденную ею от постылого Григория. Дальнейшее ты знаешь!

Юра, прикинувшись Малиной, обращается в автосервис. Кстати, знаешь, какие вопросы я бы задал себе, начав заниматься этим делом с самого начала?

— Ну? — заинтересовалась я.

— Почему глупый Гоша, слегка подпортивший машину Киры, легко открыл дверь авто? Ему дали «родные» ключи. Откуда их взял «Эдик»? Как он узнал, где будет стоять машина Киры? Где выяснил ее номер? Ответ лишь один: его, лже-Эдика, «консультировал» некто, отлично знавший Киру! Но ты такими вопросами не задалась. Собственно говоря, это все.

— Но Боря так переживал, — тихо сказала я, — вызвал профессора к Кире, попытался сделать все, чтобы вывести ее из комы.

— А что ему оставалось делать? — вздохнул Олег. — Муж, который не проявляет в такой момент заботу о супруге, выглядит подозрительно. Потом, он был уверен, что Кире конец. В больнице до сих пор все удивляются тому, что она пришла в себя.

Я внезапно вспомнила, как Борис, рассказывая о состоянии здоровья Киры, воскликнул: «Ну за что мне это?!» — и вздохнула. Небось Свапов надеялся, что жена умрет сразу, а она оказалась в больнице.

— Все ясно? — спросил Олег.

— Механиков тоже он убил?

— Каких?

— Яковлева и Мискина, тех, которые помогали «влюбленному» лже-Эдику?

— Нет, — пояснил Куприн, — конечно, Юра совершил ошибки, привлекая к делу посторонних парней! Но, с другой стороны, чем он рисковал? Сергею он представился Эдуардом Малиной, наплел про любовь, а главное, заплатил Яковлеву очень хорошие деньги. Впрочем, неизвестно, как бы он поступил с юношами впоследствии, но они разбились на машине. У Яковлева была старенькая иномарка, внезапно лопнула шаровая опора, и автомобиль на большой скорости влетел в отбойник.

— Это точно?

— Да, экспертиза дала заключение. Эти две смерти не на совести Бориса и Юрия.

— Мерзавцы! — воскликнула я.

Олег кивнул.

— Да, они все рассчитали, но все же наделали ошибок. Юра невесть по какой причине дал Эдику телефон Петра, своего брата. Ясное дело, что он не желал сообщать свои координаты. Ему следовало просто наобум произнести любой набор цифр, но Юра совершил промах, который в конце концов и помог тебе выйти на него. Потом он совсем сглупил. Удрал с ожерельем, выбросил мобильник и купил новую сим-карту по паспорту... Михаила Попова, то есть по документу, с которым живет всю жизнь. А Борис, ни за что не хотевший лишиться драгоценности, предположил, что подельник захочет купить новый номер, и стал рыскать в нужном направлении.

Свапов не очень надеялся на успех. Кстати, его любовница работает в журнале «Аксессуары», пишет среди прочего и об услугах сотовой связи, она и помогла Боре. Женщина абсолютно не в курсе дела, Свапов, естественно, не открыл ей правду, просто сказал:

— Один кент должен мне кучу денег. Взял бабки и пропал, мобильный сменил. Проверь по своим каналам, вдруг некий Михаил Владимирович Попов приобрел контракт.

— Небось он не такой дурак, — вздохнула дама, но просьбу выполнила.

— А он оказался такой дурак, — протянула я.

Олег кивнул.

— Были и еще ошибки, мелкие и одна очень крупная. Знаешь, какая? Они не знали, что у Киры есть подруга, Виола Тараканова, умная, находчивая, талантливая, верная и честная. Такая никогда не бросит приятельницу в беде. А еще она пишет замечательные детективные романы и скоро переплюнет Смолякову. Если, конечно, научится выдумывать истории про преступления, а не вляпываться в них по-настоящему.

Я с подозрением глянула на супруга.

— Ты издеваешься?

— Нет, — без всякой улыбки ответил Олег, — даже и не думал. Вот смотрю я на жен своих друзей и понимаю, ты — лучшая. Может, конечно, я иногда бываю невнимателен, но, понимаешь, Вилка, не умею я всякие там муси-пуси говорить, язык не поворачивается. Наверно, я не самый хороший муж, зарабатываю копейки, дома бываю редко, цветов не покупаю. Но я исправлюсь, вот!

Куприн встал с кровати, подошел к креслу, на котором стоял его портфель, порылся в нем, вытащил слегка помятую коробку конфет, потом снова сел на постель.

— На, держи. Купил твои любимые, молочные, с вафлями и орехами. Ешь с чаем.

Я люблю только черный, очень горький шоколад без всяких добавок. Но это, ей-богу, ерунда. Я схватила потерявшую парадный вид упаковку. Из глаз полились слезы.

— Ты самый лучший муж на свете, — закричала я, — лучше некуда! А вот тебе досталась фиговая жена: готовит плохо, стирает гадко, гладить не умеет, да еще вечно спорит с тобой! Ну прости, пожалуйста!

Олег прижал меня к себе.

— Ерунда это, быт. Я люблю тебя такой, какова ты есть. И потом, если я вижу, что у нас чисто, а в шкафу висят отлично накрахмаленные, без единой складочки рубашки, у меня просто сердце замирает от предстоящих неприятностей.

— Но почему? — удивилась я.

Куприн хихикнул.

— Идеальный порядок в нашем доме означает лишь одно: мадам Арина Виолова вляпалась в очередную лужу, и теперь ее вторая половина, Виола Тараканова, усиленно пытается задобрить мужа, чтобы он вытащил ее из неприятностей.

Я посмотрела на коробку конфет. Швырнуть ее в Олега? Но руки сами собой открыли крышку, вытащили шоколадку и сунули ее в рот. Конфета оказалась неожиданно вкусной. Что ж, надо набраться смелости и признать свои ошибки. Молочный шоколад не хуже горького, и Олег прав, я начинаю хвататься за пылесос в момент растерянности либо тогда, когда испытываю муки совести.

Эпилог

Юра был признан невменяемым и отправлен в психиатрическую лечебницу. У меня до сих пор копошатся в душе сомнения. Мне кажется, что Попов, талантливый актер, сумел обмануть врачей и постарался угодить в больницу, дабы избежать зоны. Впрочем, жизнь в сумасшедшем доме тюремного типа ничуть не лучше существования в колонии. Борис получил свой срок и находится сейчас где-то за Уральскими горами. Узнав правду о муже и любовнике, Кира вновь загремела в больницу, и Лиза просто поселилась в ее палате. Но не зря говорят, что время лучший врач, постепенно Кира пришла в себя и вроде бы оклемалась. Сейчас она работает, а все свое свободное время отдает детям. Нифонтова очень боится, что на них каким-то образом скажется тот факт, что ей и Борису были сделаны таинственные инъекции. Но слава богу, любимые забавы папы Карло, то есть эксперименты Демьяна Попова, никак пока не отразились на здоровье детей, да и Кира чувствует себя хорошо.

У нас все тоже вроде бы слава богу. Кристя ходит в школу, Никита быстро растет, Томочка осваивает японскую кухню, Семен подсел на суши. Олег по-прежнему работает, я же старательно бегаю между письменным столом и телевидением. Жду не дождусь, когда моя соседка выйдет из декретного отпуска и я смогу с облегчением бросить передачу с дурацко-бодрым названием «Проснись и пой». Но пока мне приходится ездить на улицу Академика Королева. Впрочем, я уже привыкла вставать тогда, когда спят даже водители трамваев.

Вот и сегодня меня вынесло из кровати ни свет ни заря. Одна радость, что в десять я уже была свободна. Зевая во все горло, я докатила до магазина и припарковала машину. Очень хотелось пить, в горле пересохло. Старательно обходя лужи и ежась под мелким, противным дождем, я пошлепала в супермаркет.

Внезапно до ушей долетело тихое хныканье, то ли плач, то ли писк. Я оглянулась. Чуть сбоку, у забора, прижавшись к бетонному столбику, стоит девочка, плохо одетая, в слишком короткой и узкой курточке, из-под которой торчат рваные джинсы, она сгорбилась под дождем. Я моментально оценила обстановку. Брюки ребенка не побывали в руках дорогого модельера, дырки на штанинах возникли естественным путем, от изношенности. Да и сапожки у нее ветхие, стоптанные, похоже, родители не слишком заботятся о крошке.

— Что случилось? — спросила я, подходя к ребенку. — Тебя кто-то обидел?

— Нет, — всхлипнула малышка.

— Ты заболела?

Девочка зашмыгала носом.

— Я здоровая совсем. Меня тетя Света послала в магазин, Маньке, дочке ее, кашу купить...

Мое сердце екнуло.

— И что?

Ребенок потер глаза грязным кулаком.

— Тетя Света велела быстро сбегать, а то Манька проснется, а еды нет, а я...

— ...поспешила, упала и уронила деньги, — закончила я.

Большие карие глаза с изумлением уставились на меня.

— Откуда вы знаете? Тетенька, вы колдунья?

Я покачала головой. Нет, конечно, просто я вспомнила себя маленькую, потерявшую деньги на пиво,

Донцова Д. А.

Д 67   Любимые забавы папы Карло: Роман. — М.: Изд-во Эксмо, 2004. — 384 с. — (Иронический детектив).

ISBN 5-699-09184-X

Писать детективы трудно, но вот искать для них сюжеты — еще трудней! Ко мне явилась подруга Кира и рассказала душещипательную историю. Она влюбилась в некоего Эдуарда со сладкой фамилией Малина и решила уйти от мужа. Но воссоединиться с любимым мешала «маленькая деталь» — больная жена Эдика, на лечение которой Кира одолжила подаренное ей супругом бриллиантовое колье с огромным изумрудом. Ну а дальше Малина растаял вместе с любовью и ожерельем. Но адрес Эдика у Киры есть. И вот я еду к этому гаду, чтобы забрать колье. Однако в указанном месте живет какой-то замухрышка. Некто явно позаимствовал его паспорт. Кира с горя отравилась и загремела в реанимацию. Ни фига себе сюжет для детектива! И где мне искать мерзавца?.. Но вот забрезжил свет в конце тоннеля — я приблизилась к развязке, опросив кучу свидетелей. У лже-Малины оказалось много лиц — он и убийца, и обольститель, и вымогатель — сплошное отрицательное обаяние. Но не будь я Виолой Таракановой, если, как и многие, попадусь на эту удочку. Меня-то уж ему не обаять....

УДК 82-3
ББК 84(2Рос-Рус)6-4

Оформление серии художника *В. Щербакова*

Литературно-художественное издание

Донцова Дарья Аркадьевна

ЛЮБИМЫЕ ЗАБАВЫ ПАПЫ КАРЛО

Ответственный редактор *О. Рубис*
Редактор *Т. Семенова*
Художественный редактор *В. Щербаков*
Художник *Е. Рудько*
Технический редактор *О. Куликова*
Компьютерная верстка *Г. Павлова*
Корректор *М. Пыкина. З. Харитонова*

ООО «Издательство «Эксмо»
127299, Москва, ул. Клары Цеткин, д. 18, корп. 5. Тел.: 411-68-86, 956-39-21.
Home page: www.eksmo.ru   E-mail: info@ eksmo.ru

Подписано в печать с оригинал-макета 26.10.2004.
Формат 84×108 $^1/_{32}$. Гарнитура «Таймс». Печать офсетная.
Бум. газетная. Усл. печ. л. 20,16. Уч.-изд. л. 15,1.
Тираж 330 000 экз. Заказ № 0414060.

Отпечатано на MBS в полном соответствии
с качеством предоставленного оригинал-макета
в ОАО «Ярославский полиграфкомбинат»
150049, Ярославль, ул. Свободы, 97